Cidades e Soluções

André Trigueiro

Cidades e Soluções

COMO CONSTRUIR UMA SOCIEDADE SUSTENTÁVEL

LeYa

LICENCIAMENTO GLOBO

ORGANIZAÇÃO E EDIÇÃO
Claudia Guimarães

PESQUISA DE CONTEÚDO
Klara Duccini

PREPARAÇÃO DE ORIGINAIS
Maria Clara Antonio Jeronimo

REVISÃO
Bárbara Anaissi

CAPA E PROJETO GRÁFICO
Leandro Dittz

FOTO DE PRIMEIRA CAPA
Airpano

FOTO DE QUARTA CAPA
Leandro Dittz

DIAGRAMAÇÃO
Filigrana

FSC MISTO
Papel produzido a partir de fontes responsáveis
FSC® C041271

Este impresso foi produzido pela Brasilform em papel certificado.

Dados Internacionais de Catalogação na Publicação (CIP)
Angélica Ilacqua CRB-8/7057

Trigueiro, André
Cidades e Soluções: como construir uma sociedade sustentável / André Trigueiro. – Rio de Janeiro: LeYa, 2017.

ISBN 978-85-441-0588-7

1. Meio ambiente – Brasil 2. Impactos ambientais 3. Sustentabilidade 4. Políticas ambientais – Brasil 5. Desenvolvimento sustentável I. Título

CDD 363.7

Índices para catálogo sistemático:
1. Meio ambiente : Brasil

Todos os direitos reservados à
EDITORA CASA DA PALAVRA
Avenida Calógeras, 6 | sala 701
20030-070 – Rio de Janeiro – RJ
www.leya.com.br

SUMÁRIO

Apresentação 7

Energia 11

Água 39

Biodiversidade 73

Mudanças climáticas 111

Resíduos 155

Planejamento urbano 199

Construções sustentáveis 235

Sociedade 263

Consumo consciente 299

Anexos 319

APRESENTAÇÃO

Uma das mais importantes mudanças neste século é a recente constatação de que – pela primeira vez na História – a maior parte da população mundial passou a viver em cidades.

A urbanização acelerada do planeta traz inúmeros desafios e uma certeza: qualquer solução para a humanidade passa necessariamente pelas cidades. São as cidades que consomem a maior parte dos produtos e serviços, da energia, dos alimentos, dos materiais de construção etc. São as cidades que geram a quase totalidade do lixo, dos esgotos, da poluição do ar e das águas, entre outros impactos.

Em resumo: a utopia de um mundo melhor e mais justo, onde a sustentabilidade seja o norte magnético da bússola, dependerá basicamente de uma nova cultura urbana. São novos hábitos, comportamentos, estilos de vida e padrões de consumo que devem considerar os limites do planeta e a escassez crescente de recursos naturais não renováveis fundamentais à vida. A boa notícia é que isso não é apenas possível, mas já está acontecendo.

Nesses dez anos de existência, em mais de quatrocentas edições, o programa *Cidades e Soluções* abriu espaço na TV para experiências inovadoras e bem-sucedidas de uso sustentável dos recursos, com a redução do desperdício e a promoção da qualidade de vida das pessoas. Os assuntos mostrados na Globo News inspiraram projetos de lei, políticas públicas, novos conteúdos pedagógicos em universidades e escolas, e foram incorporados nos mais diversos espaços e instâncias – do planejamento estratégico de empresas a reuniões de condomínio.

O reconhecimento também veio de outras formas: por meio dos 24 prêmios conquistados até hoje; no interesse do Canal Futura em reprisar o *Cidades e Soluções*, alcançando um segmento além dos canais por assinatura, e através do convite para constituir o acervo do prestigiado Museu do Amanhã, na Zona Portuária do Rio de Janeiro, onde os visitantes podem ver versões resumidas dos programas.

Mas este livro não é a versão escrita do *Cidades e Soluções*. Nos apropriamos dos conteúdos dos melhores programas e demos a eles uma nova roupagem, acrescentando dados e informações inéditas. Os textos curtos e objetivos dão ritmo à leitura, pontuada por deliciosas histórias de bastidor em que revelamos situações curiosas, engraçadas, intrigantes. Nas "Ecodicas", compartilhamos sugestões inspiradoras fáceis de replicar no dia a dia.

Para organizar um conteúdo tão vasto, dividimos em nove capítulos os assuntos que nos pareceram os mais relevantes. Ao final de cada um deles, o leitor poderá acessar o resumo das conversas que tivemos com personalidades notáveis, conhecidas internacionalmente, que se destacaram pela capacidade de denunciar a gravidade do momento e a urgência de novas atitudes no âmbito pessoal e coletivo. Muhammad Yunus, Noam Chomsky, Al Gore, Jeffrey Sachs, Michael Bloomberg, Vandana Shiva, John Elkington, Pavan Sukhdev e Achim Steiner brilharam no *Cidades e Soluções*. Para efeito de registro – e a devida contextualização dos temas abordados – as datas de exibição de cada programa ou entrevista (e o nome dos repórteres que deles participaram) aparecem no final do livro.

São tantas as pessoas envolvidas direta ou indiretamente com a história desse programa, que não seria possível relacionar seus nomes aqui sem cometer alguma injustiça. Ao longo de uma década, tive o privilégio de aprender muito com dezenas de editores de texto e de imagem, produtores e repórteres, cinegrafistas e operadores de áudio, chefias e diretores. Fiz muitos amigos e sinto até hoje saudades de muitos deles. Todos compartilharam generosamente seus talentos e deixaram suas marcas.

Minha gratidão à fundadora e primeira diretora-geral da Globo News, Alice Maria, que deu sinal verde para o projeto. A Evilásio Carneiro, veterano cinegrafista que me estimulou a realizar planos-sequência que se tornaram uma das marcas registradas do programa.

Duas companheiras, em particular, foram determinantes para o sucesso deste projeto. Marina Saraiva, que integrou a equipe pioneira nos primeiros anos de trabalho (quando é preciso formatar linguagens e linhas editoriais) e Klara Duccini, que vem brilhando no exercício de múltiplas funções como produtora, editora e repórter. Klara também participou ativamente do processo de seleção dos assuntos que aparecem nesta edição. A todos os queridos companheiros de trabalho – os do passado e os do presente – a minha sincera gratidão. Não chegaríamos tão longe, com uma história tão bonita, sem todos vocês.

Agradecimentos especiais à diretora da Globo News, Eugênia Moreyra, por todo o apoio desde o primeiro momento, à equipe da TV diretamente envolvida com o projeto editorial e aos competentes e dedicados profissionais da Editora LeYa.

Por fim, dedico este livro a quem teve a ideia de fazê-lo. Claudia Guimarães, minha mulher, companheira de vida e de jornada, telespectadora assídua do *Cidades e Soluções*, não apenas sugeriu o projeto – convencendo-me de que o "acúmulo de trabalho" não seria uma boa desculpa para recusá-lo – como participou ativamente da confecção do livro, elaborando e editando textos, sugerindo novos conteúdos, realizando pesquisas e redigindo parte das atualizações. Ao longo de nove meses de trabalho, nos envolvemos numa gestação amorosa que consumiu preciosos tempo e energia. O resultado superou as nossas expectativas. É um livro de esperança em tempos de crise. E é justamente nos tempos de crise que as soluções se tornam ainda mais valiosas.

energia

A revolução energética 13

O sol brilha para todos 14

A força do vento 21

O avanço do *smart grid* 23

A tal da biomassa... 26

Biodiesel: mais saúde, menos gastos 29

Gás de xisto: ame-o ou deixe-o 30

Conversa com Jeffrey Sachs 34

A REVOLUÇÃO ENERGÉTICA

Há uma revolução energética em curso no mundo e ela nos alcança de forma direta. Nunca se investiu tanto em fontes limpas e renováveis. Novas tecnologias e modelos de negócio abrem espaço principalmente para o sol, o vento e a biomassa. Destaque para o sol, que é a fonte de energia que mais cresce no mundo.

Esse movimento em escala planetária não acontece por acaso. A guinada de países como China, Estados Unidos[1] e Alemanha (entre outros) na direção de uma economia de baixo carbono comprometida com a redução das emissões de gases estufa foi o pano de fundo para a celebração do Acordo do Clima de Paris (COP-21), em dezembro de 2015.

Nesse documento, 195 países – inclusive o Brasil – se comprometeram a não permitir a elevação média da temperatura do planeta em 1,5°C (com teto de 2°C) com base no que foi a temperatura média no período pré-Revolução Industrial.

O agravamento da crise climática acelera o ritmo das mudanças e nessa corrida contra o tempo para evitar os piores cenários (degelo das calotas polares, elevação do nível do mar, mudança do ciclo da chuva, eventos extremos ainda mais devastadores etc.) testemunhamos o esforço de governos e empresas, movimentos sociais e religiosos, para que não sejam lembrados num futuro próximo como omissos, irresponsáveis ou indiferentes.

---

1 A eleição de Donald Trump para a presidência dos Estados Unidos, em novembro de 2016, determinou uma reversão de expectativas em relação aos investimentos maciços em fontes limpas e renováveis que ocorreram durante os oito anos do mandato do ex-presidente Barack Obama.

Quando a Arábia Saudita, o maior produtor mundial de petróleo, anunciou em 2015 a criação de um Fundo Soberano (recursos obtidos a partir do petróleo que serão obrigatoriamente investidos em outros setores da economia) para tornar aquele país menos dependente de combustíveis fósseis, muitos analistas perceberam aí o sinal que faltava para sacramentar a vertiginosa perda de prestígio do "ouro negro" e dos demais combustíveis fósseis.

A crise está aí. O momento é agora. E a hora é de agir.

O sol brilha para todos

Se fosse possível aproveitar todas as áreas abertas de insolação do Brasil – excluindo-se as reservas ambientais, comunidades indígenas e quilombolas e outras –, a produção de energia solar fotovoltaica em nosso país seria de aproximadamente 30 mil GW. Isso é duzentas vezes superior à atual matriz elétrica brasileira, que soma 143 GW com todas as fontes de energia incluídas.

A conta é da Empresa Brasileira de Pesquisa Energética (EPE), que estima em 164 GW o potencial de geração dos telhados solares (principalmente em casas e edifícios), o que equivale a quase 12 vezes a energia gerada por Itaipu.

Em julho de 2015, a energia solar respondia por apenas 0,02% da matriz elétrica do país. Mas esse cenário tende a mudar rapidamente com os investimentos já contratados em leilões do governo.

Somados os resultados dos leilões realizados até julho de 2016, foram contratados mais de 2 mil MW, em capacidade instalada, o suficiente para abastecer 1 milhão de residências ou 4 milhões de pessoas. Os investimentos previstos são de quase R$ 8,5 bilhões e compreendem a instalação de 61 usinas solares até 2017. De acordo com os contratos, a maioria dessas usinas será construída na Bahia.

A previsão da Associação Brasileira de Energia Solar Fotovoltaica (Absolar) é a de que essa fonte de energia renovável responda por mais de 4% da matriz elétrica do país até 2024, e mais de 8% até 2030.

Algumas usinas solares serão construídas onde já existem parques eólicos. A vantagem dessas usinas híbridas é que elas se beneficiam da mesma linha de transmissão, e, dependendo do caso, do mesmo estudo de impacto ambiental.

Para estimular a indústria nacional – já que a maioria dos equipamentos solares é importada –, os investidores interessados em obter financiamento do BNDES deverão utilizar módulos fotovoltaicos montados inteiramente no Brasil. As molduras de alumínio que envolvem as placas fotovoltaicas também deverão ser fabricadas por aqui, assim como o suporte dos módulos solares e os componentes elétricos que fazem parte do *kit*.

O avanço dos coletores solares

A pauta de estreia do *Cidades e Soluções* na Globo News, no dia 15 de outubro de 2006, foram os coletores solares.

Naquela época, havia ainda pouco a mostrar nessa área. A única experiência de estímulo a fontes não convencionais era o Programa de Incentivo às Fontes Alternativas de Energia Elétrica (Proinfa), que subsidiou 119 empreendimentos – 41 parques eólicos, 59 pequenas centrais hidrelétricas (PCHs) e 19 térmicas a biomassa – entre 2002 e 2011.

Apesar disso, o sol já fazia a diferença para aquecer a água do banho em boa parte do país. Em 2006, havia aproximadamente 600 mil coletores solares instalados (o que correspondia a 1% das residências), estocando e aquecendo água para múltiplos usos (não apenas em residências, mas também hotéis, clubes, indústrias, hospitais etc.) a uma temperatura que chega facilmente aos 60ºC.

Uma resolução da Agência Nacional de Energia Elétrica (Aneel) obrigava todas as distribuidoras de energia do país a investir 1% da receita anual em projetos de combate ao desperdício ou inovação tecnológica. E algumas empresas não hesitaram em usar esses recursos na instalação de coletores solares em comunidades de baixa renda (e clientes sociais, como creches, orfanatos e asilos).

A maior vantagem desse sistema era substituir o chuveiro elétrico, cu[...] uso intensivo representa até 30% da conta de luz de uma residência. [...]egundo as distribuidoras, a inadimplência de muitos clientes de baixo [...]oder aquisitivo tem origem, exatamente, no uso regular do chuveiro elét[...]co.

A opção pela instalação gratuita dos coletores nessas comunid[...]es visava, portanto, reduzir as dívidas e facilitar o pagamento das co[...]s em dia. Isso num país que, apesar do sol abundante, continua sen[...]a nação do mundo com a maior quantidade de chuveiros elétricos. Ess[...]quipamentos consumiam, na época, inacreditáveis 7% de toda a ener[...]étrica do país, o que equivalia ao consumo do estado do Rio Grande [...]ul.

O maior obstáculo para a expansão rápida desse[...]na era o alto custo do kit, que varia em função da capacidade de [...]zenamento de água quente que se deseja. Sem linhas de crédito e financiamento adequados, ficava difícil encarar sozinho esse investimento. Mas vale lembrar que, na maioria dos lugares em que visitamos, o investimento em coletor solar se pagava em até três anos (o equipamento dura entre 15 e 20 anos).

Foi esse contexto que fez a equipe do *Cidades e Soluções*, no primeiro programa, viajar até Tubarão (SC) para mostrar experiências pioneiras, como a invenção de José Alano: um coletor solar feito de garrafas PET e caixas de leite Longa Vida, que realiza com notável eficiência a função de aquecer a água.

Ele havia montado o sistema no telhado da própria casa, utilizando cem garrafas PET de 2 litros, cem caixas de leite Longa Vida de 1 litro, materiais termoisolantes como isopor, retalhos de PET, tubos e conexões em PVC, e tinta. Esse coletor solar permitiu que, no inverno, a água fria (em torno de 16º C) chegasse a 40º C após 6 horas de exposição solar. No verão, a água fria (em torno de 23º C) chega à temperatura de até 52ºC após as mesmas 6 horas de exposição solar.

O projeto foi tão bem-sucedido que José Alano foi contratado pela Celesc (Centrais Elétricas de Santa Catarina S.A.) para ministrar cursos e instalar seu sistema de coletores solares a partir de materiais recicláveis em creches, escolas e outras unidades da rede pública.

De lá para cá, houve vários avanços na legislação. Em fevereiro de 2010, uma portaria do governo federal tornou obrigatória a instalação de coletores solares em habitações populares. Em apenas dez anos (entre 2006 e 2016), a expansão dos coletores solares no Brasil mais que quadruplicou (de 3 milhões de m² de área coberta por coletores para 13 milhões de m²). Até janeiro de 2017, cinquenta cidades brasileiras realizaram mudanças nas leis para tornar obrigatória a instalação de coletores em certos tipos de edificação. A maior parte dos equipamentos aquece a água nas residências, seguido de piscinas, comércio e indústria.

ECODICAS

Antes de in[illegible]ar um coletor solar:

- Verifique se [illegible]nto de instalação do kit é adequado para o bom funcionamento do sistema [illegible]eja, se o nível de insolação é adequado.

- Procure equipamentos certificados pelo Instituto Nacional de Metrologia, Normalização e Qualidade Industrial (Inmetro) e autorizados pela Associação Brasileira de Refrigeração, Ar Condicionado, Ventilação e Aquecimento (Abrava).
- No ato de compra, certifique-se de que uma equipe técnica fará a instalação do kit. É importante que eles conheçam todos os procedimentos de instalação dos equipamentos.
- Há vários modelos diferentes (100 litros, 200 litros, 400 litros etc.) de acordo com a demanda de água quente do cliente. Antes de escolher, informe ao técnico quantas pessoas farão uso dessa água, quantos pontos de água quente (chuveiro, torneiras) serão conectados ao coletor, para que ele ajude a definir qual o melhor modelo.
- Tenha sempre uma fonte auxiliar para o aquecimento da água (backup) para qualquer eventualidade. Pode ser um chuveiro elétrico, a gás ou boiler.

O primeiro estádio solar da América Latina

A primeira capital do Brasil é também a sede do primeiro estádio de futebol autossuficiente em energia. O estádio de Pituaçu, em Salvador, foi completamente reformado e modernizado para a Copa do Mundo de 2014.

Com capacidade para 32 mil torcedores, Pituaçu recebeu mais de 2 mil painéis solares na cobertura das arquibancadas, dos vestiários e do estacionamento. Isso é suficiente para gerar 630 mil kW/ano, o que daria para abastecer no estado 525 residências com consumo médio.

Por motivo de custo, o projeto dispensou o uso de baterias para armazenar a energia captada durante o dia e utilizá-la à noite. Em Pituaçu, a energia gerada pelos painéis solares vai direto para a rede elétrica da empresa concessionária.

Funciona assim: durante o dia, a energia do estádio é usada no consumo do próprio estádio. O que sobra é medido e lançado na rede da concessionária, gerando um crédito junto à empresa.

Nos jogos noturnos, quando não há luz solar, a energia é fornecida pela concessionária, utilizando esse crédito, e também é medida. No fim do mês, é feito um balanço entre o que Pituaçu gerou e o que consumiu, e o saldo tem sido positivo. Esse excedente (cerca de 22,8 MW h/mês) passou a ser aproveitado pelo prédio da Secretaria Estadual do Trabalho, Emprego,

Renda e Esporte (Setre). De abril de 2014 a janeiro de 2017, o governo da Bahia economizou R$ 750 mil no pagamento da conta de luz do estádio graças ao sistema de energia solar. A expectativa é que o investimento se pague em oito anos.

O maior estacionamento solar do país

O *Cidades e Soluções* mostrou o maior estacionamento solar do Brasil, instalado no campus da Universidade Federal do Rio de Janeiro (UFRJ), na ilha do Fundão, Rio de Janeiro. A cobertura do estacionamento – com capacidade para abrigar até 65 veículos – era composta de 414 placas fotovoltaicas japonesas com estruturas fabricadas na Alemanha. O sistema assegurava uma economia de R$ 63 mil por ano na conta de luz da universidade.

Todo o projeto – orçado em R$ 1,6 milhão – só foi possível graças a uma resolução do governo do estado que autoriza a UFRJ a usar todo o dinheiro do ICMS que pagaria na conta de luz em projetos sustentáveis no campus. São aproximadamente R$ 14 milhões por ano.

Pois bem: bastou o programa sobre a iniciativa da UFRJ ir ao ar na Globo News para que recebêssemos reclamações de outros dois projetos de estacionamentos solares – da Eletrosul, em Florianópolis, e do Instituto de Energia da Universidade de São Paulo (USP) – que reivindicavam a condição de "maior do Brasil". Uma autêntica disputa por um título que nem imaginávamos ser tão cobiçado assim.

Decidimos que o fiel da balança seria a Aneel, onde todos esses projetos precisam estar registrados para existirem oficialmente. Por esse critério, só o da UFRJ – entre todos os pretendentes ao título – encontrava-se registrado naquele momento. Disputa saudável essa!

Boas perspectivas no panorama internacional

A Agência Internacional para as Energias Renováveis previu que a energia solar deverá crescer até seis vezes até 2030, quando deverá responder por cerca de 13% de toda a eletricidade do mundo. É um salto e tanto!

A principal razão desse crescimento é a queda nos custos de produção, que estão se tornando mais baixos que os do gás natural e do carvão mineral. De acordo com a agência, os mercados "mais atraentes" para os painéis solares até 2020 são Brasil, Chile, Israel, Jordânia, México, Filipinas, Rússia, África do Sul, Arábia Saudita e Turquia.

Segundo a prestigiada revista *The Economist*, de 16/4/2016, os custos dos painéis solares caíram 80% desde 2010. Fica difícil competir com uma fonte de energia que registra uma redução tão drástica de custos num intervalo de tempo tão curto.

Alemanha: o dia em que a energia solar bateu seu recorde

Em maio de 2016 o sol virou notícia no mundo inteiro, inclusive no *Cidades e Soluções*. A Alemanha anunciou um recorde de produção de energia solar (mais precisamente no dia 26 de maio, entre meio-dia e 13h) com 22 GW (quase duas hidrelétricas de Itaipu) de energia a partir do sol, um recorde mundial.

As placas fotovoltaicas – que asseguraram naquele mês 10% de toda a energia consumida no país – se espalharam rapidamente pela Alemanha a partir do acidente nuclear de Fukushima, no Japão, em março de 2011. Foi quando os alemães decidiram desativar todas as centrais nucleares do país e investir pesadamente em fontes renováveis.

A "virada energética" da Alemanha (em alemão, *Energywende* – ver página 120) fez com que o país aumentasse mais de trezentas vezes sua geração de energia solar nos últimos 11 anos (lembrando que o pior lugar para captar energia solar no Brasil é 20% mais eficiente que o melhor lugar na Alemanha!). E detalhe: 65% dos geradores são de indivíduos ou comunidades.

Além da Alemanha, também em maio de 2016, Portugal registrou por 107 horas (quatro dias seguidos) o suprimento de todo o consumo interno de energia por fontes renováveis, principalmente eólica, solar e hídrica. Embora desde 2013 o país já tenha metade de sua matriz elétrica baseada em fontes renováveis (48%), não havia ainda sido possível suportar 100% do abastecimento a partir delas por tanto tempo.

Dois meses antes do feito dos portugueses, a Escócia desligou a última termelétrica a carvão do país. Uma decisão emblemática, já que foi naquela parte do mundo que a Revolução Industrial nasceu e determinou a queima sem precedentes dos combustíveis fósseis nos últimos 150 anos agravando o efeito estufa e potencializando as temíveis mudanças climáticas.

Os britânicos planejam desativar todas as termelétricas a carvão até 2025. Para eles, a economia de baixo carbono também é uma meta a ser alcançada neste século. Quanto mais cedo, melhor.

As baterias solares da Tesla

Um dos maiores desafios tecnológicos do século XXI – talvez o mais importante e urgente – é descobrir uma maneira barata e eficiente de estocar a energia do sol e do vento. São fontes intermitentes, ou seja, gera-se energia apenas quando há sol ou vento disponíveis. Como só faz sol de dia, e o vento é oscilante por natureza, essas fontes são consideradas instáveis por alguns analistas que dão preferência às chamadas "fontes firmes", que são aquelas em que há garantias efetivas de geração contínua (combustíveis fósseis, nuclear, hidrelétricas onde haja água estocada em volume suficiente etc.).

É por isso que o lançamento da primeira geração de baterias solares para o abastecimento de residências ou indústrias teve o efeito de um terremoto no competitivo mercado de energia.

Em abril de 2015, o cientista, bilionário, filantropo, com fama de excêntrico e, ainda assim, considerado um gênio da tecnologia (a descrição se parece até com a do super-herói dos quadrinhos Tony Stark, o "homem de ferro"), Elon Musk anunciou a novidade com pompa e circunstância.

Ele já era um empresário bem-sucedido – e pioneiro – em diversos gêneros de negócio. Fundador da Pay Pal, empresa líder em transferência eletrônica de pagamentos, também fez fortuna com a Space-X (de foguetes espaciais) e a Solar-city (que fabrica equipamentos solares). Mas foi com a Tesla Motors que Musk conquistou fama internacional ao lançar de forma pioneira vários modelos de carros elétricos (e seus componentes, inclusive as baterias).

O expertise na fabricação de baterias para carros elétricos – além do fato de estar na Califórnia, estado americano que oferece vários incentivos para a energia solar – tornou possível o lançamento da *powerwall* (bateria doméstica capaz de armazenar energia solar) e a *powerpack* (a versão industrial, mais potente, da mesma bateria).

Com garantia de dez anos (e capacidade de estocar também a energia do vento), o grande problema dessa primeira geração de baterias solares de alta capacidade é o custo. Para tornar uma residência de classe média americana autossuficiente em energia solar – em uma região ensolarada do país como o sul da Califórnia –, o sistema completo produzido pela Tesla custaria para esse cliente algo em torno de US$ 98 mil, segundo análise da organização Bloomberg New Energy Finance.

Ainda assim, foram confirmados 38 mil pedidos logo na primeira semana de vendas. Elon Musk sabe que, para vencer a barreira dos custos elevados, precisa avançar muito – e rápido – no aprimoramento da tecnologia. Talvez por isso ele tenha decidido abrir mão de qualquer pagamento de royalties para quem quiser desenvolver suas baterias. Carta branca para a concorrência investir pesado no aprimoramento dessa tecnologia, multiplicando o número de pesquisas que acelerem a transição do sistema energético do mundo.

Dá para imaginar o que será do mundo quando for possível estocar em grande escala a energia do sol e do vento?

A força do vento

É fonte limpa e renovável que não emite gases estufa. Quando se gera energia a partir do vento, deixa-se de queimar combustível fóssil ou preserva-se o nível de água das barragens das hidrelétricas. É possível explorar essa fonte de energia em terra firme ou no mar (*wind farm plants offshore*), onde a ausência de prédios ou morros torna o vento mais regular e firme.

Todo investimento em energia eólica é precedido de um estudo para verificar a ocorrência de ventos satisfatórios para esse fim. Do ponto de vista ambiental, é importante mapear as rotas de aves migratórias e a incidência de espécies que possam atravessar os parques eólicos. Nesses casos, ou se cancela o projeto ou são feitos ajustes para preservar a fauna.

Em alguns países – como a Alemanha – há movimentos contra a expansão dos parques eólicos devido ao ruído emitido pelos equipamentos. Quem mora no meio rural muito perto de um aerogerador – dependendo do modelo – poderá se sentir incomodado.

Mas a tecnologia evolui rapidamente, reduzindo o nível de ruído (até o design das pás leva em conta o tipo de vento que ocorre em cada região). O princípio da energia eólica é simples: transformar a energia cinética dos ventos em energia mecânica por meio da rotação do eixo do motor (ou da turbina eólica) que movimenta o gerador elétrico.

Os ventos favoráveis da crise

A crise internacional de 2008 abriu caminho para investimentos sem precedentes em energia eólica no Brasil.

O enfraquecimento da economia mundial determinou a suspensão de projetos em vários países, mas grandes empresas do setor descobriram no Brasil (onde o consumo de energia elétrica crescia a taxas de dois dígitos por ano) um mercado promissor.

De acordo com a Associação Brasileira de Energia Eólica (ABEEólica), o setor recebeu desde então R$ 67 bilhões em investimentos, que alçaram o Brasil à 10ª posição no *ranking* mundial em capacidade instalada.

"Os ventos brasileiros são os melhores do mundo" – é o que se ouve com frequência no mercado de energia eólica. E os números confirmam isso. Segundo o estudo do IBGE "Logística de energia: redes e fluxos do território", de junho de 2016, a energia eólica cresceu 460% em apenas quatro anos (2010 a 2014). Rio Grande do Norte (31%), Ceará (23%) e Rio Grande do Sul (19%) largaram na frente.

O *Cidades e Soluções* registrou a expansão do setor também nesses três estados e confirmou os benefícios econômicos, sociais e ambientais dessa fonte de energia. No Rio Grande do Norte, por exemplo, vimos de perto como se dá o pagamento de royalties para os pequenos proprietários rurais – invariavelmente de baixa renda – no interior do estado pelo direito de as empresas explorarem o vento nas áreas que lhes pertencem.

São 2.400 famílias, recebendo em média R$ 2.300,00 por mês (cada uma) para que os parques eólicos possam ser construídos em suas propriedades. Apenas na região Nordeste, uma área equivalente a 150 mil campos de futebol já foi arrendada de pequenos e grandes proprietários de terra para a instalação de fazendas de vento.

Outro estímulo econômico importante vem da exigência para que os investidores assegurem a utilização de, no mínimo, 80% de peças e acessórios fabricados aqui no Brasil para ter direito a financiamento do BNDES com juros mais baixos. Por uma questão de logística, é inteligente instalar essas fábricas o mais perto possível das regiões onde os parques eólicos estão sendo construídos.

Os avanços são evidentes: em 2015, o setor eólico respondia por 14 mil empregos diretos em todo o país. Para cada novo MW de energia, geram-se 15 postos de trabalho em toda a cadeia produtiva.

Nordeste: brisa que vira energia

A natureza determinou uma caprichosa alternância de chuva e vento no Nordeste, o que é bom para a segurança do sistema elétrico brasileiro. Historicamente, quando chega o período chuvoso (e as barragens ficam mais cheias) venta menos. O Operador Nacional do Sistema Elétrico (ONS) "despacha", então, mais energia das hidrelétricas e menos dos parques eólicos.

Já nos períodos de estiagem – quando o nível das barragens cai perigosamente – o vento sopra mais forte. É quando o ONS prioriza os parques eólicos, reduzindo a perda de água das barragens.

Segundo analistas do setor, se não fosse o vento, poderia haver racionamento severo de energia no Nordeste. Para citar apenas um exemplo, no início de outubro de 2016, a energia eólica chegou a responder por até 71% de toda a energia consumida na região.

ECODICAS

É possível instalar um miniaerogerador no seu quintal ou no telhado de casa. Mas informe-se antes se há vento suficiente no seu terreno para justificar o investimento. Há modelos pequenos, do tamanho de um ventilador de teto, que podem reduzir bastante o valor pago na sua conta de luz.

O avanço do *smart grid*

Imagine um lugar onde seja possível para um pequeno consumidor de energia produzir a própria eletricidade e ainda gerar o excedente para a rede? Imagine um sistema de distribuição de energia que se beneficia de grandes fontes geradoras (hidrelétricas, térmicas, parques eólicos etc.) sem desprezar a contribuição dos pequenos produtores?

Imagine um relógio de luz (medidor de consumo de energia) capaz de informar com precisão o quanto cada equipamento da sua residência ou escritório (televisão, geladeira, computador, micro-ondas, ferro de passar, secador de cabelo etc.) consome de energia, para que você administre melhor os seus gastos?

Tudo isso já existe – em diferentes ordens de grandeza – em muitos países, inclusive o Brasil. Essa nova forma de produzir e consumir energia vem sendo chamada de "*smart grid*", ou redes inteligentes, ponto de partida de uma revolução em todos os segmentos desse mercado.

O *Cidades e Soluções* mostrou iniciativas de *smart grid* dentro e fora do país. No Brasil, Aparecida do Norte (SP) e Búzios (RJ) foram alguns dos municípios pioneiros na substituição dos relógios de luz analógicos por novas versões digitais, que permitem a leitura instantânea do consumo de energia, com o detalhamento do que está sendo gasto por cada equipamento ligado.

A vantagem dessa informação é estimular o consumo de energia fora do horário de maior demanda – quando a tarifa é mais cara – entre as 17h30 e as 20h30. Quanto maior o número de pessoas consumindo fora do horário de pico, maior será a estabilidade do sistema, sem a monumental demanda concentrada nessas três horas do dia.

Hoje, com o equipamento convencional, o consumo de energia chega até as concessionárias uma vez por mês, depois que a leitura do medidor é feita. Com a rede inteligente serão pelo menos seis dados analisados em tempo real, que vão permitir aos pequenos consumidores economizar energia e dinheiro. E a eletricidade que eles deixarem de usar poderá ser oferecida a grandes clientes que, por vezes, enfrentam restrições de consumo.

A partir desde equipamento inteligente, abrem-se as portas para a microgeração distribuída, ou seja, a multiplicação de micros ou pequenos geradores de energia que investem em telhados solares ou miniaerogeradores.

Assim, torna-se possível "exportar" a energia excedente (que não esteja sendo consumida naquele momento na residência, escritório, fábrica, fazenda etc.) para toda a rede, reduzindo a dependência de grandes fontes geradoras, invariavelmente distantes dos grandes centros urbanos, que são muito mais caras e causam muito mais impactos sociais e ambientais.

Esse excedente gera créditos na conta de luz, ou seja, quem eventualmente "exporta" mais do que consome da distribuidora local de energia, deixa de pagar a conta de luz.

A posição da Aneel

A Aneel publicou em abril de 2012 a Resolução Normativa nº 482/2012, permitindo aos consumidores do país produzir a sua própria energia elétrica a partir de fontes renováveis, por meio de sistemas de microgeração (potência instalada menor ou igual a 100 quilowatts – kW) ou minigeração distribuída (superior a 100 kW e menor ou igual a 1 megawatt – MW).

Segundo explicou Rodrigo Lopes Sauaia, presidente-executivo da Associação Brasileira de Energia Solar Fotovoltaica (Absolar), a nova regra permite que a energia excedente gerada e não utilizada seja injetada na rede para ser consumida nas proximidades. O gerador recebe créditos pela energia injetada na rede, usados para compensar o seu consumo futuro. Ou seja, esse excedente que vai para a rede é debitado na conta de luz dos próximos meses. A energia solar fotovoltaica, líder do segmento, é usada por mais de 98% dos participantes.

Em março de 2016, entrou em vigor outra Resolução Normativa (nº 687/2015) com diversas melhorias para o setor, entre as quais, a atualização das faixas de potência da microgeração (até 75 kW) e minigeração (superior a 75 kW e menor ou igual a 5 MW), a redução do prazo de resposta das distribuidoras de energia de 82 dias para 34 dias (havia muitas queixas de demora das distribuidoras em homologar os pedidos de novos participantes), a padronização de formulários em todo o país, a eliminação dos custos dos medidores (aproximadamente 1% a 10% do preço final do sistema, dependendo do porte do projeto), a ampliação do prazo de duração dos créditos de energia de 36 meses para 60 meses e a criação de um sistema de submissão de pedidos on-line a partir de janeiro de 2017.

Foram criados novos mecanismos de compensação de energia, como a geração condominial (repartindo a geração entre condôminos, que podem investir em conjunto no sistema), a geração compartilhada (possibilita que diversos consumidores se unam em um consórcio ou cooperativa de geração distribuída e utilizem a energia gerada para reduzir suas faturas, compartilhando os investimentos e reduzindo custos) e o autoconsumo remoto (permitindo o uso dos créditos de energia para abatimento do consumo de outras unidades consumidoras do mesmo titular, na área da mesma distribuidora).

Esses mecanismos ampliaram a versatilidade da microgeração e minigeração distribuída em condomínios, cooperativas, consórcios e entre filiais e matrizes de empresas.

A tal da biomassa...

"Biomassa" é uma palavra difícil para algo que a gente conhece muito bem no Brasil, mas não costuma chamar desse jeito. Toda matéria de origem vegetal ou animal, e resíduos urbanos ou rurais podem ser chamados de biomassa e respondem por 8% da matriz energética brasileira.

O *Cidades e Soluções* exibiu em diferentes programas várias formas de gerar energia a partir da casca de arroz, casca de amendoim, serragem e outros gêneros de biomassa.

De janeiro a agosto de 2016, essa fonte de energia respondeu por aproximadamente 14,5 mil GWh (mais que uma Itaipu), o suficiente para abastecer anualmente 7,4 milhões de residências. A palha e o bagaço de cana predominam, com 77% de toda a biomassa transformada em energia no país. Aproximadamente metade da energia gerada pela queima do bagaço é para consumo próprio das usinas de cana, enquanto o resto é exportado para a rede.

Segundo Suani Coelho, do Centro Nacional de Referência em Biomassa da USP, o Brasil tem potencial para dobrar essa parte excedente das usinas, o que significa injetar na rede energia equivalente a mais de uma hidrelétrica de Itaipu (que tem capacidade instalada de 14 mil MW).

Há ainda os resíduos florestais, lixívia – que é um subproduto do processo de tratamento químico da indústria papeleira –, biogás do lixo e de resíduos agropecuários, casca de arroz e de amendoim, entre outras fontes. Se somarmos todo o potencial de exploração da biomassa em nosso país, seria possível produzir energia equivalente a quatro hidrelétricas de Itaipu.

Além da energia do lixo gerado nas cidades (ver página 162), há o resíduo agrícola. Uma fábrica de aveia no Rio Grande do Sul descobriu que a casca do cereal, descartada como resíduo, poderia substituir o gás natural. Desde então, 2.500 quilos de casca são queimados por hora, uma economia de 30% no consumo de energia.

Segundo Manuel Ribeiro, vice-presidente de operações da PepsiCo Brasil, graças à queima dessa biomassa foi possível reduzir as emissões de gases estufa em mais de mil toneladas. É a primeira unidade da empresa no mundo que apostou na casca de aveia como fonte de energia e se deu bem. E o que vale para a casca de aveia, vale também para a casca de arroz.

O poder energético da biomassa é tão importante que se tornou uma das principais linhas de pesquisa da Embrapa Bioenergia, em Brasília.

Casca de arroz vira energia

A quase 400 km de Porto Alegre, Bagé é um dos maiores produtores de arroz do Rio Grande do Sul. O cultivo do grão movimenta a economia da cidade e ocupa uma área plantada equivalente a 21 mil campos de futebol.

O *Cidade e Soluções* registrou em Bagé o aproveitamento inteligente das cascas do arroz que antes eram transportadas para os aterros de lixo. Para cada 100 mil quilos de arroz beneficiados, sobram, pelo menos, 12 mil quilos de cascas que passaram a ter os seguintes destinos: fábrica de cimento (onde são queimadas para produzir energia), fábricas de adubo (enriquecendo a matéria orgânica), olarias de tijolos (onde, além da queima para produção de energia, as cinzas das cascas enriquecem a massa do tijolo) e na própria empresa, que produz o calor necessário para a secagem do arroz.

Na olaria que visitamos, a fonte de energia tradicional era a lenha. Para aquecer os fornos, usava-se uma quantidade de lenha equivalente a 2.420 árvores por mês. Graças ao uso inteligente da casca do cereal, foi possível livrar da destruição uma área de floresta equivalente a quatro campos de futebol por mês. Em outra comparação, deixou-se de queimar 11 m^3 de lenha por dia para utilizar 50 m^3 de cascas de arroz. Melhor assim.

Mas o que fazer com as cinzas dessas cascas? Uma parceria da olaria com a Universidade da Região de Campanha (Urcamp) deu origem a uma linha de pesquisa que descobriu ser possível a utilização das cinzas (a uma quantidade de, no máximo, 30%) em uma mistura de água e argila para a produção da massa do tijolo (sem prejuízo em relação à cor ou à resistência do produto final).

Já na cidade gaúcha de Alegrete, uma fábrica recebe todo o arroz produzido em um raio de 200 km. A montanha de grãos que chega lá tem dois destinos. O miolo do arroz vira alimento. A casca se transforma em 5 MW de energia, o suficiente para abastecer a fábrica inteira e ainda cerca de 14 mil residências. E do processo, patenteado pela empresa, saiu ainda um novo produto: a sílica ecológica, usada para engrossar a mistura de concreto e argamassa.

Pizza a lenha com sabor de desmatamento

Lenha é biomassa que dá água na boca quando aparece ao lado da palavra pizza. Quem resiste a uma "pizza a lenha"? A questão é de onde vem essa lenha. Em boa parte dos casos, a origem é ilegal.

Com ou sem lenha, a pizza é uma preferência nacional. Em 2015 foram consumidas em média 1 milhão e 775 mil de pizzas/dia em todo o país. Os consumidores da única megacidade do Brasil – a italianíssima São Paulo – abocanharam 21% desse total (370 mil/dia). Em todo o estado de São Paulo, são mais de 11 mil pizzarias. Uma fatia bem grande, se somarmos todas as pizzarias do país (a estimativa do total do Brasil é de 36 mil).

Foi justamente em São Paulo que o *Cidades e Soluções* mostrou uma alternativa inteligente e sustentável no preparo da pizza. Em vez de lenha – que invariavelmente contribui para o aumento dos desmatamentos ilegais – por que não usar briquetes?

A ideia surgiu quando uma rede de pizzarias descobriu que os caminhões carregados de lenhas causavam muita sujeira nos estabelecimentos. Havia ainda o problema da umidade – que atrapalhava a combustão da lenha – e os insetos (aranhas, baratas) que vinham "de carona" com o material.

A solução encontrada foi o briquete, que é a serragem (pó de madeira) compactada até formar pequenos blocos. O briquete tem um poder calorífero superior ao da lenha, além de gerar muito menos fumaça e cinzas. Alguns estudos indicam que 1 tonelada de briquetes produz a mesma quantidade de calor que 6 toneladas de madeira virgem.

Outra vantagem é que ele transforma o lixo das serrarias (que precisa ser destinado adequadamente até os aterros, o que significa um custo extra) em uma nova fonte de renda.

O briquete custa mais que a lenha – os preços variam de acordo com o momento e a região do país –, mas o fato de ser mais eficiente e limpo tornou o produto alvo da cobiça de um número cada vez maior de pizzarias e padarias.

O *Cidades e Soluções* também mostrou ser possível produzir briquetes a partir de materiais alternativos, como sabugo de milho, restos de algodão, cascas de amendoim e até de restos de grama cortada de jardim. O importante é que esses resíduos sejam disponibilizados em escala, para que se assegure um bom resultado.

Biodiesel: mais saúde, menos gastos

O diesel é um combustível estratégico para o Brasil. É ele que movimenta ônibus e caminhões, além de abastecer algumas termelétricas. O preço final cobrado nos postos é subsidiado pelo governo, que importa diesel para conseguir suprir a demanda do mercado.

No entanto, diferentes pesquisas confirmam que, entre todos os combustíveis, o diesel é o maior vilão para a saúde. Ônibus e caminhões movidos a diesel representam só 10% dos veículos no Brasil (aproximadamente 2,3 milhões de unidades), mas emitem 50% da poluição que a população respira – especialmente as partículas finas, mais prejudiciais à saúde. Isso pode causar doenças respiratórias graves e levar até a morte.

Enquanto a principal tecnologia para a movimentação de veículos for os motores a combustão, é possível reduzir os impactos causados pelo diesel de origem mineral com a mistura (ou substituição) do biodiesel.

Várias pesquisas já comprovaram que o biodiesel emite até 60% menos gás carbônico que o diesel – se um mesmo veículo usasse cada combustível puro, sem mistura. O diesel também pode conter metais pesados, que estão relacionados a várias doenças e morbidades.

O *Cidades e Soluções* mostrou os resultados de um levantamento feito pela equipe do médico patologista e professor da Faculdade de Medicina da USP, Paulo Saldiva, em parceria com a ONG Instituto Saúde e Sustentabilidade para mostrar os benefícios da mistura do biodiesel ao diesel para a saúde e as contas públicas. O trabalho foi publicado em junho de 2015 e reuniu dados de órgãos ambientais de seis grandes cidades brasileiras.

Os índices de poluição de 2012 servem de referência para toda a pesquisa. Foi quando o percentual de mistura de 5% de biodiesel no diesel (o b5) foi adotado em todo o Brasil. Salvador e Brasília ficaram de fora por falta de dados.

Desde 2014, a mistura obrigatória já virou b7, ou seja, subiu para 7%. O estudo diz que se o Brasil mantiver o b7 nos próximos dez anos, seriam evitadas 7.331 internações e 1.200 mortes só na Grande São Paulo. Se a mistura chegasse ao b20, com 20% de biodiesel no diesel, seriam menos 45 mil internações e 7.300 mortes.

A pesquisa também mostra a economia que o b7 vai trazer para o Brasil se for mantido até 2025: pelo menos R$ 21 milhões deixariam de ser gastos com internações. Com as mortes evitadas, seriam somados ao PIB mais R$ 236 milhões. Se o percentual aumentasse para b20, a redução dos gastos com internações chegaria a R$ 133 milhões, em relação ao b5, e o PIB aumentaria em R$ 1,44 bilhão pelas mortes evitadas.

Mas o uso do biodiesel tem algumas desvantagens. O litro pode custar mais caro que o do diesel mineral. Não roda com eficiência em todos os motores e rende um pouco menos, principalmente em motores mais antigos.

Por outro lado, grandes fábricas já vendem motores de ônibus e caminhões preparados para o b20. E os produtores afirmam que o impacto da produção do biodiesel na inflação seria pequeno, levando em conta os custos, impostos e valor agregado da cadeia produtiva.

Incentivo federal

O governo criou em 2004 o Programa Nacional de Produção e Uso do Biodiesel, com foco na agricultura familiar e produção a partir de diferentes fontes oleaginosas. Dez anos depois, o programa havia beneficiado 85 mil famílias e movimentado cerca de R$ 3 bilhões em aquisição de matéria-prima. Estima-se que 94% de todas as usinas trabalham com agricultura familiar.

Especialistas ouvidos pela equipe do *Cidades e Soluções* chamaram a atenção para a importância da geografia da produção do biodiesel. Como é possível produzir o combustível a partir de várias oleaginosas, uma das soluções para o aumento do uso pode estar na aplicação de uma mistura diferente para cada região brasileira.

No Brasil, 75% das matérias-primas do biodiesel fabricado aqui vêm do óleo de soja, seguido pela gordura animal, com 21%, o óleo de algodão, com 2%, o óleo de fritura usado, com 1%. O 1% restante é composto por óleo de palma e ácido graxo. E como o Brasil é líder de vendas no mercado mundial da soja, já chegou ao segundo lugar no ranking dos países produtores de biodiesel, junto com a Alemanha. Os Estados Unidos ficam com o primeiro lugar.

Gás de xisto: ame-o ou deixe-o

É impossível explicar como os Estados Unidos deixaram de importar tanto petróleo ou conseguiram reduzir de forma expressiva as emissões de gases estufa num intervalo de tempo tão curto, sem considerar a revolução imposta pela exploração do *shale gas* (mais conhecido como gás de xisto, embora a tradução literal seja "gás de folhelho").

O *Cidades e Soluções* mostrou em dois programas os impactos causados pelo *fracking* (fracionamento hidráulico), que é a tecnologia empregada para a obtenção do gás de xisto. Mostramos como isso acontece nos Estados Unidos e na Argentina.

O *fracking* – a perfuração do solo em profundidades superiores a 1,5 km com a injeção de água com areia e produtos químicos para alargar as fissuras na rocha e liberar o gás (e, por vezes, também óleo) – é um procedimento polêmico e que já justificou sua proibição em aproximadamente duzentas cidades do Brasil e 57 da Argentina. Mais de 460 medidas contra o *fracking*, segundo dados de 2017 da organização 350.org, foram adotadas nos Estados Unidos (entre proibições ou moratórias) e também na Europa.

Um dos mais prestigiados geólogos americanos, Terry Engelder, explicou assim o procedimento para o *Cidades e Soluções*: "A rocha é laminada. O tubo a atravessa, perpendicular às rachaduras naturais. Milhões de litros de água com lubrificante e areia são injetados. A água abre as lâminas. A areia impede que elas se fechem. O gás preso em espaços microscópicos dentro da rocha sobe através da tubulação."

Quando indagado pelo correspondente Jorge Pontual (que foi entrevistá-lo no oeste da Pensilvânia para o nosso programa) sobre o que é possível fazer em relação aos vazamentos denunciados pelos ambientalistas, o geólogo respondeu: "Com uma solução de engenharia. O modo mais fácil de expressar isso é: se você for engenheiro, você vai lá, acha os vazamentos e os conserta. É simples assim." Será que é mesmo assim?

Uma polêmica que divide os Estados Unidos

O *fracking* já causou a contaminação dos lençóis freáticos por gases e produtos químicos em vários lugares dos Estados Unidos. Ao contrário do Brasil, onde a lei estabelece que todas as riquezas do subsolo pertencem à união, nos Estados Unidos o proprietário do terreno é também o dono das riquezas do subsolo e pode fazer com elas o que bem entender.

A controversa exploração do gás de xisto inspirou algumas produções cinematográficas nos Estados Unidos. O documentário *Gasland* – dirigido por Josh Fox, em 2010, e que concorreu ao Oscar – mostrou a dura realidade de alguns proprietários arrependidos de terem autorizado o *fracking* em suas terras, por conta do elevado nível de contaminação do solo e das águas. Uma das imagens marcantes do filme é a da água que sai da torneira saturada de gás combustível e pega fogo quando se risca um fósforo.

Em 2012, o ator Matt Damon estrelou e assinou o roteiro do filme *Promised Land*, dirigido pelo prestigiado diretor Gus van Sant, no qual interpreta o funcionário de uma empresa especializada na extração de gás de xisto que recebe a missão de convencer os moradores de uma cidade do interior dos Estados Unidos a não se oporem ao início das explorações. A convivência com a comunidade leva o personagem de Damon a questionar as próprias convicções. É um filme com um viés ativista, claramente contra esse segmento da indústria, que gera emprego e renda às custas de elevados riscos ambientais.

Essas produções audiovisuais – entre outras –, além das campanhas que mobilizam várias organizações civis nos Estados Unidos, são exemplos de como o tema é polêmico e ainda divide a sociedade americana.

Argentina: falta de transparência

Na Argentina – que detém a segunda maior reserva de gás de xisto no mundo, só perdendo para a China –, quem comanda a exploração é a YPF, companhia argentina nacionalizada pela então presidente Cristina Kirchner, depois de expropriá-la de uma companhia espanhola, a Repsol, em 2012. Hoje, 51% da empresa pertencem ao governo.

O assunto é tratado de forma velada no país vizinho. Difícil apurar com exatidão qual a produção anual ou quantos poços foram abertos. Quando a equipe do *Cidades e Soluções* esteve na Argentina para ver de perto como se dá a produção de gás, viu que a falta de transparência é motivo de queixa até dos parlamentares no Congresso.

Segundo o senador Fernando Solanas, "na Argentina não há informação pública. Nem os senadores conseguem ler os contratos que o governo assinou com as empresas. Nem os juízes conseguem". Já a deputada provincial Betty Kreitman afirmou: "Ninguém perguntou aos moradores da província de Neuquén se nós queríamos fazer esse sacrifício para pagar a crise energética do país. Quando alguém olha as imagens de satélites, aquela quantidade de perfurações, fica impressionado. E isso tem um custo ambiental fortíssimo, mas ninguém vê."

A exploração de gás de xisto na Argentina provocou a desconfiança de importadores de maçã (especialmente da União Europeia), que reduziram as compras pela suspeita de que as frutas tenham produtos químicos.

Também existem muitas queixas em relação à qualidade da água consumida nas regiões onde o *fracking* avança (algumas medições em laboratório registram a presença de hidrocarbonetos). O *Cidades e Soluções* mostrou ainda o drama dos índios da etnia *mapuche* que passaram a ter suas terras disputadas pelas empresas do setor.

Depois da realização desses programas, ouvindo sempre os diversos lados da questão, permanecemos com dúvidas importantes. A principal delas poderia ser resumida na seguinte pergunta: vale mesmo a pena correr esses riscos?

Brasil: sinal verde apesar dos riscos

A falta de transparência também é um problema no Brasil onde a Agência Nacional do Petróleo (ANP) já realizou leilões para a exploração de "gás não convencional".

A coalização Não *Fracking* Brasil encampa a luta contra o fracionamento hidráulico por aqui. Alega-se, entre outros argumentos, que a exploração desse gás ameaça aquíferos subterrâneos e áreas agrícolas importantes, especialmente no Paraná.

Apesar de todos os riscos, quem defende o gás de xisto gosta de lembrar que seu preço final, extremamente baixo e competitivo, é uma das principais razões para a retomada do crescimento econômico nos Estados Unidos na era Obama. Esse gás "não convencional" seria até três vezes mais barato do que o gás normalmente utilizado no Brasil para a fabricação de vidros, cerâmica e outras atividades industriais.

Técnicos do governo federal reconhecem, no entanto, que poucas empresas no mundo têm know-how para realizar o *fracking* de forma "competente e segura". E que há riscos na exploração de gás não convencional. Mas a informação oficial é a de que o governo não permitiria que esse gênero de empreendimento acontecesse sem o devido licenciamento e fiscalização.

conversa com
Jeffrey Sachs

Entrevista concedida a André Trigueiro,
em programa exibido em 23/04/2014.

"Os economistas têm que ter uma visão mais holística e sistêmica"

Um dos mais influentes economistas do mundo, professor da Universidade de Columbia, é especialista em desenvolvimento sustentável. É conselheiro das Nações Unidas e atua junto às agências internacionais para a redução da pobreza e o controle de doenças, especialmente a Aids, nos países subdesenvolvidos.

André Trigueiro – Como o sr. definiria "desenvolvimento sustentável"?
Jeffrey Sachs – Eu usaria a definição feita na Rio+20, em junho de 2012, que combina desenvolvimento econômico, inclusão social e sustentabilidade ambiental. Em relação ao progresso econômico, ela deixa claro que deve incluir *todo mundo*, e que não é possível termos uma sociedade onde alguns vivam bem e a maioria se mantenha pobre. Essa definição também enfatiza a importância de levarmos em conta o funcionamento do próprio planeta e questões como clima, água e biodiversidade, entre outras.

A.T. – Como o sr. vê a situação global nesses aspectos?
J.S. – Estamos enfrentando uma grave crise global, e ela vai ficar pior... Os seres humanos continuam provocando mudanças no clima, em grande escala. Alguns lugares estão mais quentes, outros mais secos. Outros enfrentam grandes tempestades.

A.T. – E qual a importância das cidades na promoção do desenvolvimento sustentável?
J.S. – As cidades têm um papel crucial, porque mais da metade da população mundial vive em centros urbanos. Por volta de 2030, a porcentagem chegará a 75%. Elas precisam ser resilientes e ter sistemas de energia eficientes e de baixa emissão de gás carbônico. Para isso, é necessário que cada cidade estabeleça metas sustentáveis. Mas, por ora, poucas o fizeram.

A.T. – O que é possível fazer para mudar esse quadro?
J.S. – Fui encarregado pelo secretário-geral da ONU a deslanchar o que chamamos de uma rede de desenvolvimento de soluções sustentáveis. Estamos convocando diferentes setores da sociedade – governos, empresários, acadêmicos, pensadores etc. – para dizer que precisamos de soluções práticas.

O que devemos fazer em relação ao sistema de energia? E quanto ao transporte? Como garantimos o fornecimento de água? O que fazer para que a poluição do ar não chegue a níveis perigosos? Como garantir que cada criança no planeta tenha condições de vida dignas desde o seu nascimento? Não há respostas simples, mas temos que estabelecer metas para podermos alcançar esses objetivos.

A.T. – O sr. conhece cidades que poderiam ser qualificadas de sustentáveis?

J.S. – Algumas cidades estão conseguindo ter uma visão de longo prazo e tratam de se proteger de eventos extremos ou da elevação do nível do mar (como nos países escandinavos). Nova York tem um planejamento nesse sentido, mas ele ainda não estava em operação quando a cidade sofreu grandes danos pela passagem do furacão Sandy, em outubro de 2012. Poderia citar também Berlim, que está engajada na transição energética da Alemanha para uma economia baseada em fontes renováveis, como o sol e o vento (ver página 120).

A.T. – E em relação ao Brasil? Muitos dizem que nosso país tem um enorme potencial para liderar o processo internacional rumo a um desenvolvimento sustentável. O que o sr. pensa a respeito?

J.S. – Lógico que o Brasil tem um grande potencial e alcançou importantes conquistas. O país tem uma matriz energética muito mais limpa que a maioria das grandes economias do mundo, por ser baseada na hidroeletricidade e também pelo uso de biocombustíveis. Também fez grandes esforços para reduzir o desmatamento na Amazônia nas últimas décadas. Como acontece em outros lugares, ainda tem muito por fazer, mas o pontapé inicial foi dado.

Além disso, gostaria de destacar o fato de o Brasil ter implementado políticas públicas para diminuir a desigualdade social. Até uns 15 anos atrás, estava entre os países com pior distribuição de renda no planeta. E isso é muito importante.

A.T. – O sr. é otimista em relação ao futuro?

J.S. – Eu tenho que ser… que outra opção temos? Eu vejo que o mundo está fora dos trilhos, mas não podemos perder a esperança. Eu sei que podemos avançar rumo a um desenvolvimento sustentável porque já possuímos a tecnologia e o conhecimento necessários, em diferentes áreas (engenharia, agricultura, informação etc.).

A.T. – Alguns economistas pensam que para promover o desenvolvimento, inclusive com viés sustentável, é preciso estabelecer algum tipo de regulação no mercado. O sr. concorda com essa visão?

J.S. – O mercado, por ele mesmo, nunca poderá resolver as questões que envolvem o desenvolvimento sustentável, porque seu único objetivo é o lucro. O mercado não resolverá o problema da poluição, da extinção de espécies ou das mudanças climáticas.

É claro que, em alguns casos, poderão ser utilizados instrumentos de mercado. Por exemplo, se houvesse uma taxação apropriada sobre as emissões de gás carbônico, o setor privado poderia dar uma guinada rumo a fontes renováveis de energia. Mas não podemos esperar que será o mercado quem vai estabelecer esse caminho.

A.T. – O sr. acha que os economistas em geral concordam ou discordam de suas ideias?

J.S. – A economia se tornou um campo estranho… Nos 34 anos em que venho trabalhando como professor de Economia, tenho visto muita coisa...

Até recentemente, o foco da maioria absoluta dos economistas era só em fazer dinheiro e produzir coisas para vender, para não falar do fascínio pelo mercado financeiro e a bolsa de valores.

O fato é que não tem havido suficiente atenção para o meio ambiente físico, assim como não há interesse nas pessoas pobres e nas desigualdades sociais.

Portanto, acho que a economia, como é ensinada hoje, tem uma visão muito estreita do mundo. Os economistas têm que aprender a dialogar com especialistas de diferentes áreas – saúde pública, clima, ecologia, ética etc. – para passar a ter uma visão mais holística e sistêmica.

água

Um assunto urgente 41

O exemplo da Califórnia 42

Bebendo água tratada de esgoto 43

Israel: referência em gestão hídrica 44

Pernambuco: agricultura gota a gota 48

Já ouviu falar no *solvatten*? 49

Banheiro seco dispensa água 50

Reaproveitando a água de um rio morto 51

As "águas cinzas" de Niterói 52

"Santos" exemplos 53

Reúso de água 54

Quando a chuva vira solução 57

A vantagem do hidrômetro individual 59

Bacia do rio Doce: a maior tragédia ambiental do Brasil 61

Plantas que tratam esgotos 63

Os jardins filtrantes de Paris 65

Conversa com Pavan Sukhdev 67

UM ASSUNTO URGENTE

"A água de boa qualidade é como a saúde ou a liberdade: só tem valor quando acaba", escreveu Guimarães Rosa no século passado. O tempo avança, a água de boa qualidade já desapareceu dos rios que atravessam todas as regiões metropolitanas do Brasil, e nem assim parecemos dar o devido valor a esse precioso recurso.

O país campeão mundial de água doce (12% de toda água superficial de rio estão em nosso país, além dos aquíferos Guarani e Amazônico) destrói nascentes e mananciais, dizima as matas ciliares que protegem as margens dos rios, e lança aproximadamente 5.000 piscinas olímpicas de esgoto *in natura* todos os dias nos rios, lagos, lagoas e em nosso litoral.

Para piorar a situação, muitas companhias de abastecimento registram taxas escandalosas de desperdício de água potável (tratada e encanada), malbaratando um produto que consome preciosos recursos públicos.

E o que dizer do maior vazamento de rejeitos minerais da história do planeta, que destruiu a bacia do rio Doce entre Minas Gerais e Espírito Santo, espalhando uma lama fétida que levará décadas para ser removida?

A situação no Brasil é crítica e inspira cuidados urgentes. Vale a advertência feita pelo saudoso professor de Hidrologia da USP, Aldo Rebouças: "Os países hoje em dia são avaliados pela forma como sabem usar a água, e não pelo que têm de água. Porque é mais importante hoje saber usar a água do que ostentar a abundância."

Que o mito da abundância não continue justificando tanto descaso e omissão. Os tempos são outros, e as boas práticas destacadas nesse capítulo – dentre tantos outros exemplos espalhados por aí – inspiram confiança e algum otimismo. Ainda há tempo...

O exemplo da Califórnia

Em meio a uma das piores secas da história da Califórnia, EUA, a equipe do *Cidades e Soluções* mostrou os esforços daquele estado – situado em uma região semiárida – para estimular o consumo consciente de água e reduzir o desperdício.

O agravamento da estiagem levou as autoridades de Sacramento, a capital da Califórnia, a lançar um programa chamado "Troque sua grama por dinheiro" (*Cash for grass*), em que o morador recebe até US$ 1 mil do governo para remover o gramado da frente da casa e plantar arbustos nativos que demandam pouquíssima água (algumas espécies ainda dão sombra).

O pagamento é proporcional à área do jardim: US$ 5,00 por m^2. Parte desses US$ 1 mil pode ser usada também para comprar e instalar um novo sistema de irrigação – o gotejamento – que se tornou obrigatório na região. Em vez de mangueiras ou aspersores, os gotejadores – mangueiras com minúsculos furinhos que atravessam os jardins – permitem a chegada da água diretamente nas raízes das plantas. Esse sistema de irrigação possui medidores de tempo que controlam a liberação da água quando necessário, sem desperdício.

O governo também estabeleceu hora certa para a rega de jardins e a lavagem dos carros: a partir das 19h até as 10h da manhã, em apenas dois dias da semana (terças e sábados se o número do endereço for par, quartas e sábados para os números ímpares). Graças a essas medidas, a economia de água na conta pode chegar a 40%.

A Prefeitura de Sacramento também disponibilizou um serviço telefônico de denúncias sobre desperdício de água. Logo na primeira advertência o morador é avisado de que deve frequentar o curso de conservação de água, exatamente como acontece com quem recebe uma multa de trânsito e tem que voltar à autoescola para reaprender lições básicas de direção.

Se voltar a infringir alguma norma, o morador recebe multa com valor inicial de US$ 50,00, que pode chegar a US$ 1.000,00 na quarta infração. Multa-se até por água acumulada na frente da casa, que é considerado um sinal de desperdício.

A equipe do *Cidades e Soluções* ouviu Brian Ferguson, porta-voz do governador da Califórnia, Jerry Brown. Ele reiterou a meta do estado de reduzir em 20% o consumo de água: "As pessoas vão ter que mudar de comportamento. A estiagem ameaça nossa capacidade de produzir alimentos e nós somos o celeiro da nação e, em parte, do mundo. A falta de água ameaça nossa capacidade de produzir os vinhos famosos da Califórnia... ameaça a própria qualidade de vida nas cidades. Tudo está sendo afetado: tomar banhos, usar o chuveiro, a descarga etc."

Cada pessoa na Califórnia gasta por dia, em média, 800 litros de água. É possivelmente o maior consumo *per capita* do planeta. O objetivo das autoridades é, a médio prazo, reduzir esse gasto em 30%, sem prejuízos à qualidade de vida. Países ricos, com clima semelhante ao da Califórnia, como Austrália e Israel, gastam a metade.

Bebendo água tratada de esgoto

Não se surpreenda, mas isso já acontece em algumas partes do mundo (Estados Unidos, Cingapura, Namíbia etc.) e deve aumentar ainda mais, no ritmo da escassez progressiva de água doce e limpa.

Nos Estados Unidos, onde quase 20% do território é semiárido ou desértico, beber esse tipo de água já é realidade, por exemplo, no sul da Califórnia. Ali, uma estação de tratamento foi construída em 2008, no condado de Orange, para transformar a água de esgoto em matéria-prima para a produção de água potável.

Funciona assim: parte do esgoto tratado (132 milhões de litros por dia) é bombeada no subsolo para impedir o avanço da água do mar sobre os aquíferos. É um "muro de água", que evita a contaminação da água salgada nesses reservatórios naturais de água doce.

A parte maior do esgoto tratado (246 milhões de litros por dia) segue para o lençol freático de Anaheim, um distrito do condado de Orange. As águas se misturam (esgoto tratado e água doce subterrânea) e suprem o fornecimento de água potável de aproximadamente 2,4 milhões de pessoas.

O fato de a água tratada de esgoto não ser ingerida diretamente – a fonte, como dissemos, traz misturada água doce do lençol freático – impede manifestações de consumidores mais críticos (e possivelmente mais desinformados), que rejeitam a ideia de beber uma água com essas características.

Essa opção, além de segura, resolveu outros dois problemas de uma só vez: reduziu drasticamente os custos de transporte da água do exaurido rio Colorado, a 400 km de distância, e também impediu a construção de uma usina de dessalinização (muito mais cara) para impedir o avanço da água do mar sobre os aquíferos.

NOS BASTIDORES

A equipe do *Cidades e Soluções* visitou duas vezes a estação do condado de Orange, nos Estados Unidos. Tanira Lebedeff, em 2009, e Sandra Coutinho, em 2013, registraram em suas respectivas reportagens o momento em que elas próprias experimentavam a água tratada de esgoto, antes de o precioso líquido ser bombeado até o lençol freático que abastece a comunidade.

Ambas descreveram o gosto dessa água dizendo que, a rigor, não tem gosto predominante algum. Vida de repórter é dura... Não basta dizer que a água é potável, segura e livre de contaminantes. Tem de beber! *Tim-tim*!

Israel: referência em gestão hídrica

A tecnologia da dessalinização vem crescendo em países onde a escassez de recursos hídricos causa prejuízos para a economia e gera instabilidade social.

Israel, um dos países mais áridos do mundo, saiu na frente no desenvolvimento de sistemas de captação, filtragem e dessalinização de água do mar e salobra, que são capazes de abastecer cidades inteiras.

Todo esse aparato começou a ser construído logo após a criação do Estado de Israel, em 1948, e garante aproximadamente 1 trilhão de litros por ano, quantidade, no entanto, insuficiente para atender às demandas do país. O governo israelense só conseguiu evitar o colapso hídrico incrementando a taxa de reúso de água, que hoje é a maior do mundo. Mais de 75% dos esgotos, por exemplo, são reutilizados e a meta é elevar ainda mais esse percentual.

Além dessas medidas, o governo procura permanentemente sensibilizar a população para o problema da escassez hídrica. "Israel está secando" é o nome de uma das muitas campanhas que tentam sensibilizar a população daquele país para a necessidade do consumo consciente de água. Com a ajuda de efeitos especiais, celebridades israelenses alertam para o problema da escassez de água, enquanto suas imagens vão "rachando", como se fossem leitos secos de rios.

Para garantir a segurança hídrica do país, Israel foi pioneiro nos projetos de dessalinização e tornou-se referência internacional nessa área. Cerca de metade de toda a água consumida pela população hoje vem do mar. O restante vem de mananciais de água doce. O custo da água dessalinizada é de aproximadamente US$ 0,70 por m^3 (mil litros), um preço considerado razoável pela indústria do setor.

Não por acaso, a maior usina de dessalinização do mundo, a de Soreq, foi inaugurada nesse país, em outubro de 2013, com capacidade para abastecer uma cidade com população superior a 2 milhões de habitantes (604 milhões de litros de água doce por dia). Situada a apenas 15 km ao sul de Tel Aviv, capital do país, Soreq custou US$ 500 milhões e é considerada uma das mais modernas do planeta.

Em entrevista ao *Cidade e Soluções*, o gerente geral da usina, Fredi Lokiek, explicou como se dá a captação dessa água. "Nós estamos aqui a uma distância de 2,5 km do mar. Usamos dutos em que a água salgada é bombeada a partir do ponto de captação, situado 1,1 km mar adentro, e a 20 m de profundidade. Para cada mil litros de água dessalinizada, são necessários 2 mil litros de água do mar."

Num primeiro momento, a água salgada é levada para uma piscina de pré-tratamento, onde são retiradas todas as impurezas do mar (algas, fragmentos de lixo etc.). Depois, essa água passa por vários processos de depuração e filtragem, até ser bombeada por máquinas de alta pressão, que a fazem atravessar sucessivas camadas de membranas.

O resultado desse processo é uma água pura, destilada, sem sal nem qualquer outro mineral. Essa água – por incrível que pareça – não é própria para consumo humano. Para que possa ser distribuída sem riscos, será preciso adicionar alguns minerais e outros ingredientes que a tornem compatível com os padrões de potabilidade estabelecidos mundialmente.

Também é preciso retirar o boro (um mineral) da água do mar, para evitar impactos sobre as lavouras. Como o país recicla 75% das águas residuais – descartadas como esgoto – e boa parte desse recurso é usado nas irrigações, é importante evitar que altas concentrações de boro possam intoxicar as plantações. Todo esse processo de transformar água salgada em água potável leva, em média, 90 minutos.

Mas tão importante quanto produzir água doce e saudável é dar destinação inteligente e segura para o sal que se acumula nos processos de filtragem. A água residual dessa filtragem por membranas tem duas vezes mais sal do que a água retirada do mar.

O grande desafio tecnológico de todas as usinas do gênero em todo o mundo é descobrir o que fazer com tanto sal. A simples devolução da água saturada de sal ao mar não é uma operação simples. Pesquisas indicam que a elevação de apenas 10% na salinidade da água determina violentos impactos sobre os ecossistemas marinhos, tornando a área atingida praticamente um "deserto".

Em Soreq, a água residual da usina é devolvida ao mar por um emissário submarino, equipado com um sistema de difusores que espalha essa água a 2 km da costa num lugar "apropriadamente escolhido com a ajuda de simuladores computacionais". Segundo os responsáveis pela usina, esses difusores permitem que a diluição seja rápida e intensa, com impactos considerados "pequenos e restritos".

Sucesso na captação de água subterrânea

Foi no Mar da Galileia que, segundo os apóstolos, Jesus teria realizado o milagre de andar sobre a água. É lá também que os engenheiros israelenses exaltam um milagre da engenharia, que vem a ser o complexo sistema de captação e bombeamento de água para o resto do país.

A água é captada mais de 200 metros abaixo do nível do mar para, logo depois, ser bombeada mil metros acima (a altura permite que a água se precipite para baixo em alta velocidade) e finalmente seja transportada para até 300 km de distância, no sul do país.

O *Cidades e Soluções* visitou também as instalações da usina de Haifa, de porte médio, com capacidade para abastecer até 100 mil pessoas. A usina fica dentro de um *kibutz* – uma espécie de propriedade rural coletiva, típica de Israel – e dessaliniza a água salobra captada a 40 metros de profundidade.

Normalmente, as usinas situadas perto do mar descartam a água saturada de sal no próprio mar, obedecendo a critérios técnicos de dispersão. Quando a usina está longe do mar – como é o caso da que está em Haifa – pode-se construir piscinas, reservatórios, tanques para criação de peixes, camarões e outras espécies compatíveis com essa água salobra. Há ainda a opção de se injetar essa água residual em aquíferos.

Em Haifa, a solução foi criar peixes acostumados a viver em águas ultrassalinas. A água dos tanques precisa ser renovada a cada três dias, e o que é retirado deles é usado no cultivo de erva-sal, uma espécie que se adapta à água salgada e é bem aceita pelos animais.

O aproveitamento é de 80% no caso da água salobra e de 50% na que vem do mar. Os israelenses dizem que o sistema é economicamente viável.

O custo de produção é de aproximadamente US$ 0,60 por m^3 (mil litros), e de pouco mais de US$ 1,00 por m^3 para o consumidor final.

Punição ao desperdício

Em Israel é proibido lavar carro com mangueira. Quem é flagrado fazendo isso leva multa equivalente a R$ 300,00. Nos lava-jatos, é obrigatório o uso de 80% de água reciclada. A combinação dessa com outras medidas resultou na diminuição do consumo doméstico em 20%.

O Departamento de Parques e Jardins da Prefeitura de Tel Aviv utiliza um sistema de irrigação a distância, em que um software determina a quantidade de água necessária de acordo com a planta e a estação do ano (a cidade tem 20% da área coberta por verde).

Qualquer vazamento deve ser comunicado imediatamente e a torneira é desligada automaticamente até o conserto. Sistemas como esse são caros, mas em Israel são entendidos como investimentos estratégicos. Em dez anos foi possível economizar metade da água que seria desperdiçada se não fossem essas ações.

ECODICAS

Medidas relativamente simples, estimuladas em Israel, ajudam a reduzir em até 20% o uso de água potável, tais como:

- Utilizar sistemas de descargas que gastem menos água. Em Israel, há pelo menos dez anos é regra que as caixas para vaso sanitário tenham duas válvulas: de 4,5 litros e 9 litros. As válvulas mais recentes utilizam 3 e 6 litros, o que gera uma economia média de 30 litros por dia por pessoa.
- Reutilizar a água de 2 a 3 vezes, por exemplo: lavam-se os legumes em uma bacia para depois reutilizar essa água na rega do jardim.
- Fechar a torneira enquanto se usa o sabonete, na hora do banho ou de lavar as mãos. O mesmo vale para o momento de escovar os dentes.
- Colocar um balde na hora em que estamos verificando a temperatura da água para o banho. Enquanto se espera a água ficar mais quente, gastam-se em média de 2 a 5 litros de água limpa nessa ação. Essa água coletada no balde pode ser usada para lavar pisos, janelas, lavar legumes, escovar os dentes etc.

Pernambuco: agricultura gota a gota

Foram os israelenses que desenvolveram a técnica do gotejamento, reduzindo ao mínimo necessário o consumo de água nas lavouras. O negócio se expandiu rapidamente no país e várias empresas passaram a oferecer o serviço.

A empresa que a equipe do *Cidades e Soluções* visitou em Israel prioriza o mercado externo (93% da produção é para clientes estrangeiros). Eles faturam alto com a venda de tubulações de polietileno (para transporte de água nas cidades), que estão substituindo em vários países as versões mais antigas feitas de metal, mais vulneráveis ao desperdício e à corrosão.

Visitamos em Petrolina, Pernambuco, um dos clientes dessa empresa israelense. Famosa pela fruticultura irrigada, a capital do sertão pernambucano se transformou – junto com Juazeiro da Bahia – no maior polo de exportação de manga e uva do país. Dificilmente alcançaria essa condição sem uma ajudinha da tecnologia israelense.

Aos poucos, o Vale do São Francisco começou a registrar a substituição das antigas técnicas de irrigação que desperdiçavam muita água (aspersores, pivô central) pelo gotejamento e os microaspersores. No passado, os agricultores da região, que encharcavam as lavouras de água, acabavam criando um clima favorável ao aparecimento de doenças que eram combatidas com agrotóxicos. Isso significava mais custos para o agricultor, mais impactos ambientais e à saúde humana.

Não foi uma transição fácil. Os produtores rurais levaram décadas para se adaptar às novas rotinas, mas o resultado foi excelente. Para certas culturas, usa-se hoje metade do volume de água que há quarenta anos. A microaspersão traz uma vantagem adicional: a possibilidade de inserir na água nutrientes extras (fertirrigação) que melhoram a qualidade das plantas.

Em um mundo que projeta cenários sombrios causados pela falta de água doce, o uso inteligente desse precioso recurso (especialmente na agricultura, que consome aproximadamente 70% de toda a água disponível no mundo) torna-se absolutamente necessário.

O mesmo vale para os projetos de dessalinização no Brasil. Embora não haja ainda nenhuma usina de dessalinização de água do mar, há equipamentos que retiram o sal da água salobra extraída do subsolo. Apenas no semiárido nordestino existem aproximadamente 140 mil poços abertos e onde a água é salobra. O jeito é tratar.

Transformando água salobra em potável

Dessalinizadores asseguram água potável para os moradores do povoado de Atalho, zona rural de Petrolina, no sertão de Pernambuco. Como acontece em Israel, a água residual – saturada de sal – é usada na criação de peixes que abastecem as próprias famílias ou são vendidos nos mercados. A água trocada dos tanques de peixes a cada três dias também é utilizada no cultivo de erva-sal, como nos explicou em entrevista o engenheiro agrônomo Everaldo Porto: "A erva-sal – cujo nome científico é *atriplex nummularia* – tem a capacidade de absorver sais em seus tecidos e um teor muito alto de proteína. Essa planta foi introduzida no Nordeste brasileiro ainda na década de 1930 como mais uma alternativa para se enfrentar a seca. Enquanto as gramíneas – usadas para alimentação animal – têm ao redor de 4 a 6% de proteína, a erva-sal tem, em média, 14% de proteína e na folha, especificamente, essa concentração chega a 18%."

A própria comunidade é responsável pelo sistema de tratamento, onde um balde de água custa aproximadamente dez centavos. O dinheiro é usado na manutenção do dessalinizador.

Já ouviu falar no *solvatten*?

A ideia nasceu em 1997 quando a sueca Petra Wadstrom ficou impressionada com o problema da falta de água potável em algumas regiões da Indonésia. Ao voltar para casa, na Austrália, um país ensolarado, teve a ideia de criar o *solvatten* (que em sueco significa "sol e água"): um recipiente simples, resistente, capaz de ser carregado facilmente, com água imprópria para o consumo e que purifica essa água usando apenas a luz do sol.

O princípio é utilizar o calor do sol e a radiação ultravioleta para eliminar as substâncias que transmitem doenças. Leva-se de duas a seis horas para que o recipiente garanta a purificação da água, o que é confirmado por um sinalizador que exibe a cor verde quando ela estiver própria para consumo.

Cada reservatório – com capacidade para 11 litros de água – pode ser usado até três vezes por dia. A água que sai do recipiente é potável e se presta a múltiplos usos. A empresa responsável pelo projeto – apoiado pela ONU e por várias organizações não governamentais – existe oficialmente desde 2006 e já conquistou vários prêmios por causa da invenção.

O *solvatten* mantém 45 projetos pelo mundo (no Brasil ele acontece em uma comunidade de Teresina, Piauí), beneficiando aproximadamente 200 mil pessoas.

As comunidades assistidas pelo projeto costumam buscar a água potável longe, levando baldes e latas pesadas, ou queimam muita madeira para ferver a água suja e assim purificá-la. Uma família que consuma 20 litros de água por dia nessas condições chega a queimar 4 toneladas de madeira por ano.

Em algumas comunidades, o uso do *solvatten* permitiu a elevação da frequência nas escolas em até 87%, com a redução drástica dos episódios de diarreias que atrapalhavam os estudos.

Onde houver sol, o equipamento está apto para uso. Mas precisa de ajuda para chegar a essas comunidades isoladas. No site do projeto informa-se que a doação de apenas € 10,00 garante o fornecimento de 4.928 litros de água limpa e quente por 25 dias, impedindo o corte de nove árvores e a emissão de quase 1 tonelada de gases estufa.

Banheiro seco dispensa água

Você já esteve alguma vez num banheiro seco? Consegue imaginar um vaso sanitário projetado para funcionar sem água?

Para os alunos do Instituto de Permacultura e Ecovilas no Cerrado (Ipec), em Goiás, isso não é apenas possível, mas desejável. Eles aprendem a transformar a matéria orgânica em adubo a partir do banheiro. O segredo é replicar os cuidados da compostagem no recipiente que receberá os dejetos. Devem-se misturar fezes e urina (ricas em nitrogênio) com serragem, capim picado, cascas de arroz ou qualquer outro material rico em carbono. O perfeito equilíbrio entre nitrogênio e carbono evita o mau cheiro e permite a produção de adubo de excelente qualidade.

Mas quem usar o banheiro seco deverá se lembrar de que, em lugar da descarga, terá que jogar no vaso duas mãos cheias de pó-de-serra ou outro material rico em carbono.

Há que se ter cuidado também com o limite do recipiente. O modelo padrão do Ipec está dimensionado para o uso diário de uma família com cinco pessoas. Quando uma caixa fica cheia deve-se fechá-la para o composto fermentar durante quatro a seis meses, período em que outra caixa estará em uso.

Dá um certo trabalho. Mas é por uma boa causa. Os técnicos do Ipec alegam que, na natureza, as fezes de todos os animais viram alimento ou adubo, sem geração de lixo ou poluição.

Quando nós, seres humanos, colocamos água limpa nas fezes quebramos o ciclo natural e criamos um problema. Os esgotos espalham doenças, poluem os rios, e demandam investimentos cada vez maiores para captação, tratamento e destinação adequada. Muita água (para transportar os esgotos nas tubulações), muitos minérios (para despoluir as águas) e muita energia elétrica (para manter a rede pressurizada) mantêm em funcionamento, a duras penas e altos custos, o sistema convencional.

Em defesa do banheiro seco, alega-se também a escassez crescente de água doce e limpa. Quem usa banheiro seco pode até ter um trabalho a mais, mas se sente parceiro da natureza.

Reaproveitando a água de um rio morto

O canal do Cunha, no Rio de Janeiro, é conhecido pela sua cor negra (parece até petróleo), pelo odor forte de esgoto *in natura* lançado todos os dias por milhares de moradores do Grande Rio, e pela ausência absoluta de oxigênio, o que implica inexistência de vida. O canal desemboca na baía de Guanabara, agravando seu já conhecido estado de penúria ambiental.

A missão do *Cidades e Soluções* era registrar em detalhes a poluição do rio, e, principalmente, o ponto exato de captação dessas águas fétidas por uma fábrica de solventes. A empresa retira 80 milhões de litros por mês do canal do Cunha para tratamento e múltiplos usos. A água tratada sai a um custo menor que a água potável comprada diretamente da companhia de abastecimento.

A água saturada de esgoto segue para um imenso tanque onde recebe cloro, e dali para a filtragem por membranas, onde acontece a separação do lodo. No fim do processo, o lodo é levado em caminhões para aterros credenciados, e a água residual – que não tem nenhuma utilidade para a fábrica – é descartada no próprio canal do Cunha, já sem sujeira ou contaminantes. A água é devolvida quente e salgada – resultado do processo de tratamento –, mas infinitamente mais limpa do que aquela que foi captada originalmente.

Ao todo, 60 milhões de litros são devolvidos por mês (20 milhões ficam retidos nos processos industriais), reduzindo sensivelmente os estragos causados pela falta de saneamento.

NOS BASTIDORES

Antes de navegarmos no canal do Cunha em um bote, recebemos a recomendação expressa – em tom de advertência – que qualquer mergulho involuntário poderia ser fatal. Não era exagero.

Enquanto gravávamos no bote nessa aflitiva incursão, um cachorro atravessava a nado o rio enegrecido de esgoto em direção à margem oposta da fábrica de solventes, onde fica uma favela.

Não satisfeito, depois de completar a travessia, o animal nadou (no melhor estilo "cachorrinho") de volta. Ao retornamos, indagamos o funcionário da fábrica, que tinha nos advertido sobre o risco que corríamos se o barco virasse: "Vocês viram o cachorro? Parece ótimo! Nenhum problema de saúde...". Ele riu e disse que o animal certamente possuía imunidades especiais, mas que talvez não vivesse muito. Brincadeiras à parte, o fato é que depois daquela "imersão" aquele cachorro estava com os dias contados...

As "águas cinzas" de Niterói

Reutilizar água de esgoto, as chamadas "águas cinzas" (que saem da pia do banheiro, do tanque, do chuveiro e da máquina de lavar) é lei em Niterói, na Região Metropolitana do Rio de Janeiro. Elas devem ser coletadas, tratadas e reutilizadas em prédios públicos ou privados que ocupem um espaço superior a 500 m^2.

O maior objetivo da lei é estimular a economia de água e reduzir a geração de esgoto. A praticidade do sistema – e a economia que gera no bolso dos condôminos – fez com que novos prédios de Niterói fossem construídos reciclando as águas cinzas, mesmo antes de a lei ser aprovada.

A equipe do *Cidades e Soluções* visitou um prédio de 17 andares (84 apartamentos) onde o sistema havia sido instalado. Nos prédios convencionais, essas águas cinzas são misturadas na rede de esgoto. Já a nova geração de prédios de Niterói segrega as águas cinzas, que seguem para um tanque de acumulação com capacidade para reter até 40 mil litros por dia. Todo esse volume é tratado automaticamente com o auxílio de equipamentos que vão regulando o lançamento de produtos químicos (basicamente, cloro e sulfato de alumínio) na dosagem certa, em diferentes fases do processo.

O resultado é uma água transparente, sem contaminantes, que se presta a múltiplos usos não nobres, como lavagem de pisos, janelas, carros, rega de jardim etc.

A água tratada de esgoto é bombeada para uma cisterna na laje do prédio, e daí para os apartamentos. Em cada andar há uma torneira com a plaquinha "água de reúso" próxima do elevador de serviço. Quem quiser, vai lá e pega o volume que desejar para o que bem entender.

Todos os moradores ouvidos pela equipe do programa manifestaram muita satisfação com a redução do consumo de água potável (cuja tarifa vem subindo ano a ano) graças à água de reúso.

O custo de instalação desse sistema foi de aproximadamente R$ 100 mil. A manutenção – em torno de R$ 500,00 por mês para a compra dos produtos químicos usados no tratamento – equivale ao custo de tratamento de uma piscina grande.

Além das águas cinzas, Niterói já tem leis que tornam obrigatório o uso de água de chuva e também a medição individual de água potável com hidrômetros em cada domicílio. Medidas que podem ser replicadas em outras cidades do país, onde haja informação e bom senso.

"Santos" exemplos

A cidade de Santos é apontada por especialistas como uma das que melhor organizaram a distribuição de água potável e a coleta e tratamento de esgoto para a população.

Uma das razões para esse reconhecimento vem do planejamento urbano feito no início do século passado, quando o sanitarista Saturnino de Brito construiu os "famosos" canais de Santos, e o primeiro sistema de tratamento sanitário da cidade, com dois prédios, que resistem ao tempo e permanecem no mesmo lugar.

A primeira central de bombeamento de esgoto da Baixada Santista foi construída em 1912 e transportava toda a matéria orgânica recebida através dos canais para o litoral de Praia Grande, um município vizinho. Embora ainda não houvesse o tratamento de esgoto, o sistema de canais impediu os alagamentos (que aconteciam com frequência) e a expansão das doenças de veiculação hídrica, responsáveis por elevadas taxas de mortalidade naquela época.

Na segunda metade do século passado (a partir de 1960), outras intervenções ajudaram Santos a acelerar processos em favor do saneamento básico de qualidade e da universalização do acesso à água potável, como a construção do emissário submarino (que lança o esgoto a 4 km de distância da praia) e a implantação do "reservatório-túnel" (o maior reservatório de água em rocha da América Latina, com capacidade para armazenar 110 milhões de litros de água).

Há ainda a estação de tratamento de água de Cubatão (que abastece, além desse município, também Santos, São Vicente, parte de Guarujá e Praia Grande) e vem a ser a maior de todo o interior e litoral de São Paulo. A estação produz 4 mil litros de água potável por segundo (o suficiente para encher uma piscina olímpica a cada 10 minutos), mas é reconhecida também por sua eficiência na redução do desperdício.

Um levantamento do Instituto Trata Brasil aponta Santos como a cidade que menos perde água em todo o processo de tratamento (12,8%, quando a média das cem maiores cidades é de 40%).

Reúso de água

O reúso de água caminha a passos lentos no Brasil, se compararmos com outros países (segundo a Go Associados, hoje, menos de 0,1% da água produzida no país é de reúso; em Cingapura, esse percentual chega a 30%; em São Paulo, é inferior a 2%). Ainda assim, é cada vez maior o número de empresas que transformam o próprio esgoto em água tratada, pronta para ser utilizada das mais diversas maneiras.

A água de reúso tem inspirado vários negócios, especialmente em São Paulo, castigada por uma das piores estiagens da história entre os anos de 2013 e 2014. O *Cidades e Soluções* visitou uma locadora de roupas e toalhas para salões de beleza, na capital paulista, que gasta em média 20 mil litros de água por dia para lavar 2 milhões de peças por mês. Durante a estiagem, com a elevação da tarifa da água cobrada pela companhia de abastecimento, o dono da empresa decidiu reaproveitar a água tratada do próprio esgoto.

Em um espaço pequeno, de apenas 7 m^2, nos fundos da lavanderia foi instalada uma miniestação completa de tratamento de esgotos. A água ensaboada da lavanderia é bombeada para essa estação – onde todas as impurezas são removidas em diferentes processos de filtragem e depuração – até que se transforme em água de reúso, ou seja, pronta para ser reaproveitada pela lavanderia.

Bom para o meio ambiente, melhor ainda para o bolso: o custo total da miniusina foi de R$ 80 mil, valor que o dono da lavanderia espera recuperar em no máximo 15 meses, já que gastava antes R$ 8 mil por mês de conta de água. Depois da construção do sistema, o custo de manutenção da miniusina (eletricidade e insumos químicos) é de R$ 3 mil por mês. Portanto, a economia passou a ser de R$ 5 mil por mês.

O lodo residual do processo – um material de cor acinzentada, rico em fibras de algodão – é levado para um aterro credenciado. Havendo interesse, pode ser transformado em energia (fornos de incineração) ou tijolos (fabricados a partir da biomassa). É o tipo da iniciativa em que todos ganham porque tudo se aproveita.

Enquanto isso, no shopping...

Visitamos um shopping, também na capital de São Paulo, que há sete anos vinha tratando o próprio esgoto em um espaço relativamente pequeno, ao lado do estacionamento. A vantagem do sistema é recircular a água tratada do esgoto, reduzindo drasticamente o consumo da água comprada da companhia de abastecimento.

A conta de água, que era de R$ 80 mil por mês, caiu para R$ 20 mil após a montagem da miniestação de tratamento. Quando a equipe do *Cidades e Soluções* foi conhecer de perto a experiência, a economia acumulada na conta d'água chegava a R$ 2,5 milhões.

Na prática, o sistema permite a redução média de 30% no consumo de água. Em lugar da água potável da companhia de abastecimento, utiliza-se a água tratada de esgoto nos sanitários dos banheiros, rega de jardim, limpeza das áreas comuns do shopping e nos aparelhos de ar condicionado.

Já parou para pensar no absurdo que é usar água potável para dar descarga em vaso sanitário e outros fins não nobres, quando se pode reutilizar a água tratada de esgoto?

Na fábrica de remédios...

A maioria absoluta das fábricas utiliza grande quantidade de água em seus processos e, portanto, descarta quantidades monumentais de esgoto. Essa rotina encarece os custos de produção, especialmente em tempos de crise hídrica, quando a tarifa da água potável aumenta.

A equipe do *Cidades e Soluções* conheceu uma fábrica de remédios em Itapevi, na Grande São Paulo, que produz 9 milhões de litros a água de reúso (esgoto tratado no próprio local) a cada mês. O que não é usado na própria indústria, é doado para a Prefeitura local, que utiliza essa água na limpeza das ruas e na rega dos canteiros. São 200 mil litros de água doados por ano, que ajudam a manter Itapevi limpa e com jardins bem cuidados.

Na fábrica de bebidas...

Quanto maior a indústria, maior a demanda por água limpa, e maior também a necessidade de reduzir os custos com o desperdício. Hoje, no Brasil, a maioria das grandes indústrias, em diferentes setores da economia, já promove o reúso da água.

É o que acontece, por exemplo, nas fábricas de cervejas e refrigerantes. A maioria das fábricas de bebidas no país tem a sua própria estação de tratamento de água para reduzir os custos e melhorar a qualidade da água usada na produção.

A equipe do *Cidades e Soluções* visitou uma das maiores fábricas do país em Campo Grande, na zona oeste do Rio de Janeiro, que promove a captação direta de água na bacia do rio Guandu, a 13 km de distância, no município de Seropédica.

Por dia, 14 milhões de litros são bombeados e transportados em dutos até a fábrica para a produção de cervejas, refrigerantes, chás, energéticos e isotônicos.

Escolhemos visitar aquela unidade depois dela ter sido eleita a mais eficiente em consumo de água dentre todas as 41 fábricas do grupo no Brasil, e uma das três com melhor desempenho em todo o mundo. Em dez anos de operação, a fábrica conseguiu reduzir em 50% o consumo de água, ou seja, há dez anos gastava-se em média 7 litros de água por litro de produto (refrigerante ou cerveja) e hoje esse consumo caiu para 3,5 litros de água por produto. No total, essa economia equivale ao consumo de água potável no município de Petrópolis, na Região Serrana do Rio de Janeiro, com seus quase 300 mil habitantes.

A fábrica superou o índice alcançado pela empresa mundialmente, que foi de 33% de redução no consumo de água em dez anos. A performance foi atribuída à instalação do circuito fechado, que permite o reúso da água para múltiplos fins, exceto na composição das bebidas.

Segundo os responsáveis pelo projeto, além da inovação tecnológica, o resultado deve ser atribuído a um intenso programa de treinamento dos funcionários e às rotinas de checagem (pelo menos três vezes ao dia) em cada setor da fábrica para verificar se os procedimentos que permitem a economia de água estão sendo seguidos.

O maior projeto da América Latina

O Aquapolo é uma parceria da Companhia de Águas e Esgoto de São Paulo (Sabesp) com a iniciativa privada, que distribui água tratada de esgoto para 13 empresas da região do ABC. É o maior empreendimento para produção de água de reúso industrial na América do Sul e o quinto do planeta.

São 650 litros por segundo, volume suficiente para abastecer 500 mil pessoas – equivalente à população da cidade de Santos (SP) – o que significa que, onde o esgoto tratado está chegando, menos água potável é consumida nas indústrias. O custo do metro cúbico da água de reúso corresponde, em média, a 50% da tarifa de água potável.

Como a Grande São Paulo possui o pior déficit hídrico *per capita* do Brasil (menor disponibilidade de água por habitante do país), inserir água tratada de esgoto na cadeia produtiva é um excelente negócio. A própria Sabesp reconhece que, sem a água de reúso para as empresas, será muito difícil cumprir a meta de oferecer água potável para mais de 200 mil novos habitantes por ano na Grande São Paulo.

Quando a chuva vira solução

A equipe do *Cidades e Soluções* visitou um condomínio em São Paulo que capta a água da chuva do telhado e armazena em um reservatório no subsolo. Os engenheiros projetistas permitiram aos moradores usufruir das vantagens de um sistema simples, que retém até 18 mil litros de água de chuva para múltiplos usos (rega de jardim, lavagem de pisos, janelas e carros etc.). Essa água é filtrada e desinfetada e, embora não seja potável, pode ser usada com segurança por funcionários e moradores.

A grande vantagem do projeto é a redução das despesas do condomínio. O custo de instalação desse sistema foi de R$ 25 mil. Se dividirmos esse valor por todos os 186 apartamentos, o acréscimo no valor pago para cada imóvel foi de R$ 134,00. Muito pouco, se comparado com a economia que gera, algo em torno de R$ 8 mil a menos de conta de água paga à Sabesp (empresa responsável pelo fornecimento de água, coleta e saneamento de 366 municípios do estado de São Paulo).

Outra vantagem desse sistema é a redução do risco de enchentes para a cidade: quanto maior o volume de água de chuva coletado pelas edificações, menor o risco de inundações ou alagamentos.

No condomínio comercial...

Visitamos também um condomínio comercial em São Paulo que abriga escritórios de oito multinacionais e resolveu aproveitar a água da chuva para regar 40 mil m^2 de área verde e lavar 27 mil m^2 de ruas e estacionamentos.

Havia só um "porém": o prédio não havia sido construído com reservatório para água de chuva. A administração do condomínio resolveu, então, construir uma cisterna para 40 mil litros de água de chuva e passou a ter uma economia de aproximadamente 30% na conta de água (que é de R$ 110 mil por mês).

Na empresa de ônibus...

A equipe do *Cidades e Soluções* visitou uma empresa de ônibus que construiu debaixo da garagem reservatórios de água de chuva. Toda vez que chove, a água que cai sobre o telhado de 7.500 m^2 é canalizada para esse reservatório. Quando fica cheio, a água é suficiente para garantir a lavagem de 1.500 veículos.

Pelas contas dos donos da empresa, a economia é gritante: mil litros de água potável da Sabesp custam R$ 20,00, o suficiente para lavar 2,5 veículos. Pelo mesmo preço, usando água da chuva (com filtragem e desinfecção), lavam-se 32 veículos. Nem o custo elevado de construção de uma estação de limpeza da água da chuva (US$ 50 mil) inibiu os empresários. A conta acaba fechando no azul.

ECODICAS

Para a instalação de sistemas de aproveitamento da água da chuva, pesquisadores do Instituto de Pesquisa Tecnológicas da USP destacam os seguintes pontos:

- O uso da água da chuva pode ser um bom negócio ou não. Depende da qualidade, do volume e do uso que se pretende fazer dela.
- A água da chuva lava a atmosfera, lava os telhados e, por onde passa, carrega impurezas que precisam ser removidas para que seu eventual uso seja seguro.
- A primeira carga de água que cai sobre a laje ou o telhado (nos primeiros minutos da chuva) deve ser descartada pelo acúmulo de sujeira que carrega.
- Recomenda-se um estudo para verificar se os custos de implantação do sistema serão compensados depois. É importante estimar o valor de construção do reservatório, o volume médio de chuvas na região, o custo da tarifa de energia elétrica para bombear essa água etc.

A vantagem do hidrômetro individual

Quem tem hidrômetro individual paga exatamente pela água que consome. Nem mais, nem menos. É como acontece quando se paga a conta de luz ou de gás: a tendência do usuário é evitar o desperdício para pagar menos.

A situação é bem diferente quando um mesmo "relógio" mede o consumo de vários moradores. Nesses casos, o valor costuma ser repartido por igual entre todos os condôminos, e não importa o quanto um determinado morador seja mais eficiente no consumo de água, já que não será possível sentir no bolso a recompensa pelo esforço.

Quando começou a ser construído na década de 1950, o condomínio *Nice* era um projeto inovador, mais um arranha-céu que mudava a paisagem no Centro de São Paulo. Naquela época, a água era percebida como um recurso inesgotável, farto e barato. A leitura do consumo de água dos condôminos era coletiva.

Cinquenta anos depois, quando chegou a hora de substituir os encanamentos de ferro – altamente deteriorados –, a administração decidiu instalar medidores individuais de água para tentar reduzir a despesa, que varia entre R$ 5 e 6 mil por mês.

Para reduzir o quebra-quebra, optou-se pela instalação dos novos encanamentos pelo lado de fora do prédio. Os hidrômetros individuais foram colocados na laje do prédio, onde fica a caixa d'água e de onde saem as tubulações. A implantação do novo sistema custou R$ 20 mil, valor que foi totalmente amortizado em menos de um ano pela economia registrada no consumo de água.

O caso da USP

No campus da maior universidade pública do Brasil (80 mil estudantes, professores e funcionários), o desperdício de água é combatido com tecnologia.

Um centro de controle monitora on-line (checagens a cada cinco minutos) o consumo registrado em uma imensa rede de distribuição, com 37 km de extensão e 20 mil pontos diferentes de uso de água, concentrados em 65 hidrômetros da instituição.

Qualquer alteração suspeita na vazão da água pode indicar rompimento da tubulação ou flagrante de desperdício. O sistema de telemetria consegue detectar vazamentos aparentemente pequenos que, na soma do "pinga-pinga" ao longo de dias ou semanas, geram prejuízos consideráveis.

Há ainda equipamentos como o "correlacionador de ruídos", de uso manual, que capta o som no subsolo e identifica eventuais problemas nas tubulações. Graças a ele, já foi possível rastrear pequenas trincas no encanamento, por onde vazavam 12 mil litros de água potável por dia.

A guerra contra o desperdício fez com que a conta de água despencasse, no intervalo de 12 anos, de R$ 295 mil para R$ 70 mil – uma economia total estimada em mais de R$ 175 milhões. Detalhe: nesse período, a tarifa de água da Sabesp foi reajustada em 110%.

Bacia do rio Doce: a maior tragédia ambiental do Brasil

Na tarde de 5 de novembro de 2015, o rompimento de uma barragem da mineradora Samarco (controlada pela Vale e pela anglo-australiana BHP Billiton) varreu do mapa o distrito de Bento Rodrigues, a 35 km de Mariana (MG), causando 19 mortes.

Um tsunami de lama quente e fétida de rejeitos de minério de ferro (aproximadamente 50 milhões de m^3, o suficiente para encher 20 mil piscinas olímpicas) percorreu uma distância superior a 800 km entre os estados de Minas Gerais e Espírito Santo até desaguar no litoral capixaba, destruindo a bacia do rio Doce.

Foi a maior tragédia ambiental do Brasil e o maior vazamento de rejeitos minerais do mundo. Um gigantesco rastro de destruição devastou as matas ciliares, provocou a suspensão do abastecimento de água em vários municípios e impactou fortemente a pesca e o turismo. Aproximadamente 3 milhões de pessoas foram atingidas de forma direta ou indireta. De acordo com o Ibama, 835 hectares de Áreas de Preservação Permanente (APP) foram destruídos.

Mais de um ano após a tragédia, os impactos do vazamento sobre as águas (do rio e do mar), a fauna e a flora ainda não são totalmente conhecidos. Não houve recursos suficientes para um amplo levantamento que rastreasse o gigantesco passivo socioambiental da tragédia.

A lama que alcançou o litoral do Espírito Santo tornou Regência – um dos paraísos do surfe no Brasil e local escolhido por várias espécies de tartarugas-marinhas como ponto de desova – uma cidade fantasma. Pousadas, hotéis e restaurantes foram fechados.

Pesquisadores da Marinha e de universidades convidadas mapearam os impactos da lama sobre os ecossistemas marinhos durante uma breve passagem pelo litoral capixaba. Falta uma série histórica que permita avaliar com precisão o que houve. O que se sabe é que se elevou a carga de metais pesados no mar, a lama impediu a passagem da luz solar até o leito marinho e se depositou no fundo do mar, impactando outras espécies que vivem (ou viviam) por lá.

As investigações do Ministério Público Federal (MPF) resultaram na denúncia oferecida por esse órgão contra 21 pessoas por homicídio qualificado com dolo eventual (quando se assume o risco de matar) e uma pessoa (juntamente com a empresa VogBr) por crime de apresentação de laudo ambiental falso.

O MPF também denunciou as empresas Samarco, Vale e BHP Billiton por nove crimes ambientais. Os procuradores da República constataram falhas no processo de licenciamento da barragem da Samarco, fiscalização frouxa, e gestão temerária da empresa, que teria previsto antecipadamente a ocorrência da tragédia em um relatório interno produzido por seu departamento de Geotecnia.

O documento confiscado pelo MPF reporta os cenários de um eventual vazamento, prevendo que, se isso viesse acontecer, provocaria aproximadamente vinte mortes (foram 19, mas se contarmos o aborto espontâneo de uma sobrevivente traumatizada pela catástrofe, chega-se a vinte vítimas fatais), a destruição da bacia do rio Doce (que demandaria pelo menos vinte anos de investimentos em diferentes projetos de recuperação), dois anos de suspensão dos trabalhos da mineradora, intensa exposição negativa da Samarco nas mídias locais e estrangeiras, entre outras graves consequências que acabaram acontecendo de fato.

Vale registrar que mais de quatrocentas grandes barragens espalhadas pelo Brasil contêm materiais perigosos. São bombas-relógio que podem explodir sem a devida fiscalização e controle.

NOS BASTIDORES

Fizemos duas incursões nas águas saturadas de lama da Samarco no litoral do Espírito Santo. Na primeira, a bordo do navio *Hidroceanográfico de Pesquisa Vital de Oliveira*, da Marinha, que partiu de Vitória levando cientistas e jornalistas até a foz do rio Doce, na praia de Regência. Nosso objetivo era acompanhar com exclusividade a primeira filmagem submarina da lama da Samarco.

Ao chegarmos lá, nossa equipe embarcou na única lancha da região capaz de romper a arrebentação pela foz do rio Doce. Quando ultrapassamos a linha da arrebentação, a aproximadamente 1 km de distância da orla, vimos bem de pertinho o "encontro das águas" limpas do mar de Regência com a lama da Samarco. Foi ali que o mergulhador e cinegrafista Enrico Marcovaldi registrou pela primeira vez o comportamento dos rejeitos de minério abaixo da linha d'água. Uma imagem triste e revoltante.

Plantas que tratam esgotos

A cerca de 100 km do Rio de Janeiro, na cidade de Araruama, na Região dos Lagos, os esgotos de aproximadamente 125 mil pessoas são tratados em um lugar que mais parece um parque com muito verde e nenhum cheiro ruim.

A equipe do *Cidades e Soluções* foi conhecer de perto a maior estação ecológica de esgotos do Brasil, que dispensa o uso intensivo de energia elétrica ou de produtos químicos. Lá são as plantas que realizam a parte mais importante do tratamento.

O processo é composto de várias etapas. Depois de atravessar uma caixa de areia e grades – para reter a parte mais sólida da matéria orgânica –, 170 litros de esgoto por segundo seguem para uma lagoa de aeração onde equipamentos possantes bombeiam oxigênio para acelerar o tratamento.

Na etapa seguinte, o esgoto é lançado em outra lagoa, repleta de salvínias, uma planta típica do Pantanal do Mato Grosso, que retira fósforo e nitrogênio (nutrientes importantes para os vegetais) do esgoto. A salvínia substitui o cloreto férrico para realizar a mesma função a um custo 75% menor.

Depois, o esgoto é transportado para outra lagoa, onde três espécies vegetais típicas do rio Nilo, na África, completam o processo de tratamento. Graças ao papiro, ao papirinho e à sombrinha chinesa, a companhia de saneamento realiza o chamado "tratamento terciário" – algo que a maioria das estações de tratamento no Brasil ainda não faz –, que é a remoção de quase todas as impurezas do esgoto.

No fim do processo, acompanhamos a saída do esgoto tratado em direção à lagoa de Araruama. Para efeito de comparação – e isso rendeu uma ótima imagem para a TV – colocamos lado a lado dois recipientes de vidro contendo o esgoto que entra na estação (escuro como o petróleo) e o que sai depois de alimentar milhares de plantas (água límpida e sem cheiro). O contraste foi gritante.

Os níveis de matéria orgânica e de elementos patogênicos presentes no esgoto tratado são considerados desprezíveis e atendem às normas da legislação. Tecnicamente, é água de reúso e poderia ser usada, por exemplo, em alguma fábrica. Mas, como não há clientes que demandem água de reúso na região, esse esgoto tratado é descartado na lagoa.

Uma das maiores vantagens dessa tecnologia é econômica: se fosse para tratar a mesma quantidade de esgoto em uma estação convencional, seriam gastos, apenas com produtos químicos, aproximadamente R$ 77 mil por mês. Graças ao uso de plantas, o custo é zero.

A economia também é grande em relação à conta de luz. Em uma estação convencional, com o uso intensivo de máquinas e equipamentos, gastam-se aproximadamente R$ 20 mil por mês para tratar a mesma quantidade de esgoto. Em Araruama, o custo com energia é de R$ 2.500,00 por mês, oito vezes menos.

Mas, para que esse sistema funcione sempre bem, é preciso retirar as plantas ou podá-las na hora certa para que não comprometam o resultado do tratamento. Quanto mais os vegetais se alimentam dos nutrientes do esgoto, mais eles crescem, e quanto mais crescem, menos nutrientes retiram do esgoto. Na rotina da estação, há funcionários especialmente treinados para retirar das lagoas as plantas que alcançam a plenitude do crescimento e já não conseguem cumprir a função desejada pelos técnicos.

Essas plantas maduras são levadas para um galpão onde outra etapa inteligente do processo terá lugar. Ali, os vegetais são misturados ao lodo residual do tratamento, uma lama saturada de nutrientes que se acumula no fundo das lagoas.

Na maioria absoluta das estações de esgoto do Brasil, esse lodo residual é um problema, porque precisa ser transportado de caminhão até um aterro. Tudo isso implica mais custos, até porque se paga pela tonelada de matéria orgânica depositada no aterro. Mas na estação ecológica de Araruama, esse lodo de esgoto é solução porque, ao ser misturado e triturado junto com as plantas, se transforma em um adubo orgânico de excelente qualidade.

Por mês, são processadas 45 toneladas de plantas usadas no tratamento do esgoto e 10 toneladas de lodo. Se fosse para levar tudo isso de caminhão para um aterro, o custo do transporte seria de R$ 16 mil por mês. Uma empresa de paisagismo assumiu os custos de operação da compostagem dessa mistura e tem o sinal verde da estação para comercializar o adubo produzido.

Refúgio para aves

Técnicos da Universidade Federal de Viçosa (MG) catalogaram 45 espécies diferentes de pássaros exatamente na área onde as plantas digerem a matéria orgânica. Como essa tecnologia (conhecida como *wetlands* ou "zona de raízes") dispensa o uso de produtos químicos, o ambiente se tornou o refúgio perfeito para as aves da região.

O relatório produzido pelos técnicos da universidade afirma que, com o passar do tempo, a tendência é que se aumente ainda mais o número de espécies que dependem de ambientes mais preservados para a sua sobrevivência.

NOS BASTIDORES

Ao chegar à estação, pedimos que colocassem um barco na lagoa principal onde pudéssemos navegar e gravar bem de perto as plantas usadas no tratamento. Foi uma experiência tensa porque o barco era pequeno e leve demais, e, ainda assim, levou três pessoas da equipe do programa, além do entrevistado.

A cada remada, a embarcação ameaçava virar ora para um lado, ora para o outro. O fato é que estávamos navegando em uma lagoa repleta de esgoto, e embora a matéria orgânica não exalasse um odor forte, a ideia de um naufrágio era algo que justificou muitas piadas em clima de ansiedade e nervosismo.

Os jardins filtrantes de Paris

Quem diria que os belos jardins eternizados no início do século passado pelo mestre do impressionismo, Claude Monet, na série de pinturas "Ninfeias", são hoje referência em tratamento de esgoto?

O centro de tratamento de água desenvolvido pelo arquiteto e paisagista Thierry Jacquet mais parece um parque em Nanterre, no subúrbio de Paris. Mas o objetivo ali é produzir água limpa para o rio Sena, especialmente após violentas tempestades, quando poluentes e detritos carreados pela chuva causaram a morte de milhares de toneladas de peixe.

A água do Sena que abastece o centro chega turva, poluída, com lixo, óleos industriais e elementos patogênicos que transmitem doenças. Essa água fétida é transportada para os chamados "jardins filtrantes", onde as raízes das plantas se nutrem da matéria orgânica sem que as impurezas afetem o metabolismo dos vegetais.

Os responsáveis pelo centro afirmam que os jardins pintados por Monet serviram de inspiração para o projeto. Apontam, principalmente, o óleo sobre tela pintado em 1904, "Nenúfares", que ilustra uma das espécies mais eficientes do jardim filtrante, pela capacidade de injetar grandes quantidades de oxigênio nas águas. As nenúfares (plantas aquáticas, das quais a maior é a vitória-régia) chegam a introduzir de 8 a 10 litros de oxigênio por hora aonde se encontram.

A meta do centro é devolver ao rio Sena uma água com três vezes mais oxigênio do que recebe. Após o tratamento nos jardins filtrantes, 30 mil m^3 de água limpa permanecem estocados em uma área equivalente a quase dois campos de futebol. Os técnicos monitoram constantemente o nível de oxigenação do rio, e se houver qualquer queda súbita, pela razão que for, libera-se a água limpa para evitar uma tragédia ambiental.

Os responsáveis pelo projeto afirmam que o custo dos jardins filtrantes é 30% mais barato que o de uma unidade de tratamento convencional, sem gastos com eletricidade ou produtos químicos.

A biofazenda

O mesmo grupo é responsável por outro projeto ainda maior de jardins filtrantes – a chamada "biofazenda" –, estabelecido a 100 km da capital francesa para tratar de esgotos domésticos e industriais, óleo de fritura de restaurantes e águas residuais de postos de lavagem de automóveis.

Todos os dias, caminhões descarregam toneladas de sujeira que são depositadas num grande tanque. Depois de retiradas as impurezas sólidas, o material segue para 24 bacias cavadas na terra e cobertas de vegetação. Ali permanecerá durante meses, servindo de alimento para as plantas.

A biofazenda não desperdiça nada: o que não for totalmente digerido pelos vegetais, vira fertilizante de excelente qualidade.

conversa com

Pavan Sukhdev

Entrevista concedida a André Trigueiro,
em programa exibido em 20/07/2011.

"Temos que atribuir valor ao que a natureza nos dá de graça todos os dias"

Economista indiano, liderou um estudo para calcular o valor da biodiversidade e, a partir daí, se incorporar os custos socioambientais ao preço dos produtos e serviços. O documento, intitulado "A economia de ecossistemas e da biodiversidade" foi publicado em 2010, com grande repercussão.

André Trigueiro – O que é o TEEB?
Pavan Sukhdev – O TEEB (The Economics of Biosystem and Biodiversity) é um projeto que busca tornar visível o invisível. Nós tentamos atribuir valor ao que a natureza nos fornece de graça, todos os dias, e não é considerado, nem no nível nacional ou estadual, ou mesmo no nível dos negócios. O projeto foi iniciado pela Alemanha e a Comissão Europeia, em 2008. Mas, desde então, tornou-se um projeto internacional, coordenado pelo Programa das Nações Unidas para o Meio Ambiente (Pnuma). Hoje, eu diria que o maior apoio ao TEEB vem dos países em desenvolvimento, como Índia, Brasil, México, e, no mundo desenvolvido, de países como Noruega, Suécia, Japão, Reino Unido e Alemanha.

A.T. – Como ele funciona?
P.S. – O primeiro estágio do TEEB é olhar para quais são os serviços ecossistêmicos da natureza. Prevenção de enchentes e controle de seca nas florestas, por exemplo, são serviços. Ecoturismo, como no Rio de Janeiro, também, é claro. Limpeza do ar pelas florestas ou árvores da região, evidente. Polinização por abelhas e insetos, sim. Esses são serviços que a natureza oferece.

Vamos dar um exemplo: a produção global de alimentos vale US$ 2,5 trilhões. Agora, foi estimado que o valor da polinização é, por si só, em torno de US$ 190 bilhões. O que significa que a polinização é quase 8% do valor total da produção de alimentos. E quantas vezes uma abelha enviou uma nota fiscal dos serviços de polinização que realizou? Ela não faz isso. Nós não contabilizamos essas coisas, porque elas não são parte da economia visível. Elas são parte da economia invisível da natureza.

A.T. – Como o sr. descreveria o método para atingir um número, um dado?
P.S. – Em cada situação, para cada serviço, você tem cálculos diferentes. Mas são todos valores econômicos. Um exemplo fácil é o valor do ecoturismo. O Brasil tem vários belos pontos de ecoturismo. Se alguém viaja do Reino Unido ou da Índia para vê-los, significa que a visita vale pelo menos o deslocamento. Então, você conta os turistas, estima quanto eles gastaram com a viagem, e você sabe que aquele é, na verdade, o valor daquele lugar; porque, caso contrário, eles não iriam até ali.

Outro método, por exemplo, é estimar o impacto sobre o preço de uma propriedade levando em conta o fato de ter a natureza próxima dela. As pessoas dizem: "Eu estou tentando comprar um apartamento próximo a um parque em Londres, mas é tão caro..." Por quê? Porque há um parque em frente! Se o prédio ficasse a duas quadras do parque, seria muito mais barato.

Outro bom exemplo aconteceu na cidade de Kampala, capital da Uganda. Há cerca de 12 anos, a população decidiu se livrar do pântano de Nakivubo. Afinal, era apenas um lugar feio, cheio de mosquitos... Pensaram: "Vamos convertê-lo em área agrícola!". Mas uma economista, chamada Lucy Emerton, questionou: qual é o *valor real* desse pântano? Limpar o esgoto da cidade de Kampala! E esse valor acabou por ser definido em US$ 1,7 milhão ao ano. Quando perceberam que teriam que gastar todo esse dinheiro para criar um sistema de tratamento de esgoto alternativo para Kampala, mudaram de ideia. E o pântano continua lá.

A.T. – É possível reduzir ou prevenir a destruição ambiental graças ao TEEB?

P.S. – O TEEB se propõe a isso, ao dizer: "Olhe, hoje nós não atribuímos valor aos serviços da natureza. Ou seja, estamos dizendo que esse valor é zero."

É como ter uma balança, onde você põe um lado como valendo "zero". E o que o TEEB diz é: "Não, esse lado vale tudo isso. Agora, sim, tome uma decisão." Naturalmente, é mais difícil tomar uma decisão errada quando você tem os valores corretos.

A.T. – O que o sr. pensa da política ambiental brasileira?

P.S. – Provavelmente, o maior desafio do Brasil é não pensar na floresta isoladamente, não pensar em água doce isoladamente, não pensar em hidroeletricidade isoladamente, mas ver a ligação entre elas. E ver em termos econômicos.

A.T. – Por que esse tipo de cálculo ainda está tão longe do *mainstream*, especialmente dos seus colegas economistas?

P.S. – Eu acredito que o desafio básico é essa invisibilidade econômica. É como dizem: o que os olhos não veem, o coração não sente... E esse é o desafio. Porque, na maior parte do tempo, a natureza dá tudo de graça. E nenhum sistema econômico, nenhuma metodologia econômica capta esses valores.

A.T. – Pensando nos termos do TEEB, o Brasil poderia ser considerado o país mais rico do mundo?

P.S. – Eu acho que ele é o país mais rico! O Brasil é a capital global do capital natural. Ninguém além do Brasil tem tantas terras, com tantos ecossistemas naturais, tanta água doce. Vocês é que precisam dizer isso para o mundo.

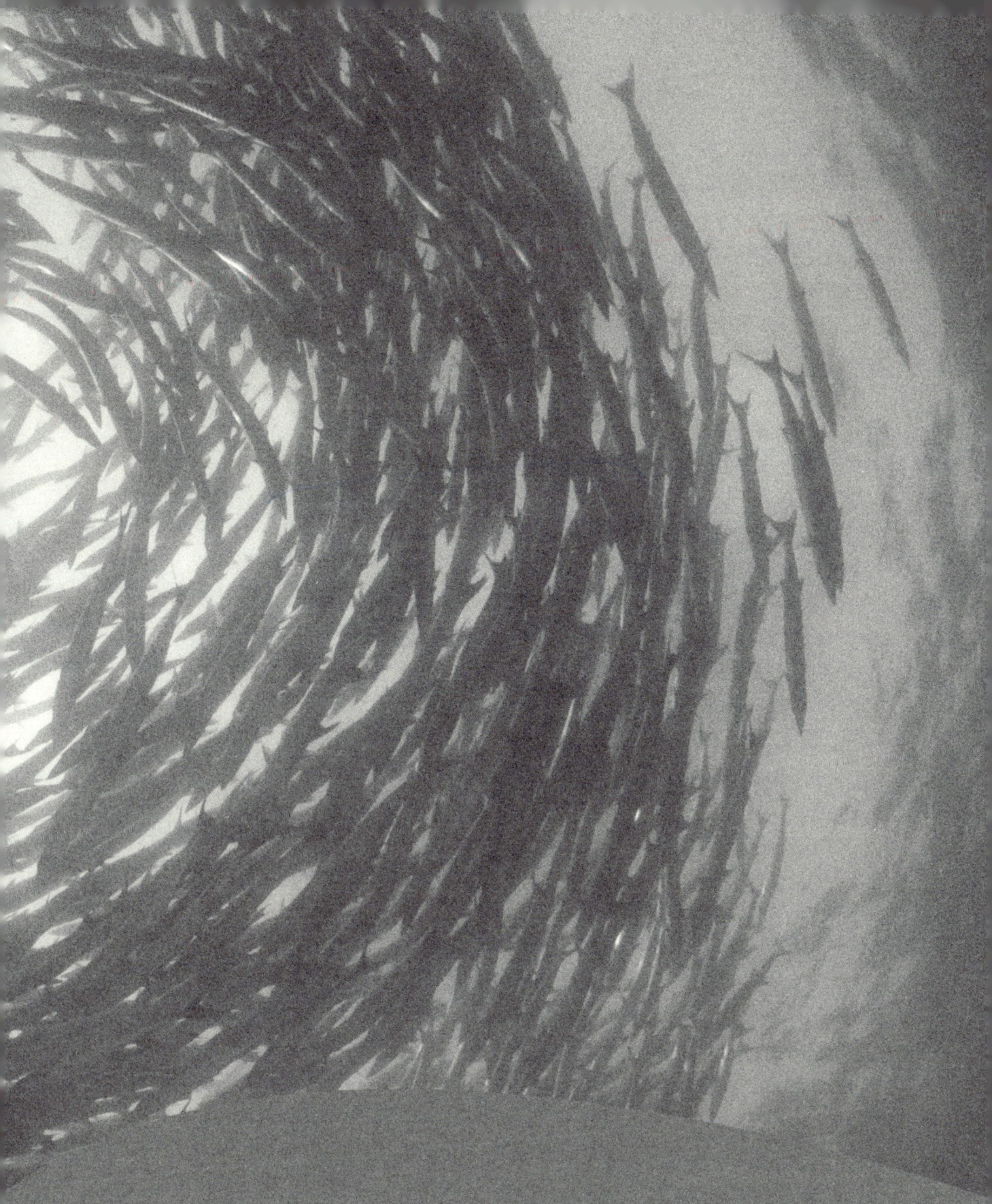

biodiversidade

A fonte da vida 75

Plantas que curam 76

RPPN: preservação com benefícios econômicos 78

O jeito certo de explorar a floresta 81

Os "espiões do bem" 84

Índios protegem a floresta com *smartphones* 85

Recorde mundial em assassinato de ambientalistas 87

As lentes mágicas de Arthus-Bertrand 88

Protegendo as araras-azuis 90

O massacre dos botos-cinza 91

Abate humanitário 93

Colmeias nos telhados de Paris 96

Brasil: campeão no uso de agrotóxicos 98

A questão dos transgênicos 100

Conversa com Vandana Shiva 106

A FONTE DA VIDA

Se fosse possível comparar a idade do planeta (quase 5 bilhões de anos) com o intervalo dos sete dias de uma semana, começando pela segunda--feira, a nossa espécie só teria aparecido por aqui faltando três segundos antes da meia-noite de domingo. Fomos dos últimos a chegar, mas, apesar do pouquíssimo tempo neste cantinho do universo, já somos responsáveis por uma das maiores ondas de extinção em massa de diversas espécies na Terra.

Antes de existirmos, houve cinco megaextinções causadas por diferentes cataclismos naturais. Agora é diferente. Há evidências científicas de que a humanidade já seja responsável por uma nova onda de extinção em massa. O relatório "Planeta Vivo", da organização WWF, divulgado em outubro de 2016, estima que o número de animais selvagens caiu 58% desde 1970, com destaque para as espécies que vivem em água doce (queda de 81%). Se o desaparecimento dos vertebrados continuar aumentando a uma taxa de 2% ao ano até o fim da década, essas populações poderão sofrer uma redução de 67% (em relação aos níveis de 1970).

A destruição não se limita ao reino animal. Só no caso do Brasil, campeão mundial de desmatamento, dados do Instituto Brasileiro de Geografia e Estatística (IBGE) mostram que o país já destruiu 88% da Mata Atlântica, 54% da Caatinga, 45% do Pampa, 49% do Cerrado, 20% da Amazônia e 15% do Pantanal.

É a biodiversidade (ou diversidade biológica) que assegura o bom funcionamento do software inteligente da vida – um complexo sistema de trocas de matéria-prima e energia nos diferentes reinos da natureza –, tornando possível a fertilidade do solo, a produção de alimentos (polinização), a renovação da água doce e limpa e do oxigênio, entre outros serviços ambientais essenciais à vida.

Em resumo: ou corrigimos o rumo ou pereceremos. Vida é sinônimo de diversidade. Cada pequeno ser, por mais insignificante que seja, cumpre uma função estratégica no equilíbrio do todo. "Melhor fazer diferente", é o alerta dos cientistas.

Muitas razões para preservar o meio ambiente

Em um mundo menos mercantilista e pragmático, a preservação das espécies deveria ser um imperativo ético. Afinal, todas as espécies têm o mesmo direito à sobrevivência que a raça humana, como bem enfatizou o Papa Francisco, na sua encíclica *Laudato Sí*, publicada em 2015 (ver página 292).

Mas, ainda que não seja por uma questão ética, o fato é que precisamos rever nossos conceitos. Por um motivo que deveria ser óbvio, mas não é: a biodiversidade é o que garante a *nossa vida* no planeta. Ao tomarmos medidas concretas e eficazes para deter, ou, pelo menos, reduzir o ritmo de extinção das espécies vegetais e animais – decorrente, fundamentalmente, da ação humana – estamos, na verdade, advogando em *causa própria*.

Afinal, é a biodiversidade que garante a nossa existência. Alguma dúvida?

- Alimentos: literalmente *tudo* o que comemos vem da natureza.
- Remédios: ainda que misturados a produtos químicos, os medicamentos que usamos têm componentes naturais (o elemento básico da aspirina, por exemplo, é tirado do salgueiro branco).
- Construção: madeira está presente tanto em prédios e casas (e no nosso mobiliário) quanto nas obras de tudo o que construímos (de uma ponte a uma hidrelétrica). O mesmo acontece em relação aos materiais utilizados para fabricação de aço, cimento, concreto, cerâmica etc.
- Vestuário: apesar da disseminação dos materiais sintéticos, ainda não prescindimos de produtos naturais, como algodão e couro.
- Cosmética: perfumes e maquiagem.

Plantas que curam

Toda vez que se fala em poluição do ar, a gente logo se lembra do ar que respira na rua com fumaça, poeira e fuligem. Tudo isso incomoda muito e faz mal à saúde. Mas vários estudos demonstram que o ar que a gente respira dentro de casa, no escritório ou em qualquer ambiente interno é, por vezes, mais poluído e ameaçador à saúde do que esse ar "do lado de fora".

É o que se convencionou chamar de Síndrome dos Edifícios Doentes. E os principais vilões são os Compostos Orgânicos Voláteis (COVs), que são liberados por materiais sintéticos usados em acabamentos de casas (aditivos de pintura, vernizes, solventes de tintas), materiais decorativos (carpetes, papéis de parede), produtos de limpeza, cosméticos etc.

Segundo a Agência Ambiental dos Estados Unidos (EPA), os COVs podem determinar uma qualidade do ar até dez vezes pior em um ambiente interno do que na rua. São mais de novecentos gases tóxicos e cancerígenos, que costumam causar irritação nos olhos, nariz e garganta e ainda provocar náuseas, vertigens e redução da força física.

A Agência Espacial Americana (Nasa) descobriu, por acaso, como o uso de plantas pode combater os COVs. Aconteceu durante os testes em câmaras que simulam o ambiente interno das espaçonaves. As medições de COVs foram reduzidas a zero sem que os engenheiros à frente da experiência soubessem explicar exatamente porque isso aconteceu.

O responsável pelas pesquisas, o britânico Bill Wolverton, chegou à conclusão de que a única explicação possível seria a presença de plantas dentro da câmara de testes. Cada espécie vegetal foi analisada separadamente. Em uma primeira bateria de testes, cinquenta espécies vegetais foram analisadas em microestufas saturadas desses gases. Descobriu-se, então, que todas possuíam a capacidade de depurar o ambiente em diferentes ordens de grandeza.

Enquanto isso, na Índia...

Depois de desenvolver problemas respiratórios devido ao ar poluído da capital do seu país, Nova Déli, o pesquisador e ativista indiano Kamal Meattle passou a se dedicar à criação de ambientes de trabalho saudáveis.

Em uma palestra no formato *Ted Talks*, disponível na internet, Kamal abre espaço generoso para falar das propriedades filtrantes da palmeira areca, da espada-de-são-jorge e da popular jiboia. As três espécies são usadas no centro empresarial de Parharpur, em Nova Déli, para manter o ar mais saudável. O resultado medido em laboratório foi uma diminuição de 34% (um terço) nas irritações das vias aéreas dos visitantes.

ECODICAS

A equipe do *Cidades e Soluções* visitou em São Paulo o escritório da paisagista e pesquisadora Gica Mesiara, que vem acompanhando a evolução do conhecimento sobre a capacidade de as plantas tornarem os ambientes internos mais saudáveis. Ela destacou três espécies fáceis de se encontrar, e que têm o poder de depurar o ar nas casas e nos escritórios:

SAMAMBAIA PAULISTINHA: é encontrada facilmente no mercado. Só não é tão indicada para colocar em quarto de bebê porque ela tem sementinhas, que podem gerar alergia. Mas a samambaia capta formoldeído, que é um dos gases mais tóxicos que existem, e também o xileno, presente em tintas e em alguns materiais plásticos. Por ela ter uma copa bem densa, tem uma capacidade de absorção muito grande. Em circunstâncias ideais, uma única planta pode remediar o ar presente em até 10 m^2.

JIBOIA: ela é a melhor de todas, porque é muito popular, fácil de ser cultivada e se adapta com facilidade aos mais variados ambientes. Só não gosta de sol muito forte. É uma planta barata, que consegue captar todos os gases. É a "vedete" entre as plantas depuradoras.

HERA: é uma plantinha também bem acessível e barata. E capta muito bem o xileno, que é uma das substâncias químicas presentes no cigarro.

RPPN: preservação com benefícios econômicos

Cada proprietário de terra no Brasil (no campo ou na cidade) tem o poder de ajudar a preservar o meio ambiente e ainda se beneficiar economicamente dessa decisão. Basta transformar parte de sua propriedade em uma Reserva Particular do Patrimônio Natural (RPPN). Já existem, segundo dados de 2017, aproximadamente 665 RPPNs que somam 511 mil hectares de áreas protegidas, quase o tamanho de Brasília. A maior (107 mil hectares) pertence ao Serviço Social do Comércio (Sesc), fica no Mato Grosso e corresponde a quase 1% da extensão total do Pantanal.

Não existe uma área mínima determinada por lei para se criar uma RPPN. Quando o proprietário encaminha o pedido (junto ao órgão ambiental do município, do estado ou do governo federal, dependendo do caso), o que interessa às autoridades é saber se a área em questão merece ser protegida.

São avaliadas a presença de espécies animais ou vegetais (raras ou ameaçadas), a ocorrência de nascentes, beleza cênica, ambientes históricos, entre outros indicadores. Quando se registra uma RPPN em cartório não é mais possível voltar atrás, ou seja, nem o proprietário, nem seus descendentes poderão desfazer o ato de criação da reserva.

Mas quem decide proteger a natureza dessa forma tem vantagens como, por exemplo, a isenção do pagamento de imposto (Imposto Territorial Rural) e prioridade nos pedidos de crédito para certos projetos agropecuários. Outra vantagem é a possibilidade de obter algum ganho financeiro com a exploração de atividades turísticas, educacionais, culturais ou de pesquisa científica.

Mostramos no *Cidades e Soluções* um empreendimento imobiliário dentro de uma RPPN no município de Santa Isabel, a 57 km de São Paulo. Nossa visita coincidiu com um período de seca que castigava a grande São Paulo com a redução drástica do nível dos reservatórios. Mas, nas mais de cem casas construídas na reserva – ocupando apenas um quarto do terreno –, a água era abundante.

A preservação das nascentes e das matas ciliares no rio dos Pilões – que deságua na bacia do rio Jaguari – assegurava o abastecimento mesmo nos períodos de estiagem severa.

A manutenção das áreas verdes foi um dos compromissos assumidos pelo condomínio para poder criar a RPPN. Toda reserva particular de patrimônio natural precisa ter um plano de manejo, ou seja, um documento que reúne todas as ações previstas para que a propriedade possa mesmo ser chamada de reserva.

No caso da RPPN Rio dos Pilões, uma das ações mais importantes é o reflorestamento de parte da propriedade, onde já foram plantadas 1 milhão de mudas de árvores. É uma área equivalente a 12 campos de futebol, que serão completamente revegetados graças ao compromisso firmado com o órgão ambiental para a obtenção do título de RPPN.

Uma equipe de vinte funcionários contratados pelo condomínio (entre os quais ex-caçadores e madeireiros que antes viviam de atividades criminosas e predatórias na região) trabalha na produção de 120 espécies diferentes de mudas cultivadas ali mesmo.

O curioso é que, em relativamente pouco tempo, a revegetação permitiu o retorno de alguns animais silvestres que haviam desaparecido do local, como onças, pumas, jaguatiricas, tamanduás, cachorros do mato, entre outros "visitantes", que encontraram refúgio na RPPN.

O controverso Código Florestal

O Código Florestal estabelece as regras de proteção das áreas verdes no Brasil e define em que condições é possível explorar a vegetação nativa. O primeiro Código do país foi criado em 1934. Sofreu modificações em 1965 e passou por vários ajustes pontuais em sucessivos governos até ser totalmente reformulado em 2012.

O relator do atual Código, deputado Aldo Rebelo, dedicou seu trabalho "aos agricultores brasileiros". De fato, a proposta aprovada pelo Congresso flexibilizou as regras vigentes, aumentando exponencialmente a área destinada à produção rural.

O texto aprovado foi duramente criticado pela comunidade científica por meio de suas entidades mais representativas – Sociedade Brasileira para o Progresso da Ciência (SBPC) e Academia Brasileira de Ciências (ABC) – e pela Agência Nacional de Águas (ANA), que denunciaram riscos para a biodiversidade e os recursos hídricos.

O temor de que as novas regras pudessem causar estragos irreversíveis aos sistemas naturais justificou o encaminhamento de três Adins (Ações Diretas de Inconstitucionalidade) pela Procuradoria Geral da República ao Supremo Tribunal Federal. As ações questionam os dispositivos do novo Código relacionados às Áreas de Preservação Permanente (APPs), à redução da reserva legal e também à "anistia para quem promove a degradação ambiental". Sob forte pressão da bancada ruralista, o Congresso anistiou todo o desmatamento ilegal praticado até o ano de 2008.

Muitos dispositivos do Código, que dependem de regulamentação dos estados, ainda não saíram do papel. Até o Cadastro Ambiental Rural (CAR), que obrigava todos os proprietários rurais a registrarem seus dados até 2013, teve seu prazo estendido até o fim de 2017.

Muitos analistas atribuem a elevação das taxas de desmatamento no Brasil entre 2013 e 2016 às alterações introduzidas pelo atual Código Florestal, além de outros fatores, como a falta de recursos para a fiscalização. Segundo dados do Programa de Monitoramento do Desmatamento na Amazônia Legal por Satélite (Prodes), desde a aprovação das novas regras, a área total de floresta destruída aumentou quase 75%.

FIQUE POR DENTRO

As vantagens de se proteger matas e florestas:

- melhoram a qualidade do ar;
- contribuem para a recarga de água dos lençóis freáticos, aquíferos e nascentes;
- produzem alimentos (fruticultura);
- amenizam a temperatura;
- ajudam a evitar processos de desertificação, erosão de encostas e assoreamento dos rios;
- estocam gás carbônico (CO_2), contribuindo para a redução do aquecimento global.

O jeito certo de explorar a floresta

A luta contra o desmatamento ilegal não se resume à fiscalização ou aplicação de multas. É preciso estimular a oferta de madeira, mas respeitando os limites das florestas e sempre de acordo com a legislação ambiental e trabalhista.

Um dos caminhos para se alcançar esse objetivo é a concessão de florestas públicas para a iniciativa privada. Entre 2006 e 2017, foram assinados 17 contratos de concessão de florestas públicas federais que permitem a exploração sustentável de madeira em uma área equivalente a pouco mais de 1 milhão de campos de futebol em seis florestas nacionais nos estados de Rondônia e Pará.

O prazo de exploração previsto por lei é de quarenta anos, sendo que nesse período a concessionária pode retirar apenas a cota de madeira estabelecida por contrato. A ideia básica da concessão é permitir que o investidor tenha lucro sem destruir a floresta, ou seja, a empresa poderá retirar gradativamente as madeiras de maior valor comercial obedecendo aos limites de exploração definidos por critérios técnicos. Ao governo cabe fiscalizar os termos do contrato de concessão – *in loco* e também por imagens de satélite – e aplicar as sanções previstas em caso de descumprimento.

A equipe do *Cidades e Soluções* acompanhou a rotina de trabalho em uma empresa que promove a exploração de madeira na Floresta Nacional do Jamari, na cidade de Itapoã do Oeste, a 112 km de Porto Velho, capital de Rondônia. No escritório da concessionária, um programa de computador informa a cada dia as árvores maduras que já estão prontas para o abate e o local exato de cada uma delas.

O trabalho de campo é executado por funcionários treinados, que se orientam por GPS para chegar até o lugar certo. Avaliam *in loco* a melhor forma de derrubar a árvore sem riscos para outras espécies protegidas por lei, que podem ser atingidas na queda, como castanheiras ou copaíbas.

Algumas situações inusitadas podem determinar a suspensão da operação, quando, por exemplo, avista-se na árvore indicada para o corte um ninho de gavião real ou um bicho preguiça. A decisão de não retirar a árvore naquele momento é imediatamente comunicada para o escritório, que orienta a equipe a buscar outra espécie catalogada para o abate naquele perímetro.

A área de concessão na floresta foi dividida em 25 Unidades de Produção Anual (UPAs) e o planejamento leva em conta a exploração de uma única UPA por ano. Essa divisão da área de concessão permite a retirada inteligente de apenas 3 mil árvores, dentro de um universo estimado de 30 mil que estão disponíveis para o abate. Ou seja, por contrato, autoriza-se a retirada de 10% de todas as árvores prontas para a exploração comercial e isso já é mais do que o suficiente para assegurar o lucro do negócio.

O interessante é que esse sistema concilia o interesse econômico e a resiliência da floresta, que se mantém protegida, abrigando diferentes espécies animais e vegetais, sem risco de desaparecimento.

A retirada das árvores (são 24 espécies de alto valor comercial como ipês, jatobás, cumaris, entre outras) acontece entre os meses de abril e outubro, quando o tempo está mais seco na Região Amazônica. As árvores abatidas são arrastadas até a serraria, onde são processados 600 m^3 de madeira por mês.

Quando se encerra o período da colheita, a mesma equipe que trabalha no corte das árvores começa a fazer o inventário do lote seguinte, que é o levantamento de cada árvore existente em mais uma UPA. As árvores são catalogadas por espécie e diâmetro do tronco, alimentando o banco de dados que vai orientar a próxima temporada de cortes.

Madeira ilegal: o barato que sai caro

O plano de manejo da Floresta Nacional do Jamari, em Rondônia, recebeu o selo verde da Forest Stewardship Council (FSC), uma das mais importantes certificadoras do mundo.

Para que a madeira seja certificada, é preciso seguir a risca um numeroso conjunto de exigências, que vão do cumprimento das legislações ambiental e trabalhista, os cuidados com o solo e com as águas, o respeito às comunidades locais (indígenas, ribeirinhas e quilombolas), entre outras iniciativas. Até o momento, a FSC já certificou quase 7 milhões de hectares de florestas no Brasil. Parece muito, mas para assegurar um mercado sustentável de madeira é preciso ir além.

O Brasil possui hoje, de acordo com dados de 2017, aproximadamente 313 milhões de hectares de florestas públicas, o que corresponde a 37% do território nacional. Se apenas 10% desse total (30 milhões de hectares) estivessem sob concessão – com o plano de manejo aos cuidados da iniciativa privada – isso já seria suficiente para garantir a oferta de madeira e demais produtos florestais de forma segura e sustentável para todo o mercado brasileiro.

Pelas contas da FSC, o percentual de madeira ilegal comercializada no Brasil hoje é de aproximadamente 45%. É uma concorrência desleal, já que a retirada clandestina de madeira chega a custar 20% mais barato, por ser uma atividade criminosa que não recolhe impostos nem respeita as legislações ambiental e trabalhista.

Por enquanto, o que garante a rentabilidade de projetos, como o da retirada sustentável de madeira da Floresta Nacional do Jamari, é o mercado externo. Oitenta por cento da madeira retirada pela concessionária em Rondônia é exportada para Inglaterra, França e Holanda.

No dia em que o consumidor brasileiro entender que a madeira ilegal é o barato que sai caro, e que o poder público enfrentar de verdade o mercado negro, a pressão sobre as florestas diminuirá e a atividade madeireira deixará de estar associada a tantas mortes e destruição no país.

Os "espiões do bem"

Que tal "espionar" o que acontece nas áreas verdes do mundo, de graça, usando a mais completa ferramenta virtual já criada até hoje? Chama-se Global Forest Watch (numa tradução livre, "Observador Global das Florestas"). Iniciativa do World Resource Institute (WRI), o projeto conta com o apoio do Pnuma e de várias outras instituições parceiras.

O Global Forest Watch oferece um vasto cardápio de opções para pesquisadores, ativistas e curiosos que queiram saber o que acontece com as florestas do mundo inteiro. O site permite observar – com a visualização de mapas e dados – as mudanças na cobertura florestal ao longo do tempo, verificar se há mais desmatamentos ou plantio de árvores em qualquer região do planeta e, se houver interesse de quem faz essa pesquisa, compartilhar as informações pelas redes sociais.

Quando mostramos o lançamento do site no *Cidades e Soluções*, foi possível observar a restauração florestal em áreas importantes do estado de São Paulo e novas manchas verdes nas margens dos rios que abastecem a Região Metropolitana do Rio de Janeiro.

Em nível global, a situação revelou-se mais preocupante na Indonésia – queimadas e desmatamentos em ritmo acelerado – e em países africanos onde há conflitos armados.

Enquanto o Global Forest Watch interliga qualquer cidadão do mundo com acesso a internet a uma avalanche de dados sobre a dinâmica dos desmatamentos e reflorestamentos, na Califórnia, a *startup* Rainforest Connection disponibiliza um dispositivo que transforma s*martphones* em guardiões da floresta.

Os aparelhos descartados como lixo são coletados pela equipe do projeto e adaptados para flagrar a destruição de florestas com dispositivos de escuta capazes de registrar os ruídos de motosserras, tiros e até os sons emitidos por animais feridos.

Basta instalar os *smartphones* nas árvores mais altas – longe do alcance dos inimigos – e acompanhar remotamente a movimentação na floresta. Os aparelhos funcionam à base de energia solar e, ao detectar um ruído suspeito, enviam um alerta para o servidor do programa, que encaminha a mensagem para o órgão de proteção responsável.

Índios protegem a floresta com *smartphones*

A equipe do *Cidades e Soluções* foi a Rondônia conhecer de perto um projeto inédito no mundo: uma curiosa parceria entre os índios suruís e os técnicos da Google.

Escolhido pela revista americana *Fast Company* como uma das cem lideranças mais criativas do mundo, o líder indígena Almir Suruí visitava os Estados Unidos procurando apoio para projetos ligados ao seu povo quando decidiu bater na porta da Google, uma das maiores empresas de tecnologia do planeta.

Sem agendamento prévio, usando cocar e as indumentárias típicas de sua etnia, Almir chamou tanto a atenção dos funcionários da empresa que acabou dando sorte: foi recebido pela gerente de projeto comunitário da Google, a engenheira de software Rebecca Moore.

Logo na primeira conversa – com a ajuda de tradutores – Rebecca confirmou na tela do computador, com a ajuda do Google Earth, a razão pela qual aquele índio brasileiro estava ali lhe pedindo ajuda: a reserva suruí era uma "ilha verde" de 248 mil hectares de florestas, cercados de desmatamento por todos os lados, na divisa entre Rondônia e Mato Grosso. Caçadores e madeireiros promoviam invasões constantes sem que os índios conseguissem proteger seu território. Será que a Google poderia ajudar?

Rebecca aceitou o desafio. Nos meses seguintes, após muitas reuniões de trabalho com sua equipe, ela organizou um projeto e partiu da Califórnia em direção à reserva suruí para oferecer cursos de capacitação aos índios. Com a ajuda do Google Tradutor, os americanos ensinaram a usar *smartphones* de um jeito diferente.

Nas mãos dos suruís, esses equipamentos passaram a registrar qualquer movimentação estranha na floresta (caçadores, madeireiros etc.) para que se registrasse em imagens o flagrante do crime, além da localização exata, via satélite, por GPS. Depois era só enviar o material para as autoridades competentes, como a Polícia Federal e a Funai.

Os suruís passaram a se dividir em grupos para incursões de até cinco dias na floresta. Vinte e dois índios com *smartphones* tornaram-se responsáveis pela fiscalização, com o apoio das autoridades policiais da região.

Além disso, com a ajuda do time da Google, os índios passaram a registrar nesses aparelhos todas as espécies animais e vegetais da reserva. O biomonitoramento compreende o registro visual dessas espécies e o preenchimento de um formulário confirmando a localização exata e as características de cada uma.

Mas há outro uso nobre desses equipamentos que tornou a parceria com a Google ainda mais interessante. Os suruís manifestaram muita preocupação em preservar também a memória, os costumes e as tradições de seu povo. Queriam documentar a própria história e registrar a riqueza do lugar em que vivem.

A empresa aproveitou, então, o pedido dos suruís para lançar no Brasil uma plataforma digital inédita (que servia de base para outras parcerias da Google com comunidades espalhadas pelo mundo): o mapa cultural dos suruís reúne um acervo de histórias, lendas, folclore, músicas e tradições desse povo.

O encontro dos índios com os californianos também permitiu que os suruís se tornassem o primeiro povo indígena do mundo a ter um projeto certificado de carbono. Eles conseguiram comprovar com dados georreferenciados a proteção das áreas verdes da reserva e a quantidade de gases estufa que deixaram de seguir para a atmosfera.

A parceria com a Google, no entanto, não livrou os índios suruís das depredações sorrateiras de seu território e do risco de novos conflitos na disputa pela terra. Almir Suruí continua ameaçado de morte por forasteiros e até por alguns índios da própria etnia, que preferem lotear o território para madeireiros e garimpeiros. Ainda assim, a reserva suruí continua sendo um exemplo de resistência e inovação na busca por soluções que protejam o meio ambiente.

NOS BASTIDORES

Ameaçado de morte pelos invasores do território suruí – já teve até que andar escoltado por policiais federais em Rondônia –, Almir é uma liderança que ganhou o respeito de seu povo por despertar a atenção do mundo para a causa dos suruís. Carismático, de fala mansa, riso aberto, Almir levou os técnicos da Google para celebrar a parceria numa grande festa na aldeia.

Foi muito divertido ver os simpáticos rapazes da Califórnia dançando junto com os índios, participando das competições de arco e flecha, tomando cachaça de milho e oferecendo os corpos para lindas pinturas com tintas à base de jenipapo e urucum. Alguns só souberam que a pintura corporal levaria semanas para sair de seus corpos, depois que rostos e braços já ostentavam singelas obras de arte. E não pareceram nada preocupados com isso. Foi lindo testemunhar um encontro de culturas tão distintas, que descobriram interesses comuns no trabalho e no lazer.

Recorde mundial em assassinatos de ambientalistas

Quem defende o meio ambiente no Brasil corre risco de vida, principalmente se estiver na linha de frente dos conflitos agrários em estados como Pará ou Mato Grosso do Sul. Se for indígena, está ainda mais exposto.

O Brasil lidera o ranking de países onde há mais assassinatos de ativistas ambientais ou agrários. Segundo relatório da organização não governamental Global Witness, foram cinquenta óbitos apenas em 2015. A soma total dos assassinatos em todo o mundo no mesmo período chega a 185 (um crescimento de 59% em relação ao ano anterior), maior número já registrado pela entidade.

O relatório aponta caminhos para reduzir os assassinatos desses ativistas, como a proteção do Estado para quem for ameaçado de morte e a correta investigação dos casos.

Ainda de acordo com a Global Witness, entre 2002 e 2015 foram assassinados no Brasil 527 ativistas ligados à questão do meio ambiente e da terra. A organização acusa o Brasil de não monitorar redes criminosas, subestimar os conflitos de terra e negligenciar assistência a famílias ameaçadas. Alguns ativistas chegam a denunciar publicamente o risco de serem mortos e, ainda assim, são sumariamente executados.

Morte anunciada

Um dos casos mais escandalosos de morte anunciada no Brasil foi o do casal Zé Cláudio e Maria do Espírito Santo. Seis meses antes de ser assassinado numa emboscada com a mulher, Zé Claudio participou de um evento onde fez uma palestra no formato *Ted Talks* (disponível no YouTube) e gravou o seguinte depoimento: "*Pra* quem vive como eu, que sou castanheiro desde os sete anos de idade, vivo da floresta, protejo ela de todo jeito. Por isso, hoje eu vivo com a bala na cabeça a qualquer hora. Porque eu vou *pra* cima, eu denuncio os madeireiros, os carvoeiros e por isso eles acham que eu não posso existir. [...] A mesma coisa que fizeram no Acre, com o Chico Mendes, querem fazer comigo. A mesma coisa que fizeram com a irmã Dorothy querem fazer comigo. Eu posso estar hoje aqui conversando com vocês e, daqui a um mês, vocês podem saber a notícia que eu desapareci. Me perguntam: tem medo? Tenho. Sou ser humano. Mas o meu medo não empata de eu ficar calado. Enquanto eu tiver força *pra* andar, eu estarei denunciando todos aqueles que prejudicam a floresta."

Em 24 de maio de 2011, Zé Cláudio e sua companheira, Maria do Espírito Santo, foram mortos por pistoleiros em uma emboscada em Marabá, no sudeste do Pará. Durante dez anos eles apareceram na lista de pessoas ameaçadas de morte da Comissão Pastoral da Terra (CPT), mas isso não intimidou seus algozes.

Apesar da repercussão do assassinato de Zé Claudio e Maria, o crime ainda não foi punido. Mas cabe registrar que, no dia 6 de dezembro de 2016, o Tribunal do Júri em Belém tomou uma decisão histórica. Em um segundo julgamento, José Rodrigues Moreira, apontado como mandante do assassinato, foi condenado a sessenta anos de prisão. Seu irmão, Lindonjonson, já havia sido condenado pelo assassinato de Zé Claudio e Maria, junto com o pistoleiro Alberto do Nascimento (a 42 e 43 anos de cadeia respectivamente), mas fugiu do presídio em Marabá em 15 de novembro de 2015 (José também está foragido).

As lentes mágicas de Arthus-Bertrand

O *Cidades e Soluções* homenageou Yann Arthus-Bertrand com um programa inteiro – com direito a entrevista exclusiva – selecionando na ilha de edição, em estado de deleite, algumas das mais belas imagens já feitas das diferentes paisagens do planeta e de seus múltiplos povos.

Um dos maiores documentaristas do mundo, Bertrand desenvolveu um método original para captar as impressionantes imagens que o consagraram: adaptou câmeras *cineflex* de alta definição – originalmente usadas em helicópteros militares para artilharia – para registrar do alto imagens suaves e sem trepidação.

O efeito disso é simplesmente incrível: da violenta tempestade em alto-mar na costa da França à piscina com ondas que move uma multidão espremida de banhistas em uma piscina na China, do povo que cria cavalos nas estepes geladas da Mongólia ao sofrido trabalho debaixo de um sol escaldante nas minas de safira em Madagascar.

As lentes do fotógrafo francês eternizaram em documentários como *Home*, disponível no YouTube (já visto por mais de 600 milhões de pessoas em diferentes mídias e plataformas), a beleza e a dor da condição humana em um planeta megabiodiverso.

As imagens aparecem sempre entremeadas de informações científicas que revelam a urgência da mudança em escala global. Certa vez, ao exibir um de seus documentários, *Planeta Oceano*, para um grupo de quatrocentos jovens de 13 a 15 anos, Bertrand se surpreendeu com uma pergunta da plateia: "Um garoto me perguntou: 'Sr. Arthus-Bertrand, quando vai ser o fim do mundo?'. Respondi: 'Como assim? Fim do mundo? Não acho que vá acabar'. E ele disse: 'Eu ouço a professora, vejo a TV, leio o jornal e todo dia há uma notícia ruim, pessoas falando de extinção...' Eu perguntei, então, aos outros jovens se eles acreditavam nisso. E 60% deles levantaram a mão. Portanto, os jovens de hoje sabem muito bem que o futuro é muito incerto. É algo desconhecido, e eles querem dar um sentido à sua vida. Isso é muito importante."

Em entrevista exclusiva ao *Cidades e Soluções,* dada quando esteve no Rio de Janeiro para lançar o documentário *Human* – que teve como base 2 mil entrevistas feitas em 65 países, das quais 110 foram selecionadas –, Bertrand explicou porque decidiu abrir espaço para que as pessoas falassem abertamente sobre os temas sugeridos por ele (vida, morte, esperança, felicidade, consumo, pobreza etc.): "Um dia, sofremos um acidente de helicóptero e tivemos que passar dois dias em Mali, com uma família pequena. Conversei muito com o pessoal de lá. Eu tinha vindo de Paris para fotografar para uma capa da *National Geographic*, e os moradores só queriam alimentar suas famílias. É o que chamamos de agricultura de subsistência. E, conversando com um agricultor olho no olho, senti que éramos irmãos, éramos muito próximos, mas nossas ambições eram muito diferentes. E o que ele me disse fez de mim uma pessoa melhor. Eu entendi muitas coisas, e agora quando eu voo e vejo alguém lá embaixo, me pergunto: 'O que posso aprender com essa pessoa?' Só temos consciência do que vai acontecer no planeta através do outro, através do sofrimento das outras pessoas, através da nossa humanidade", afirmou o fotógrafo.

Para Bertrand, "temos que colocar nossa humanidade acima do nosso medo, acima da nossa inveja, acima do nosso egoísmo. Acho isso muito importante. Hoje na França nós temos um problema enorme com os refugiados, e onde está nossa humanidade?", perguntou o documentarista.

O documentário *Human* foi o primeiro da história a estrear no salão da Assembleia Geral das Nações Unidas. A sessão especial do filme – com aproximadamente mil convidados – foi realizada em homenagem aos setenta anos da ONU. Bertrand foi nomeado embaixador do Pnuma.

"Eu acredito na humanidade e amo as pessoas. Estou tentando entender por que não conseguimos viver em harmonia. Mas, quanto mais velho fico, mais eu amo as pessoas", concluiu Bertrand.

Protegendo as araras-azuis

Graças ao filme *Rio*, as araras-azuis se tornaram mundialmente conhecidas e passaram a ser alvos da curiosidade de muita gente. Se esse é o seu caso, não perca tempo tentando encontrar alguma arara-azul no Rio de Janeiro como aparece na animação, porque na vida real elas só podem ser avistadas no Pantanal, em Minas Gerais e no Norte do país.

Por muito pouco, essas belas aves não foram extintas na década de 1980 por conta da ação implacável de contrabandistas. A situação começou a mudar com a criação do Projeto Arara Azul, no Pantanal, que tornou possível a preservação da espécie, muito afetada pelos desmatamentos e queimadas, além da falta de cavidades nos troncos das árvores remanescentes.

A equipe do projeto promoveu, então, a instalação de caixas no alto das árvores, que pudessem funcionar como ninhos artificiais. Graças a essa iniciativa, a arara-azul – considerada uma das espécies mais "fiéis" (monogâmicas) do planeta – passou a ser avistada com mais facilidade nas paisagens pantaneiras.

Campanhas de "adoção de ninhos" viabilizaram o custeio da fabricação e instalação das caixas, e o número de araras triplicou na região. Estima-se que existam hoje 5 mil aves espalhadas pelo Pantanal do Brasil – a maioria delas no Mato Grosso do Sul –, da Bolívia e do Paraguai, sendo que, dos 120 ninhos instalados na região, metade é artificial.

Antes da utilização de caixas como ninhos, cada cem casais de araras que se reproduziam tinham 25 filhotes que chegavam à vida adulta. Com o sucesso das novas casas, 29 filhotes passaram a chegar à vida adulta.

É evidente que não se pode contar com ninhos artificiais para sempre, já que isso condenaria a sobrevivência das araras-azuis ao manejo constante. É por isso que os coordenadores do projeto estimulam os fazendeiros da região a plantar e proteger as plantas que servem de abrigo para as aves. Até que essas plantas cresçam e sirvam de abrigo, o projeto faz toda a diferença!

Animais silvestres invadem as cidades

A destruição das florestas e a urbanização acelerada estão provocando a migração de animais peçonhentos do campo para as cidades. É cada vez mais frequente no Brasil o registro de acidentes envolvendo escorpiões, aranhas, cobras e outros animais que foram expulsos de seus habitats e se adaptaram rapidamente aos novos "lares" no perímetro urbano.

Por ano, são registrados aproximadamente 85 mil acidentes com animais peçonhentos. Os escorpiões lideram as estatísticas com mais de 36 mil casos, seguido das cobras (29 mil) e das aranhas (20 mil). Quando isso acontece, é importante procurar imediatamente socorro médico e evitar ações inócuas, como fazer torniquetes ou chupar o veneno no local da picada. Os especialistas dizem que isso, simplesmente, não funciona.

Segundo o Ministério da Saúde, apenas no ano de 2015 foram registrados oficialmente em todo o Brasil 150 mil acidentes com animais peçonhentos. O estado recordista de registros foi Minas Gerais, com 27.538 acidentes. Em uma década (2005-2015) o aumento do número de casos no país foi de 60%.

O massacre dos botos-cinza

A baía de Sepetiba, no litoral Sul Fluminense, possui a maior concentração de botos-cinza do mundo. São aproximadamente oitocentos animais que ainda podem ser vistos no local, a 80 km do centro do Rio de Janeiro.

Mas o rápido crescimento da região tem determinado riscos reais dessa espécie desaparecer nos próximos anos. O aparecimento de portos, estaleiros, siderúrgicas e outros empreendimentos considerados estratégicos, além da circulação de muitas embarcações de grande porte, provocaram a criação de uma zona de exclusão pesqueira, afastando os pescadores – por motivo de segurança – para o fundo da baía, exatamente onde fica o refúgio dos botos-cinza.

Assim, para ganhar a vida, eles lançam as redes à procura de linguados, robalos e outras espécies valorizadas no mercado, mas, vez por outra, pegam acidentalmente botos. Outras técnicas de pescaria são ainda mais ameaçadoras para os botos-cinza, como as redes de espera (que ficam 12 horas no mar ou 24 horas sobre a água) e a pesca de caceia (conjunto de redes que acompanham o fluxo da maré a madrugada inteira).

Para os pesquisadores do Instituto Boto Cinza, o licenciamento das atividades em torno da baía sem nenhuma consulta à comunidade pesqueira de Sepetiba (que reúne mais de mil pescadores) é a principal causa da matança dos botos. A consulta prévia permitiria a harmonização dos diversos interesses na região, com a aprovação de um Zoneamento Ecológico-Econômico (ZEE) costeiro. Em resumo: o massacre involuntário de botos seria evitado, se houvesse o cuidado de reconhecer o direito dessa espécie de existir, sem comprometer a atividade pesqueira.

A equipe do *Cidades e Soluções* acompanhou o pesquisador do Instituto Boto Cinza, Leonardo Flach, em uma incursão pela baía de Sepetiba para coletar cadáveres de botos-cinza.

A cada cinco dias, ele recebe um novo chamado para o recolhimento de espécies mortas. No dia da gravação, testemunhamos o recolhimento da "carcaça número 343" retirada das águas da baía na última década. Metade de todas essas carcaças foi recolhida nos últimos três anos. Pelas projeções dos biólogos, nesse ritmo, não haverá mais botos-cinza na região nos próximos dez anos.

Embora o MPF venha cobrando de todos os órgãos ambientais e empresas da região empenho nas ações que impeçam a mortandade dos botos-cinza, até o fechamento da edição deste livro a situação continuava muito preocupante. Há pouco mais de um ano o boto-cinza entrou na lista de espécies vulneráveis do Ministério do Meio Ambiente. Oficialmente, o animal corre risco de extinção.

NOS BASTIDORES

É triste acompanhar um biólogo especializado em botos-cinza em mais uma incursão de lancha na baía de Sepetiba para resgatar cadáveres da espécie. A parte mais importante da rotina do pesquisador Leonardo Flach à frente do Instituto Boto Cinza passou a ser contabilizar esses óbitos e denunciar o risco da espécie desaparecer justamente do lugar onde ela (ainda) se apresenta em maior número em todo o planeta.

Para complicar a situação, o instituto passa por um momento difícil pela falta de apoios e recursos. Descobrimos da pior maneira possível que o abastecimento de diesel em nossa embarcação não foi suficiente para dar conta das horas de filmagem. Moral da história: minutos depois de resgatarmos o cadáver de mais um boto – que foi amarrado na parte de trás do barco para posterior autópsia – ficamos à deriva na baía por falta de combustível. Sol a pino, barco balançando e o odor crescente do boto (já em decomposição) perto de nós. Pelo rádio e pelo telefone, Leonardo pedia ajuda. De estômago embrulhado, não havia outra opção, senão esperar.

Pouco mais de uma hora depois, a ajuda chegou. Durante a espera, fizemos algumas piadas inspiradas na própria desgraça. Mas a lembrança do que houve ilustra bem o estado de indigência de certas organizações que cumprem uma função importantíssima na proteção da biodiversidade.

Extinção à vista na baía da Guanabara

A drástica redução da população de botos da baía de Sepetiba repete a tragédia – ainda em curso – do desaparecimento dos botos da baía de Guanabara, que somavam quatrocentos animais na década de 1980 e hoje contam com apenas 35.

Hoje, os botos se refugiam no fundo da baía de Guanabara, onde existe uma Área de Proteção Ambiental (APA). Ainda assim, há muitos problemas. Como os animais se orientam pelo eco dos sons que produzem, o ruído dos motores dos muitos navios fundeados na baía são motivo de intensa perturbação e estresse.

Além disso, os pesquisadores do laboratório Maqua, da Universidade Estadual do Rio de Janeiro (UERJ), afirmam que o boto-cinza da baía de Guanabara é a espécie mais contaminada do mundo por diversos tipos de poluentes, inclusive aqueles liberados pelos navios que já afundaram.

Abate humanitário

Quem cria bicho para produzir alimento se refere a essas criaturas como "proteína animal". Transforma-se bicho em "coisa", em um produto lucrativo, em um gênero de negócio considerado estratégico para o país, e que vem movimentando recursos vultosos na economia. Em 2015, segundo o IBGE, foram abatidos mais de 30,64 milhões de cabeças de gado, 5,79 bilhões de frangos e 39,26 milhões de suínos.

Tão importante quanto o crescimento desse mercado é a expansão de uma nova consciência em relação ao bem-estar animal, ou aquilo que se convencionou chamar de abate humanitário. Ou seja, um conjunto de técnicas que reduzem o sofrimento e promovem a qualidade de vida de quem, ou "daquilo", que, um dia, pode ir parar no seu prato. Isso faz a diferença para você?

Para a organização não governamental World Society for the Protection of Animals (WSPA), cuidar bem dos bichos – ainda que o destino deles seja o abate para virar comida – faz toda a diferença. Por isso, os ativistas ajudaram o Ministério da Agricultura do Brasil a lançar em 2008 um programa de bem-estar animal.

Os defensores do abate humanitário lutam pela criação dos animais em espaços arejados e minimamente confortáveis (evitando-se a todo o custo a superlotação), com alimentação adequada; manejo sem uso de acessórios que possam ferir o animal; treinamento do motorista encarregado de transportar os bichos, evitando manobras bruscas ou arriscadas, entre outras medidas.

Em entrevista para o *Cidades e Soluções*, Charli Ludtke, gerente de animais de produção da WSPA Brasil, explicou a ideia por trás do programa de bem-estar animal que a organização desenvolveu: "É possível manejar esses animais sem dor. A morte pode ser cruel ou conduzida de uma forma correta, evitando sofrimentos desnecessários. Porque antes de ser carne, a gente está falando de animais, que são seres capazes de sentir dor. A tendência hoje é o consumo de carne continuar crescendo e ele tem aumentado absurdamente. Então, a gente tem que ser pragmático. É por isso que lançamos esse programa, sem fins lucrativos, com o objetivo de promover melhorias nesse processo."

A WSPA desenvolveu materiais didáticos sobre abate humanitário (livros, manuais, DVDs etc.) e realizou cursos presenciais para os funcionários dos frigoríficos credenciados pelo Ministério da Agricultura. Foram treinados também professores de faculdades de veterinária e zootecnia. A ideia é que esses profissionais sejam multiplicadores dessas técnicas.

Para convencer os criadores de que eles devem seguir a cartilha do abate humanitário, a WSPA recorre a indicadores econômicos, como os de um estudo realizado com um criador de São Paulo que entregou para um frigorífico 5.100 animais, 55% dos quais com hematomas, contusões e ferimentos. Segundo o estudo, um simples hematoma reduz em até 500 gramas a quantidade de carne considerada boa para o consumo.

Além disso, o estresse sofrido pelos animais – com situações de medo ou pânico – provoca a liberação de hormônios que alteram a configuração da carne. Ou seja, de acordo com a ONG, os maus-tratos geram perdas expressivas no faturamento dos criadores. Mesmo para o mais insensível dos criadores, é mais inteligente cuidar bem dos animais.

Embora o governo seja oficialmente "parceiro" do WSPA na promoção do abate humanitário, o alcance dessas medidas ainda é muito restrito. Exigir a certificação do produto (com selos que possam aferir a origem legal, do ponto de vista ambiental, trabalhista e da adoção dos protocolos do abate humanitário) é umas das ações possíveis e desejáveis para quem queira interferir positivamente nesse setor da economia.

Críticas

O conceito "abate humanitário" divide opiniões e é criticado por alguns especialistas. É o caso da professora titular da USP, a médica veterinária Irvênia Prada, ouvida pela equipe do *Cidades e Soluções*: "Eu não concordo com essa expressão por vários motivos. Uma delas é que esse conjunto de procedimentos, que contempla a chamada Lei de Abate Humanitário, não garante 100% o bem-estar dos animais. Eu posso admitir que ela refinou alguns procedimentos e diminuiu a carga de sofrimento dos animais. Mas não resolve por vez toda questão do bem-estar dos animais. Por exemplo: a lei proíbe o abate das fêmeas gestantes no terço final da gestação. Ora, a gestação das vacas é de nove meses. Então, isso significa que é permitido o abate até seis meses", critica a veterinária.

NOS BASTIDORES

Para a edição do *Cidades e Soluções* sobre o tema do abate humanitário, usamos imagens fortes – algumas delas disponíveis no YouTube – de documentários que revelam os maus-tratos impostos aos animais em criadouros e abatedouros credenciados ou clandestinos no Brasil. Confinamento em cubículos, castrações a sangue frio, uso de bastões elétricos para o manejo do boi, entre outros métodos dolorosos para os bichos, configuram a dura rotina nesses ambientes.

Foi uma experiência difícil para toda equipe. Impossível acompanhar tantos flagrantes de crueldade e sofrimento sem repensar o consumo de carne ou reduzir a ingestão de proteína animal.

Não deixa de ser interessante como há tantos jornalistas no Brasil desinformados sobre o circo dos horrores que é o outro lado dessa indústria tão lucrativa.

Colmeias nos telhados de Paris

Os telhados de zinco de Paris são um dos maiores charmes da capital francesa. Mas além de embelezar a paisagem, eles também reservam surpresas. É bem ali, no alto dos prédios, que a "Cidade Luz" resgata um pedacinho da vida no campo.

A apicultura urbana existe em Paris desde o século XIX, e se tornou uma verdadeira moda nos últimos anos. Em busca de um pouco mais de natureza em meio a tanto asfalto e concreto, empresas, lojas e pessoas comuns instalaram colmeias nos telhados da cidade, onde fabricam o próprio mel.

Qualquer um pode instalar colmeias no jardim de casa, no terraço ou na sacada. A moda pegou tanto que até monumentos ícones da capital francesa participam. Quem passa em frente do Grand Palais jamais poderia imaginar que tem produção de mel ali em cima.

O *Cidades e Soluções* foi a Paris mostrar quem levou as abelhas para a maioria dos telhados famosos da cidade: o apicultor Nicolas Géant. Ele já instalou oitocentas colmeias na Região Metropolitana de Paris, 120 só na capital, como na catedral de Notre Dame. A cada duas semanas, ele as monitora e garante que as abelhas só têm um inimigo: o vento.

Com trinta anos de experiência em apicultura urbana, Géant garante que o inseto pode sobreviver melhor nas grandes cidades do que no campo. "Por incrível que pareça, a variedade de flores, cheias de pólen, pode ser maior em plena cidade do que nas regiões agrícolas. Além das dezenas de parques e jardins de Paris, os franceses adoram cultivar plantas nas sacadas dos apartamentos", enfatizou.

O apicultor garante que a situação no meio urbano é melhor, para as abelhas, do que na zona rural. "Ao contrário das lavouras de antigamente, que usavam esterco como adubo, agora são jogados no solo pesticidas, inseticidas, fungicidas etc. que matam as abelhas", afirmou.

Portanto, nas cidades, a presença de pesticidas é muito menor, e vai diminuir ainda mais, já que o parlamento francês aprovou uma lei que proíbe os produtos químicos em todos os jardins públicos do país.

Mas a proliferação das abelhas em Paris também inspira cuidados. Como nada menos do que 97% dos apicultores da França têm essa atividade como um hobby, no fundo do jardim, já desde 1895 as autoridades estabeleceram regras para a apicultura doméstica.

O veterinário Bruno Lassalle, diretor do Departamento de Proteção do Público na Secretaria de Segurança de Paris, órgão responsável pela fiscalização, explicou que a principal determinação é respeitar uma distância mínima de cinco metros da via pública ou do vizinho.

O registro das colmeias também é obrigatório, mas muitos franceses acabam esquecendo-se de "declarar" as abelhas. "Infelizmente, as pessoas nem sempre fazem isso", declarou Bruno à equipe do *Cidades e Soluções*. "Mas, em caso de doenças contagiosas de abelhas, é importante conhecer todos os criadores para podermos agir preventivamente nas colmeias. E isso acontece de tempos em tempos."

A maior parte do mel parisiense é consumido pelas próprias famílias, mas parte da produção é vendida nos mercados públicos da cidade, em lojas especializadas ou nas butiques dos pontos turísticos.

O mel produzido nos telhados da Ópera Garnier é o mais caro da França: o pote de 125 gramas custa € 15,00, aproximadamente R$ 46,00. O mel sem agrotóxicos e com essa pitada de exotismo também seduziu restaurantes famosos como o tradicional Tour d'Argent. Seis colmeias garantem o abastecimento da casa, onde esse adoçante natural substitui o açúcar.

Desaparecimento das abelhas ameaça segurança alimentar

O desaparecimento de abelhas em diversos países tem preocupado cientistas de todo o mundo. Graças ao trabalho de polinização desses pequenos seres, cuja importância aparentemente seria "apenas" produzir mel, é que colocamos no prato dois em cada três alimentos que consumimos. Alimentos como maçã, melão, café, maracujá, laranja, soja, algodão, caju, uva, limão, cenoura, amêndoas, castanha-do-pará, entre outros, dependem do trabalho de polinização feito "gratuitamente" pelas abelhas.

Os dados são da Organização das Nações Unidas para a Alimentação e a Agricultura (FAO): 85% das plantas com flores das matas e florestas, e 70% das culturas agrícolas dependem dos polinizadores (no Brasil, elas são responsáveis por 30% da produção). Esses serviços de polinização prestados são avaliados pela FAO em US$ 54 bilhões por ano.

O fenômeno do desaparecimento foi observado pela primeira vez há cerca de vinte anos por agricultores franceses. Logo, se percebeu que o problema não era local. Hoje, os Estados Unidos são o país mais afetado pelo desaparecimento das abelhas (de 1940 até hoje, o número de colmeias caiu pela metade). Já na Europa, houve um declínio de 50% nos últimos 25 anos.

Ainda não há consenso no meio científico sobre o que estaria causando o fenômeno, mas a convicção é que ele se deva a um conjunto de fatores. Uma das causas já apontadas é o Vírus da Asa Deformada (conhecido como DWV na sigla em inglês), que tem como causa o ácaro da espécie Varroa, e o fungo *Nosema ceranae.*

Mas também estariam contribuindo para o desaparecimento das abelhas o uso de agrotóxicos nas lavouras, como os neonicotinoides (quatro deles já tiveram seu uso restrito pela União Europeia); o desmatamento de áreas naturais próximas às lavouras; a disseminação das monoculturas (as abelhas precisam de uma alimentação variada para sobreviver); as mudanças climáticas; e a poluição atmosférica.

Brasil: campeão no uso de agrotóxicos

O Brasil ocupa o primeiro lugar no ranking dos países que usam agrotóxicos. Somos a nação do mundo que mais pulveriza inseticidas, larvicidas, fungicidas, formicidas e outros produtos destinados a livrar as lavouras de pragas e infestações, mas que podem também prejudicar a saúde de quem os produz e de quem os consome, além de causar impactos ao meio ambiente. Legislação frouxa e fiscalização deficiente agravam a situação, amplamente denunciada por organizações que mapeiam as políticas públicas desse importante setor da economia.

Enquanto isso, os fabricantes de agrotóxicos (a indústria prefere usar a expressão "agroquímicos" ou "defensivos agrícolas") seguem movimentando aproximadamente R$ 7 bilhões por ano. O estado de São Paulo concentra sozinho 30% da comercialização desses produtos.

Nos últimos 11 anos, a Agência Nacional de Vigilância Sanitária (Anvisa) proibiu o uso de dez agrotóxicos no país.[2] E restringiu de maneira severa outras 12 substâncias, usadas na fabricação de mais de trezentos produtos utilizados em lavouras.[3]

"Perigo silencioso"

A dra. Heloisa Pacheco trabalha no Ambulatório de Toxicologia do Hospital da UFRJ, que é referência nacional no setor. Lá são notificados em média cem casos de intoxicação por ano. Desses, 60% são por agrotóxicos.

A médica usa a expressão "perigo silencioso" para definir o que acontece no Brasil. Segundo ela, o debate sobre agrotóxicos tem pouco espaço na mídia nacional e esbarra em conflitos de interesses políticos, o que ajuda a emperrar o setor na hora de notificar os casos de intoxicação. Na opinião da médica, falta capacitação de mão de obra.

"Há um embate muito grande com o agronegócio. É preciso investir em um Programa Nacional de Toxicologia para que possamos fazer a notificação. O mais importante, hoje, é que esses pacientes sejam atendidos, diagnosticados e notificados. É importante que saibamos quantos trabalhadores intoxicados há em Rondônia, no Pará, no Paraná etc.", defende a dra. Heloisa.

Os números são impressionantes: nosso país usa hoje cerca de 940 agrotóxicos formulados a partir de mais de seiscentos ingredientes ativos.[4]

---

2 Disponível em: <http://portal.anvisa.gov.br/registros-e-autorizacoes/agrotoxicos/produtos/reavaliacao-de-agrotoxicos>. Acesso em: 26 abr. 2017.

3 Disponível em: <http://www4.planalto.gov.br/consea/biblioteca/documentos/agrotoxicos-no-brasil.-um-guia-para-acao-em-defesa-da-vida/@@download/file/Livro%20Agrotoxicos-no-Brasil%20-%20Flavia%20Londres.pdf>. Acesso em: 26 abr. 2017. p. 148

4 Disponível em: <http://www.agricultura.gov.br/arq_editor/file/vegetal/agrotoxicos/Registros%20emitidos/Registros%20concedidos%202005-2016_06-07-2016.xls>. Acesso em: 26 abr. 2016. Dados sobre registros entre 2005 e 2016. Valores totais podem variar conforme a fonte e o modo de classificar os produtos. A Andef fala em 474 ingredientes ativos, mas não indica a data de atualização.

Segundo o Ministério da Saúde,[5] foram 68.873 notificações de intoxicação por agrotóxicos no Brasil entre 2007 e 2014.[6] Dessas, até 2013, foram 1.845 registros de óbitos por intoxicação (ingestão) de agrotóxicos em suicídios.[7]

Segundo o Ministério da Agricultura, as empresas interessadas em lançar no mercado um novo agrotóxico têm o produto avaliado por diferentes órgãos dos Ministérios da Agricultura, da Saúde e do Meio Ambiente. Só se permite a comercialização desse produto se os três ministérios concordarem. Agrotóxicos sem registro são produtos ilegais, contrabandeados e proibidos.

A legislação brasileira não permite que a Anvisa faça com os agrotóxicos o que faz, por exemplo, com os remédios. Medicamento hoje no Brasil é revisado de cinco em cinco anos. Já os agrotóxicos brasileiros, ao serem liberados, têm validade eterna. Apenas se a Anvisa, o Ministério da Agricultura e o Ibama entrarem no circuito, em uma eventual situação de emergência, é que acontece a chamada revisão toxicológica.[8]

A questão dos transgênicos

A ideia por trás dos transgênicos parece simples: selecionar um gene de um determinado organismo e inseri-lo em outro.

Essa manipulação genética tem vários fins e propósitos, principalmente no setor de alimentos. Organismos Geneticamente Modificados (OGMs) seriam mais resistentes a pragas e infestações, reduzindo os custos do agricultor com agrotóxicos. O milho transgênico, por exemplo, recebe uma bactéria de solo que produz uma proteína capaz de destruir o sistema digestivo das lagartas. O gene é inserido no milho e

5 MINISTÉRIO DA SAÚDE. Relatório nacional de vigilância em saúde de populações expostas a agrotóxicos. Disponível em: <http://bvsms.saude.gov.br/bvs/publicacoes/agrotoxicos_otica_sistema_unico_saude_v1_t.1.pdf>. Acesso em: 26 abr. 2017.

6 Ibid., p. 25-26.

7 Ibid., p. 30-32.

8 Fonte: Fiocruz / Sinitox: <http://www.fiocruz.br/sinitox_novo/media/tab03_brasil_2009.pdf>. Acesso em: 26 abr. 2017.

toda vez que as lagartas comem as folhas do milho, morrem (ou deveriam morrer).

No caso da soja o processo é diferente. As empresas que comercializam transgênicos modificam o grão para que ele se torne resistente a um determinado tipo de herbicida. Quando o herbicida é lançado sobre a plantação, todas as ervas daninhas morrem (ou deveriam morrer), menos a soja.

"Venda casada" com agrotóxico

O problema é que alguns estudos mostram que os agricultores que passaram a cultivar sementes transgênicas tiveram que reforçar o estoque de veneno nas lavouras, porque o herbicida compatível com o transgênico – a venda é "casada", ou seja, quem compra a semente transgênica é obrigado a comprar o herbicida compatível – não estaria dando conta do recado sozinho.

Outro problema é que a introdução da nova tecnologia mudou radicalmente a forma como agricultores lidam com as colheitas. Desde que o ser humano iniciou a agricultura – há aproximadamente 10 mil anos – reserva-se parte das sementes após a colheita para o próximo plantio. Com os transgênicos, os agricultores passaram a pagar royalties pelo uso das sementes e também do herbicida a cada safra. Como não são produtos naturais, essas sementes geneticamente modificadas têm os direitos protegidos pelos fabricantes, que perseguem obstinadamente quem tenta burlar essa regra.

Há ainda o risco de contaminação da lavoura alheia, quando, por exemplo, o pólen de milho transgênico é transportado pelo vento para uma lavoura de milho não transgênico. O pólen germina e o milho geneticamente modificado cresce ali mesmo. Se a empresa que fabricou o transgênico descobre isso – e há campanhas estimulando denúncia anônima entre agricultores –, o proprietário que não pagou royalties (porque não queria usar OGMs na sua plantação) será processado judicialmente e deverá pagar indenização.

Essas contaminações involuntárias também atrapalham a comercialização de produtos orgânicos, que deixam de ter essa característica por conta do contato com transgênicos.

Seguros ou não, os OGMs avançam com velocidade pelo Brasil. O país já é o segundo maior usuário de transgênicos na agricultura – ultrapassando a Argentina – e só perde para os Estados Unidos. São 21,4 milhões de hectares plantados com soja, milho e algodão geneticamente modificados.

Segundo dados do relatório do Serviço Internacional para a Aquisição de Aplicações em Agrobiotecnologia (ISAAA), divulgados em abril de 2016, no site da Escola Superior de Agricultura Luiz de Queiroz (ESALQ), da USP, o Brasil cultivou, em 2015, 44,2 milhões de hectares com sementes geneticamente modificadas, um avanço de 5% sobre a área de 2014, ficando atrás apenas dos Estados Unidos (70,9 mi/ha). Em terceiro lugar no ranking está a Argentina (24,5 mi/ha), seguida pela Índia (11,6 mi/ha), Canadá (11 mi/ha) e China (3,7 mi/ha).

A legislação na União Europeia

O cultivo de algumas espécies de transgênicos é autorizado pela União Europeia (UE), após vários estudos de risco, mas cada país membro do bloco tem o direito de proibi-lo individualmente. A maioria dos países europeus – principalmente a França – resiste à tecnologia.

Em outubro de 2015, 19 países da UE (incluindo Alemanha e França) – representando 65% da sua população e 66% das terras cultiváveis – decidiram banir ou restringir severamente o cultivo de OGMs, embora ainda permitam a importação desses organismos, especialmente na ração animal (naquele ano, a Rússia tomou a mesma decisão).

Prós e contras

Em vários programas do *Cidades e Soluções* – foi o caso deste, em particular, sobre transgênicos –, procuramos mostrar diversos aspectos de um tema controverso, sobre o qual não há propriamente uma visão consagrada. Nesse sentido, a nossa função é a de compartilhar informações que ajudem a sociedade a tirar suas próprias conclusões.

Por isso, a equipe do *Cidades e Soluções* ouviu na França – país onde o movimento contra os transgênicos é mais intenso – duas opiniões diferentes sobre os OGMs.

Segundo Jean-Claude Jaillette, jornalista, autor do livro *Salvem os transgênicos*, "é preciso salvá-los porque são importantes para o desenvolvimento da agricultura. Chegamos a um ponto de saturação das pesquisas que visam aumentar o rendimento das plantas com métodos tradicionais. Além disso, não é apenas a saturação dos métodos tradicionais, mas também a do solo pelo uso de pesticidas e inseticidas. Então, existem duas necessidades aparentemente contraditórias: aumentar o rendimento para alimentar 9 bilhões de pessoas até 2050 e, ao mesmo tempo, salvar o planeta, diminuindo a utilização de pesticidas. E os transgênicos são uma das possíveis respostas a esse problema aparentemente contraditório".

Marie-Monique Robin, jornalista, autora do livro *O mundo segundo a Monsanto* e responsável pelo documentário com o mesmo título, defende uma posição oposta: "Entendemos que a Monsanto desenvolveu os transgênicos para vender mais herbicidas e não para alimentar o planeta, ou outra coisa. Vocês viram no Brasil o que aconteceu com a soja transgênica, com os agricultores sendo obrigados a comprar as sementes todo ano (ou têm que pagar uma taxa, se as guardarem para depois). A Monsanto está se tornando líder no mercado mundial de sementes, e não apenas isso: vai controlar a comida do mundo! Imagina quantos agricultores no mundo que têm que comprar todos os anos as sementes Monsanto."

No documentário, a jornalista francesa conseguiu entrevistar, entre outros, o ministro da Agricultura dos Estados Unidos na época, Dan Glickman, que declarou: "Sinceramente, acho que havia muita gente no setor de agronegócio que não tinha interesses nos testes, porque tinha muito dinheiro investido nesses produtos. Quando me tornei ministro, enfrentei muita pressão para que não levasse esse assunto muito longe. Fiz um discurso em que disse que tínhamos que ser cuidadosos... Pessoas ficaram chateadas e disseram: 'Como você pode, no Ministério da Agricultura, questionar o processo regulatório?'."

Em setembro de 2016, foi anunciada a compra da Monsanto, líder mundial na comercialização de herbicidas e sementes transgênicas, pela empresa farmacêutica e de produtos químicos Bayer. A fusão criou uma empresa que dominará mais de 1/4 do mercado mundial combinado para sementes geneticamente modificadas e pesticidas.

Brasil: CTNbio é quem decide

A Comissão Técnica Nacional de Biossegurança (CTNbio) é quem decide sobre os pedidos das empresas que desejam comercializar transgênicos no Brasil. Ela é formada por cientistas e representantes de vários ministérios, entre eles o da Agricultura, Saúde e do Meio ambiente. Em 2007, a CTNbio foi alvo de uma grave denúncia feita pela pesquisadora Lia Giraldo, que se desligou da Comissão fazendo sérias acusações em uma carta aberta.

Após a renúncia, a equipe do *Cidades e Soluções* ouviu a pesquisadora e outros especialistas no assunto.

Lia Giraldo, pesquisadora e especialista em meio ambiente: "Eu tinha um mandato de dois anos e não o cumpri porque a maioria dos membros não levava em consideração os riscos dos transgênicos para a saúde e para o meio ambiente. As votações eram sempre dirigidas para a liberação comercial desses produtos. Então, não importava o argumento científico que se trazia por voto. E, como havia interesse na aprovação dos OGMs, éramos sistematicamente derrotados. Esta é uma comissão que deveria ter um papel consultivo, composta por pessoas de alto nível, que fossem especialistas no tema e tivessem vínculos apenas com o setor público, não com o setor privado, para evitar conflitos de interesse."

Gabriel Fernandes, agrônomo e assessor técnico da AS-PTA - Agricultura Familiar e Agroecologia: "A CTNbio é composta, quase que exclusivamente, por pesquisadores da área de biotecnologia. Por princípio, eles acham que os transgênicos são intrinsecamente seguros. A tendência deles é descartar qualquer preocupação, qualquer evidência de riscos. As novas evidências científicas são descartadas, porque o entendimento da maioria é de que isso não é significativo. Até hoje todos os produtos transgênicos liberados para cultivo comercial no Brasil tiveram votos contrários dos Ministérios do Meio Ambiente e da Saúde. Esse dado é bastante significativo. Os representantes desses dois ministérios na comissão apontaram os problemas ambientais e para a saúde da população, mas foram votos vencidos. Isso é um grande sinal de alerta para todos nós."

Edilson Paiva, então presidente da CTNbio: "Não existe pressão econômica. Não existe nenhum representante privado na comissão. Todo membro da CTNbio assina, ao entrar, um termo de compromisso, com respeito a conflito de interesses. Se existe na comissão algum pesquisador ou cientista que tenha algum trabalho de pesquisa, em conjunto com uma empresa privada ligada a transgênicos, ele deve se retirar da sala. Ou seja, não tem direito a voto. Por exemplo, um pesquisador da Embrapa que tenha um convênio com uma empresa privada para desenvolver uma linha de pesquisa nessa área, não participa das discussões, nem da votação. A CTNbio é composta por cientistas brasileiros, pessoas sérias, com treinamento, e eu gostaria que todos tivessem isenção ideológica e política. [...] Qualquer membro que faça algo que vá contra a ética e as normas é responsável pelos seus atos. As decisões da CTNbio são tomadas com base em pesquisas científicas. O problema é que elas são raríssimas no Brasil. As poucas que existem são feitas pelas próprias empresas produtoras de transgênicos ou vêm do exterior."

Andrea Salazar, do Instituto Brasileiro de Defesa do Consumidor (Idec): "Os órgãos que deveriam realmente decidir e deliberar sobre esses temas, no nosso entendimento, são a Anvisa e o Ibama, como hoje acontece com os agrotóxicos. Mas isso foi concentrado nas mãos de uma pequena comissão, o que nós achamos temerário. O ideal seria não analisar apenas a questão da modificação genética, mas todas as interferências disso no meio ambiente e na saúde. Então, nós achamos esse modelo de decisão bastante inadequado."

O que diz a Organização Mundial da Saúde

A Organização Mundial da Saúde (OMS), em seu site, afirma que "não se comprovou nenhum dano à saúde humana em função do consumo desses alimentos nos países em que foi aprovada a sua comercialização". Mas acrescenta que não é possível tomar uma "posição geral" sobre todos os OGMs e que a segurança dos transgênicos tem que ser avaliada "caso a caso".

A OMS também lista as questões que preocupam em relação ao meio ambiente: "A capacidade dos transgênicos de escapar e potencialmente introduzir genes modificados em populações selvagens; a persistência do gene após a colheita da planta transgênica; a suscetibilidade de organismos não-alvos (como insetos que não são pragas) ao gene do produto; a estabilidade do gene; a redução do espectro de outras plantas, incluindo perda da biodiversidade; e o incremento do uso de produtos químicos na agricultura."

conversa com

Vandana Shiva

Entrevista concedida a Ana Carolina Amaral,
em programa exibido em 17/12/2014.

"Somos todos filhos da Mãe Terra"

Física, feminista e ativista ambiental da Índia. É uma das vozes mundiais mais críticas ao processo de globalização. Também é muito conhecida por sua luta em favor da agroecologia e contra os transgênicos. Em 1993, ganhou o Right Livelihood Award, considerado uma versão alternativa do Prêmio Nobel da Paz.

Ana Carolina Amaral – Como a sra. vê o mundo hoje?
Vandana Shiva – Precisamos criar "culturas de vida", conscientes de que somos todos do mesmo planeta. A ideia de uma democracia planetária nos permite vivenciar novamente a nossa humanidade comum, numa época de profunda e brutal violência, que está tomando conta do mundo.

A.C.A. – E como surgiu esse conceito de "democracia planetária"?
V.S. – Essa ideia não veio de cima para baixo, nem surgiu da minha cabeça... Na verdade, cada ser vivo faz um movimento de "baixo para cima". Por exemplo, se você planta uma semente, ela se desenvolve, cresce e vira uma árvore. Ela não cai de paraquedas aqui na Terra...

No meu caso, a ideia de uma democracia planetária vem sendo alimentada nos últimos quarenta anos, desde que me engajei em diferentes lutas sociais.

A democracia planetária vem de uma consciência ancestral de que, antes de tudo, somos filhos da Mãe Terra. E é esse sentimento que vem sendo articulado de forma diferente em vários países. Na América Latina, por exemplo, temos a deusa inca "Pacha Mamma", que é o mesmo conceito. Da mesma forma, em cada cultura africana existe uma ideia parecida à de "Mãe Terra".

A.C.A. – E o papel dos jovens nesse contexto?
V.S. – Vejo estudantes de diferentes culturas enfrentando dilemas comuns: a exploração econômica, uma produção de alimentos que não é sustentável etc. Eles sabem que a Mãe Terra está ferida... Cada um deles, em diferentes países, do Canadá ao Japão, se apropria desse conceito e o coloca em prática de distintas formas.

A.C.A. – Na sua opinião, como é possível lidar com os desafios que o planeta vem enfrentando?
V.S. – A partir do nível local você pode mudar a situação global. A mudança tem que começar no lugar onde as pessoas moram, nas suas próprias vidas. Por exemplo, na questão do controle que algumas empresas pretendem ter sobre as sementes nativas. Cada um de nós pode ser um guardião de sementes. O agricultor pode decidir: "Eu não vou obedecer às leis de patentes de uma empresa". Eles podem chegar para a Monsanto e dizer: "Vocês não inventaram as sementes. Portanto, eu continuarei guardando elas na minha casa". As comunidades, unidas, podem tomar esse tipo de atitude.

A.C.A. – Que paralelos há entre a Índia e o Brasil?

V.S. – Nossos países vivem contextos similares. Ambos são parte do grupo de emergentes conhecidos como BRICs. Na minha opinião, a ideia de se unir e tentar, de alguma forma, estabelecer mecanismos para lidar com a dominação ocidental – como foi, por exemplo, a proposta de criar um banco dos países emergentes – é uma boa notícia. Mas, por outro lado, vemos os BRICs imitando o modelo de desenvolvimento que os países ocidentais adotaram, com suas políticas de construção de gigantescas represas, destruição de florestas, apoio a grandes projetos de mineração etc.

A.C.A. – E no que tange, especificamente, à questão da produção de alimentos?

V.S. – Acho que tanto o Brasil quanto a Índia precisam dar outro rumo às suas economias. Também devem mudar a forma como as decisões governamentais são tomadas e a maneira como a própria democracia é praticada.

Mas não poderia deixar de citar, naturalmente, uma iniciativa muito positiva no Brasil, que foi a campanha "Fome Zero". Também cabe mencionar as ações governamentais de apoio à agricultura familiar e local.

Porém, apesar de a FAO ter afirmado recentemente que o único caminho para garantir alimentos no futuro é por meio da adoção de práticas agroecológicas, vemos que o agronegócio continua ditando as regras no Brasil e na Índia.

A.C.A. – Quais têm sido as consequências dessa situação?

V.S. – Na Índia, o custo tem sido muito alto. Os agricultores têm ficado cada vez mais endividados em função do pagamento dos royalties pelo uso das sementes geneticamente modificadas. Essas sementes transgênicas precisam de cada vez mais produtos químicos e pesticidas. Não é de se estranhar que milhares de pequenos agricultores tenham cometido suicídio nos últimos anos...

Se analisarmos o problema dentro de uma perspectiva mais ampla, veremos que o processo de globalização tornou a comida uma commodity, em vez de um *direito* que todas as pessoas têm. Em todas as regiões da Índia, você encontra crianças famintas e cujo futuro já está comprometido.

Acho que países como a Índia e o Brasil deveriam fazer da segurança alimentar e do apoio à agricultura agroecológica os pilares de um sistema diferente de produção de alimentos.

A.C.A. – Quais as semelhanças culturais entre o povo indiano e o brasileiro?

V.S. – Uma das marcas das nossas culturas é a sua diversidade, o que é muito importante em um mundo que vive sob a "monocultura do pensamento". Você não pode ser brasileiro e esquecer que existe a Amazônia ou simplesmente ignorar os crimes praticados contra os povos indígenas...

O Brasil é uma terra da diversidade, assim como a Índia. Temos a mesma paixão pela vida, pela liberdade e pela diversidade.

mudanças climáticas

A mãe de todas as crises 115

Cidades e Soluções: o primeiro programa "neutro" em carbono da TV brasileira 116

Megaeventos pioneiros 118

ESPECIAL ALEMANHA

O jeito alemão de ser sustentável 120

Fazendo muito com pouco sol 122

Uma potência eólica 125

O bairro mais ecológico do mundo 125

Startup cria recompensa para baixa emissão de CO_2 126

ESPECIAL CHINA

Guerra à poluição do ar 128

O dia a dia em um país tão poluído 130

A caminho do sol 132

A nova geração de térmicas a carvão 133

Transporte mais limpo 133

As cidades "ecológicas" 134

BRASIL

Tecnologia para evitar tragédias 136

Eventos extremos em Santa Catarina 137

A elevação do nível do mar 138

O novo mapa da agricultura 139

O que muda no setor energético? 142

Impactos nas duas maiores cidades do país 143

Brasil: campeão mundial de raios 145

Enquanto isso, no Polo Norte... 147

Conversa com Al Gore 150

A MÃE DE TODAS AS CRISES

O *Cidades e Soluções* tem registrado o agravamento da crise climática e os sucessivos recordes de elevação da temperatura média do planeta. O degelo acelerado das calotas polares, o furacão que parou Nova York, os verões com menos chuva da história de São Paulo, entre outros eventos extremos, não passaram despercebidos por nós.

Ouvimos alguns dos mais importantes representantes da comunidade científica para entender e reverberar sucessivos alertas sobre a necessidade de reduzir as emissões de gases estufa e adaptar as cidades para as mudanças que já estão acontecendo.

Fizemos um programa especial até para explicar porque a concentração de 400 partes por milhão (ppm) de CO_2 na atmosfera[9] – algo que só teria acontecido há, pelo menos, 800 mil anos – era uma notícia extremamente preocupante.

Mostramos também o espetacular crescimento das fontes renováveis de energia (especialmente sol e vento) e inúmeras soluções tecnológicas e iniciativas inteligentes que ajudam o mundo a enfrentar melhor o gigantesco desafio que temos pela frente. Entre elas, o Acordo do Clima – celebrado em dezembro de 2015, em Paris, por 195 países – que tornou oficiais os compromissos assumidos voluntariamente pelos maiores poluidores do planeta em favor de uma economia de baixo carbono.

Difícil imaginar um programa de TV em língua portuguesa que tenha abordado esse tema de forma tão recorrente como o *Cidades e Soluções*. Se o senso de urgência em torno do assunto reclama atitude, estamos fazendo a nossa parte.

---

9 Partes por milhão (ppm) é uma unidade de medida de concentração que, nesse contexto, significa que, a cada 1 milhão de moléculas na atmosfera, 400 são de dióxido de carbono (CO_2).

Cidades e Soluções: o primeiro programa "neutro" em carbono da TV brasileira

Em abril de 2007, o *Cidades e Soluções* se tornou o primeiro programa da televisão brasileira (aberta ou fechada) a compensar as emissões de gases estufa.[10] Era algo rigorosamente novo naquele momento, e resolvemos dar o exemplo. O mundo começava a se preocupar em fazer a conta do quanto cada produto ou serviço, para existir, emitia de gases estufa. Isso valia para grandes eventos esportivos, shows de música, ou produtos como celulares ou computadores. Feita a conta, o passo seguinte era compensar o CO_2 emitido.

Pedimos à organização Iniciativa Verde que fizesse o cálculo das emissões de apenas uma edição do programa *Cidades e Soluções* (justamente aquela em que mostramos vários projetos de compensação realizados no Brasil e no exterior). O resultado final foi o plantio de 16 mudas de espécies nativas de Mata Atlântica nas margens do rio Ipiranga, em São Paulo.

Depois da exibição do programa, sugerimos à direção da TV que financiasse a compensação do CO_2 emitido pelo programa durante um ano inteiro. A resposta foi positiva. Para evitar o trabalho de fazer um novo cálculo para cada programa exibido, tomamos por base as emissões do único programa compensado até então. Era uma solução justa, considerando que os deslocamentos de carro e de avião dessa edição foram superiores à média do que normalmente acontece nas rotinas do programa.

Resultado: entre 2007 e 2008, o *Cidades e Soluções* foi responsável pelo plantio de 996 árvores em matas ciliares – aquelas que ficam nas margens dos rios – no município de São Carlos (SP).

O cálculo levou em conta as emissões de gases estufa feitos pela equipe de reportagem para esse programa. Assim, foram contabilizadas as viagens de avião (quatro pontes aéreas RJ-SP), os deslocamentos de carro (74 km),

---

10 Um estudo realizado pelo Instituto Totum e pela ESALQ, da USP, em parceria com a Fundação SOS Mata Atlântica, divulgado em fevereiro de 2013, estima que cada árvore da Mata Atlântica absorve 163,14 kg de gás carbônico (CO_2) equivalente ao longo de seus primeiros vinte anos. Ou seja, para "compensar" a emissão de 1 tonelada de gás de efeito estufa seria necessário plantar seis árvores.

o consumo de energia elétrica dos equipamentos usados nas gravações e na ilha de edição, e, principalmente, o consumo de eletricidade de cada aparelho de televisão sintonizado com a Globo News durante a exibição do *Cidades e Soluções.*

Curiosamente, a maior parte das emissões do programa estava relacionada à nossa audiência, ou seja, o grande número de aparelhos de TV ligados no *Cidades* determinou o resultado final do cálculo.

Exemplos de compensação de CO_2

Desde que foi lançado, o *Cidades e Soluções* tem mostrado diversos casos de compensação de gás carbônico, entre eles:

Show do Rappa (em 2006). O show em São Paulo foi o primeiro que compensou gases estufa no Brasil. Foram calculadas as emissões dos 17 músicos da banda e das 6 mil pessoas presentes no show (levaram-se em conta o meio de transporte utilizado e o consumo de energia durante o espetáculo). A estimativa é que foram emitidas pouco mais de 7,5 toneladas de gases de efeito estufa. As emissões do show do Rappa foram compensadas com o plantio de 38 árvores.

Circuito de Vôlei de Praia (2008). Entraram no cálculo as emissões dos transportes usados para o deslocamento por terra e ar de atletas, comissão técnica, árbitros e voluntários. Também foi calculado o lixo gerado durante o evento, a energia elétrica para a iluminação, montagem e desmontagem das estruturas, e os materiais promocionais (como camisetas, viseiras, folders e outros brindes). Resultado: 1.803 toneladas de CO_2 emitidos (compensados com o plantio de 11.389 árvores).

Livro *Uma verdade inconveniente* (de Al Gore, ex-vice-presidente dos EUA). Registramos o fato de os 15 mil exemplares do livro comercializados no Brasil terem sido compensados. A compensação levou em conta o consumo de energia elétrica, papel, cola, verniz e embalagens e, principalmente, a distribuição por terra e pelo ar. As 7,8 toneladas de CO_2 foram compensadas com o plantio de quatrocentas árvores.

Fábrica de papel. Foram calculados, entre outros fatores, a queima de combustível no corte e deslocamento das toras de madeira, mais o combustível e a energia elétrica usados nas linhas de montagem, e o lixo orgânico que vai se decompor em aterro (aparas de papel, lascas e cascas de madeira).

Para cada mil toneladas de papel são emitidas 840 toneladas de CO_2 (compensadas com o plantio de 5.325 árvores).

FIQUE POR DENTRO

Em 2007, era comum usar a expressão "neutro em carbono". Anos depois, o verbo "neutralizar" passou a ser evitado por sugerir algo que, na verdade, não acontecia de fato.

Quem emite CO_2 libera um gás que levará séculos até se decompor totalmente. Em vez de "neutralizar", que dá uma ideia de solução imediata e definitiva, seria mais correto usar o verbo "compensar".

Mal comparando, é como alguém que comete um crime. Já que o crime não pode ser desfeito (ou "neutralizado"), o que se pode fazer é buscar uma compensação (multa, cadeia ou medidas "compensatórias").

Megaeventos pioneiros

Olimpíadas na Austrália

Os Jogos de Sydney, em 2000, revolucionaram o conceito do maior evento esportivo do planeta. O projeto vencedor (que acolheu sugestões apresentadas pela organização ambientalista Greenpeace) escolheu uma área abandonada nos arredores da cidade para a construção das instalações olímpicas.

Homebush Bay era um imenso depósito de lixo a céu aberto, que ainda abrigava um pântano (a propósito: as espécies que viviam ali foram preservadas após a construção das instalações olímpicas). O lugar – muito deteriorado – havia servido de locação para filmes, como a primeira versão de *Mad Max*, com Mel Gibson.

Naquela época, coleta de água de chuva ou separação do lixo eram medidas que causavam alguma estranheza em grandes eventos. Mas a grande novidade dos Jogos foi a exploração da energia solar em todo o parque olímpico. Imensas placas fotovoltaicas transformaram a radiação solar em eletricidade.

As 665 casas da Vila Olímpica se transformaram no maior bairro residencial do mundo equipado com energia solar. Nas quadras de esporte, sistemas inteligentes de refrigeração reduziram os custos com eletricidade. Sydney ganhou novas linhas de trem que ligavam o parque olímpico ao resto da cidade. A circulação de automóveis foi proibida em toda a área dos Jogos. A frota de ônibus movida a gás reduziu a emissão de poluentes. Até a tocha olímpica, símbolo maior dos Jogos, teve como combustível uma mistura de butano (gás de isqueiro), que gera menos gases de efeito estufa.

Copa do Mundo na Alemanha

Os alemães fizeram história ao organizarem a primeira "Copa Verde", em 2006. Batizado de Green Goal, o projeto compensou a totalidade das emissões de gases de efeito estufa associadas ao evento.

Antes da Copa, os alemães fizeram a seguinte conta: 3,3 milhões de torcedores visitariam o país para assistir a 64 partidas de futebol. O vaivém dos torcedores e o consumo de energia elevariam as emissões de gases de efeito estufa na Alemanha em 100 mil toneladas de gás carbônico.

O governo teve tempo de compensar essas emissões extras, investindo antecipadamente em vários projetos de energia limpa, tanto em países pobres ou em desenvolvimento, quanto na própria Alemanha.

Na Alemanha, qualquer cidadão que queira investir em fontes alternativas de energia recebe incentivo do governo. É o caso do dono de uma curiosa casa que visitamos na cidade de Marienfeld, no sul do país, durante aquela Copa do Mundo.

Cercado de plantações de canola, ele instalou enormes painéis com placas fotovoltaicas que transformam a luz do sol em energia. As cinco placas do tamanho de mesas de pingue-pongue chamam a atenção de quem passa pela estrada. Foi o nosso caso. Paramos o carro e decidimos investigar a história.

Fomos recebidos por Frank Kúlkev, que ganha a vida como pedreiro e ladrilheiro. O padrão de vida em nada lembra o de alguém que no Brasil exerça as mesmas atividades profissionais. Frank mora numa confortável residência com piscina e aquele quintal solar.

Em 2005, Frank resolveu investir as economias da família em placas fotovoltaicas. De tanto que estudou o assunto, virou consultor e passou a instalar equipamentos na região, a pedido dos vizinhos. Frank produz mais do que o dobro da energia de que necessita. O resto é vendido para a distribuidora local.

"Metade da minha preocupação é com o meio ambiente. Os outros 50% é com o lado financeiro. Esse investimento vai estar totalmente pago em 12 anos. Depois, será a minha aposentadoria! Energia de graça e retorno financeiro para minha família o resto da vida", disse Frank.

A distribuidora de energia da região é obrigada por uma lei federal a comprar a energia produzida aqui a um preço superior à média do mercado. O objetivo da lei é estimular a produção de energia limpa e renovável de forma pulverizada, e reduzir os custos do Estado. Na Alemanha, o cidadão e o governo têm responsabilidades compartilhadas quando o assunto é energia.

ESPECIAL ALEMANHA

O jeito alemão de ser sustentável

Estivemos na Alemanha para acompanhar de perto os primeiros resultados de uma revolução energética que está mudando radicalmente o país.

Investimentos sem precedentes em energia renovável estão transformando o modo de fazer política, a maneira de planejar a economia e a proteção do meio ambiente.

A palavra que resume tudo isso é *energiewende* – numa tradução livre, "virada energética" – e expressa o compromisso assumido por aquele país em desativar todas as usinas nucleares até 2022, reduzir as emissões de gases estufa em 95% e elevar a participação das fontes renováveis em 80% na matriz energética até 2050.

A expressão *energiewende* surgiu na década de 1980, na esteira da crise do petróleo, do movimento antinuclear e do acidente de Chernobyl, em 1986, na ex-União Soviética.

Mas foi após o acidente nuclear de Fukushima, em 2011, no Japão, que o termo ganhou nova força. A maioria dos alemães se manifestou contra a manutenção das usinas nucleares, temendo a ocorrência de tragédias daquele tipo.

Diante disso, o governo de Angela Merkel tirou da gaveta um antigo projeto que determinava o desligamento gradual de todas as 17 usinas atômicas do país até 2022. Uma decisão difícil, pois 23% da energia do país mais rico e populoso da Europa vinham, justamente, de fonte nuclear. Mas os alemães seguem em frente, convencidos de que esse é o melhor caminho.

Pesquisas realizadas meses antes à nossa visita indicavam que a "virada energética" é apoiada por aproximadamente 80% da população. Apesar disso, o clima no país é de incerteza. Muita gente desconfia que a implantação de fontes de energia limpa não vai conseguir acompanhar o desligamento das usinas nucleares.

Para garantir a estabilidade do sistema na transição, a Alemanha está queimando mais carvão mineral. A RWE, maior companhia energética do país, pegou carona no baixo preço do carvão no mercado internacional e aumentou em 16% a produção de energia à base de carvão no ano anterior à nossa visita. Resultado: ar mais poluído.

De olho no futuro, os alemães miram nos objetivos traçados pela "virada energética". Para chegar em 2050 com 80% de toda a energia gerada a partir de fontes limpas e renováveis, eles terão de gastar aproximadamente US$ 710 bilhões.

É esse dinheiro que faz com que o país tenha hoje 4 milhões de produtores individuais de energia e um mercado que já emprega 380 mil trabalhadores.

Em apenas três anos de *energiewende*, as fontes limpas e renováveis dispararam na Alemanha, somando em 2016 – segundo informações oficiais (acessíveis no site www.destatis.de) – 29,5% de toda a matriz energética do país. Em seguida, aparecem o linhito (*brown coal*, um tipo de carvão) com 23,1%, o carvão mineral com 17%, a energia nuclear com 13% (eram 23% em 2013), e o gás natural com 12,1% (outras fontes somam 5,2%).

Até agora, nem a crise econômica que castiga a Europa atrapalhou os planos dos alemães. Na direção do sol, com o vento em popa, eles seguem em frente.

Enquanto isso, do outro lado da fronteira...

Enquanto os alemães tentam se livrar do nuclear, do outro lado da fronteira, a França continua firme e forte com suas usinas atômicas. O nuclear responde por 75% da matriz elétrica do país, e algumas instalações ficam bem pertinho da fronteira com a Alemanha. É o caso da usina de Fessenhein, a mais antiga da França, que está situada a apenas 1,5 km da Alemanha e a 40 km da Suíça.

O imunologista inglês Stephen Batsford – que mora na Alemanha e estuda os impactos da radioatividade sobre a saúde humana – nos disse que prefere não pensar em acidente. Segundo ele, é fácil encontrar pílulas antirradiação nas cidades alemãs próximas da usina. Mas ele reclama da eliminação dos resíduos: "Não existe nenhum modo confiável de armazenar e eliminar o lixo nuclear. Esse é um problema que não foi resolvido e, possivelmente, nem tenha solução."

Stephen nos acompanhou até as proximidades do reator. Quando filmávamos de longe a usina, policiais franceses se aproximaram de nós, impediram as filmagens, confiscaram nossos passaportes e queriam nos levar para a delegacia. Disseram que era proibido filmar ou bater fotos do local por motivo de segurança.

Foi Stephen (o único do grupo capaz de dialogar com os policiais em francês fluente) quem convenceu os policiais de que nós não representávamos ameaça alguma. Depois de quase duas horas de impasse – por cansaço ou outra razão qualquer –, os policiais permitiram que voltássemos para a Alemanha.

Fazendo muito com pouco sol

A impressionante expansão da energia solar na Alemanha vai das grandes usinas aos pequenos telhados solares das residências. Apesar da baixa insolação ao longo do ano, os alemães têm investido em tecnologia para otimizar essa fonte limpa e renovável.

Visitamos um casal em Berlim (ele alemão, ela brasileira) para entender como a energia impacta o dia a dia das pessoas na Alemanha. O país permite que o consumidor escolha livremente a distribuidora de energia que vai prestar o serviço. Cada empresa oferece diferentes pacotes de acordo com o freguês. Algumas se especializaram em ofertar, por exemplo, energia 100% limpa e renovável.

Nossos personagens se surpreenderam ao descobrir que certos pacotes de fontes limpas e renováveis eram mais baratos que os pacotes convencionais de energia fóssil ou nuclear.

Na Alemanha, também é possível orçar, pela internet, um sistema de captação de energia solar. Basta dar o endereço completo para que o software calcule a área de telhado, a incidência de sol na região e o custo de instalação dos equipamentos. As informações são passadas automaticamente, sem longas esperas.

Nossos entrevistados moravam em um edifício com 274 m^2 de área de telhado. Na consulta gratuita feita pelo software do governo, eles ficaram sabendo que o custo total de instalação de placas fotovoltaicas nesse telhado era de aproximadamente € 60 mil e que seria necessário esperar 12 anos para que o investimento se pagasse. Souberam também que o telhado solar poderia reduzir as emissões de gases estufa em 22 toneladas por ano. Os resultados da consulta seriam compartilhados na próxima reunião do condomínio.

O placar do supermercado

Em tempos de "virada energética", cobrir o telhado com placas solares passou a ser um bom negócio para muita gente na Alemanha. É o caso do maior mercado de Berlim. Uma área equivalente a seis campos de futebol foi coberta com esses equipamentos, a um custo de aproximadamente R$ 6,5 milhões.

Toda a energia gerada pelo telhado aparece em um placar estampado na fachada do estabelecimento, que também informa a quantidade de CO_2 que deixa de ir para a atmosfera.

O projeto é resultado de uma parceria público-privada e deverá começar a dar lucro num prazo de vinte anos. Enquanto isso, toda a energia excedente do telhado solar vai direto para a rede. É aí que o negócio fica interessante. Para incentivar os microgeradores de energia, a lei assegura que o dono do telhado solar receba três vezes mais pela energia excedente que a tarifa cobrada pelas distribuidoras convencionais.

Quem banca tudo isso é o consumidor. E a conta é cara. Só em 2014 (ano da nossa viagem para a Alemanha), a conta de luz ficou 47% mais cara. Para uma família de quatro pessoas, isso significou € 170,00 – cerca de R$ 510,00 – a mais.

Segundo a diretora da unidade de Energia, Transporte e Meio Ambiente do Instituto de Pesquisa Econômica da Alemanha, quem quer se beneficiar das fontes renováveis de energia está disposto a pagar por isso.

No período em que visitamos o país, a energia solar abastecia aproximadamente 8 milhões de residências.

Futebol solar

Em um país onde o futebol também é paixão nacional, o Borussia faz de tudo para ser o campeão de sustentabilidade. O clube já é o que atrai o maior número de torcedores por jogo e o que possui o maior estádio do país, com capacidade para aproximadamente 81 mil torcedores.

Mais recentemente, o Borussia passou a ostentar outro título importante: 100% de toda a energia consumida no estádio, no centro de treinamento e nos escritórios (que vinham de usinas nucleares) têm fontes limpas e renováveis.

Os painéis solares garantem a iluminação do estádio e o restante da energia limpa vem de uma empresa que virou parceira do clube em um projeto curioso. Todo torcedor que seja cliente dessa empresa (uma distribuidora de energia) ganha desconto na conta de luz. Funciona assim: a cada ponto do Borussia no campeonato, há o desconto de 1 kWh. Ou seja, se o time vai bem em campo, a conta de luz vem mais barata no fim do mês!

A base aérea que virou usina solar

A cerca de 60 km de Berlim, na cidade de Brandemburgo, uma antiga base aérea usada pelos soviéticos na época da Guerra Fria foi transformada na gigantesca usina solar de Templin.

Um milhão e meio de placas fotovoltaicas de última geração – feitas de um material alternativo ao silício, mais finas e baratas – foram instaladas numa área equivalente a 214 campos de futebol. É a maior usina do gênero em toda a Europa. Tão grande que, para mostrarmos apenas uma parte das instalações, pedimos emprestado um equipamento para que o cinegrafista tentasse gravar do alto o que, a nível do chão, era simplesmente impossível.

A usina produz hoje energia suficiente para abastecer 36 mil residências e, desde a sua inauguração, em 2013, tem sido possível evitar as emissões de 90 mil toneladas de gases estufa por ano.

Uma potência eólica

Antes de o sol brilhar na matriz energética alemã, o vento já soprava forte no país. De fato, é cada vez maior a quantidade de aerogeradores espalhados pelo território alemão. Durante nossa visita, eles somavam 32 GW de capacidade instalada, mais do que o dobro da energia produzida pela hidrelétrica de Itaipu, no Brasil (14 GW). Agora, eles começam a ser vistos também em alto-mar. Na busca por mais eficiência, as usinas eólicas estão sendo instaladas onde não há montanhas, edifícios ou qualquer barreira que possa atrapalhar a passagem do vento.

Projetista responsável por vários parques eólicos alemães, Mário Göldenitz confirmou o apetite crescente dos alemães por essas instalações em mar aberto. Segundo ele, as usinas *off-shore* são muito maiores, produzem mais energia e se beneficiam de um vento reto e mais poderoso. Em tempos de "virada energética" na Alemanha, o vento ganhou ainda mais prestígio!

O bairro mais ecológico do mundo

Vauban fica na cidade de Freiburg, na fronteira com a Suíça, e ostenta uma das menores relações carro por habitante da Alemanha: são 222 veículos para cada mil moradores. Na época, para efeito de comparação, Berlim tinha 324 por mil e São Paulo, seiscentos carros por mil habitantes.

A maioria dos moradores de Vauban não tem carro e nem gosta de automóveis por perto. Nos estacionamentos do bairro só são permitidas paradas rápidas, para visitantes. Os moradores que desejam guardar os próprios carros na garagem têm que comprar uma vaga (o preço pode chegar a € 40 mil) ou alugar fora do bairro. O principal meio de transporte é a bicicleta e quase todas as ruas são entrecortadas por ciclovias. Uma linha de bonde elétrico atravessa o bairro, onde vivem 5 mil pessoas.

O modelo construtivo de Vauban foi totalmente inspirado no conceito de "*passive house*" (ver página 245), no qual as residências são projetadas para conservar o máximo de energia. Além do isolamento térmico reforçado, os imóveis ainda captam energia solar e utilizam o biogás do lixo. A coleta seletiva de lixo e a generosa área verde entre as edificações completam o cenário – e a merecida fama – de bairro sustentável.

Por tudo isso, o preço de um imóvel em Vauban é bem mais caro (pode custar até € 700,00 a mais, por m^2, se comparado com o resto da cidade).

O "*bike surf*"

No país que concentra algumas das mais importantes montadoras de veículos do mundo, os alemães têm mais bicicletas (74 milhões) do que carros (48 milhões). Quase 10% dos deslocamentos diários são feitos de bicicleta. Apenas Berlim tem mais de mil km de ciclovias usadas dia e noite, em qualquer estação do ano, mesmo durante o rigoroso inverno.

A capital alemã oferece aproximadamente quatrocentos serviços diferentes de *bike surf* – o compartilhamento gratuito de bicicletas – quando um morador da cidade disponibiliza a própria bicicleta pela internet a qualquer interessado. Basta informar alguns dados pessoais e combinar o local, o horário de pegar e de devolver a bicicleta.

Quando testamos o *bike surf*, o dono da bicicleta nos deu o endereço dele, descreveu as características da *bike* (que estava em um bicicletário em frente ao prédio onde morava) e compartilhou o segredo do cadeado. Tudo funcionou direitinho! E quem quiser pode deixar algum dinheiro para ajudar a manter o serviço, o que é sempre muito bem-vindo.

Startup cria recompensa para baixa emissão de CO_2

Berlim é a capital europeia das *startups*. São aproximadamente 4 mil pequenas empresas administradas por jovens que sonham em transformar boas ideias em grandes negócios.

Fomos conhecer a garotada que lançou no mercado um recarregador solar diferente e estilizado. É na verdade um kit, que contém uma placa solar flexível – com ventosas de borracha para se afixar em qualquer janela banhada de sol – e uma bateria solar com um leitor digital que indica o nível de energia acumulada. É um kit pequeno, portátil, leve, fácil de levar na bolsa ou na pasta.

Detalhe: quem compra o equipamento pode participar de uma saudável disputa na internet. Todos os usuários têm acesso a um site, onde cada recarga solar é registrada. Um ranking aponta quem são os maiores poupadores de energia convencional e quanto cada um deixou de emitir CO_2 na atmosfera por causa do uso do equipamento solar.

No dia em que fizemos a reportagem, havia 3 mil usuários cadastrados no sistema. Graças ao uso do recarregador solar, eles economizaram mais de 414 mil kWh de energia convencional. Dessa forma, deixaram de emitir mais de 207 toneladas de CO_2.

Cada recarga fica registrada no equipamento. Essa informação pode ser transmitida pela internet para o site que vai registrando a quantidade de energia solar consumida por cada usuário. Quanto mais recargas, mais pontos. Quanto mais pontos, mais bônus de compras nas lojas credenciadas pelo projeto.

Quando visitamos a *startup*, já haviam sido vendidas mais de 6 mil unidades. O preço em reais é "salgado": aproximadamente R$ 410,00. Mas ouvimos três diferentes clientes que elogiaram bastante a tecnologia e a possibilidade de trocar os pontos acumulados por produtos e serviços nas lojas credenciadas.

Um dos clientes entrevistados era apaixonado por ciclismo. O jovem gerente de vendas polonês Neven Pilipovic comprou o recarregador solar para manter contato permanente com a mãe enquanto cruzava – de bicicleta – a fronteira da Alemanha com a Polônia.

Antes de partir para essa aventura e pedalar por mais de 600 km, nosso entrevistado amarrou ao próprio corpo (com uma fita adesiva) o carregador solar, deixando a placa fotovoltaica do tamanho de um azulejo convencional posicionada sobre suas costas. A ideia era manter o celular abastecido de energia o maior tempo possível para que a mãe não ficasse sem notícias do filho. Segundo ele, deu certo: "Funcionou muito bem. Especialmente nos dois primeiros dias de viagem, quando peguei muito sol e acumulei energia suficiente para os dias seguintes, quando o tempo ficou nublado."

ESPECIAL CHINA

Guerra à poluição do ar

Maior poluidor do planeta, a China passou a registrar internamente nos últimos anos os piores efeitos da queima de carvão mineral (o país está situado sobre a terceira maior jazida de carvão do mundo), da expansão da frota automobilística e dos fatores climáticos que dificultam a dispersão dos poluentes.

Acompanhamos de perto a guerra declarada desse país contra a poluição do ar. Em março de 2014, na reunião anual do Parlamento chinês, o primeiro-ministro Li Keqiang deixou claro quem é o novo inimigo: "Não é uma guerra contra a natureza, mas contra o nosso ineficiente e insustentável modelo de crescimento e modo de vida." O líder chinês deixou claro que "as causas da poluição são complexas e que a solução vai demorar".

O carvão mineral – o mais poluente de todos os combustíveis fósseis – vem turbinando o crescimento do país há pelo menos três décadas. Nos últimos dez anos, o consumo de energia mais que dobrou (mais 136%). Foi nesse período que a China ultrapassou os Estados Unidos como o maior poluidor do planeta e principal vilão do aquecimento global.

Maior frota de carros do mundo

A energia suja ajudou o país a passar da condição de emergente para potência econômica, com direito a indicadores impressionantes de inclusão social. Praticamente inexistente na década de 1990, a classe média chinesa tem hoje quase 330 milhões de pessoas. Dos mais de 1 bilhão e 350 milhões de habitantes, 52% estão nas cidades. O rápido crescimento urbano (mais de 40% em dez anos) veio acompanhado de uma nova paixão: o automóvel.

Em nenhum outro lugar do mundo a frota automobilística cresceu tão rápido quanto na China. O país ultrapassou os Estados Unidos em número de carros e licencia 1 milhão de novos veículos a cada mês. O resultado desse crescimento descontrolado são os gigantescos engarrafamentos e o agravamento da poluição do ar.

Durante nossa passagem pelo país, apuramos que toda a frota chinesa consumia 80 milhões de toneladas de gasolina por ano e 180 milhões de toneladas de óleo diesel. Toda essa fumaça, poeira e fuligem atinge com intensidade cada vez maior 15% do território, principalmente na região norte do país, onde vivem mais de 150 milhões de pessoas. É onde estão as grandes cidades, entre elas, a capital.

As máscaras de Pequim

O ar da capital é denso, pesado. Uma mistura de fumaça, poeira e material particulado. Os visitantes logo sentem os efeitos da poluição: nariz entupido, olhos secos, garganta irritada são os sintomas mais comuns.

No inverno, no auge da poluição, um dia respirando em Pequim teve o mesmo efeito que fumar um maço e meio de cigarros. Sem alternativa, o jeito foi a nossa equipe usar máscaras. Vendidas em farmácias, há máscaras de vários tipos e preços, e é fácil encontrar gente na rua protegendo as narinas com elas.

O principal objetivo é impedir a inalação dos minúsculos fragmentos de material particulado presentes na bruma de poeira que encobre a cidade. Uma vez inaladas, essas partículas aderem aos tecidos do pulmão – sem possibilidade de remoção –, causando inúmeros problemas respiratórios.

Em um país onde a informação é controlada com mão de ferro, surpreende o sinal verde do governo para que diferentes aplicativos reportem de hora em hora a qualidade do ar nas principais cidades. Os indicadores vão de "muito ameaçador à saúde" a "saudável". É consulta obrigatória antes de sair de casa ou do trabalho.

Poluição mata 500 mil pessoas por ano

Aplicativos, máscaras e equipamentos que filtram o ar dentro das casas – utensílio bastante disputado nas lojas de eletrodomésticos – ajudam o cidadão, mas não resolvem o problema.

Especialistas em saúde calculam que aproximadamente 500 mil chineses morrem a cada ano em consequência de doenças causadas ou agravadas pela poluição do ar. E o povo reclama.

As queixas contra a poluição do ar mais que dobraram em Pequim nos primeiros cinco meses do ano em que visitamos o país. Não à toa o governo resolveu priorizar o combate à poluição do ar. E a pressão começa a dar resultados. Entre as medidas já adotadas estão:

- fechamento de 50 mil fornos a carvão mineral;
- modernização das termelétricas para reduzir a emissão de poluentes;
- incentivo a fontes limpas e renováveis de energia, principalmente eólica e solar;
- retirada de 6 milhões de veículos considerados ineficientes das ruas;
- plantio de árvores numa área equivalente a 330 mil campos de futebol;
- alterações da lei de proteção ambiental para dar mais poder aos fiscais.

As vozes da mudança

A equipe do *Cidades e Soluções* agendou entrevistas com autoridades e pesquisadores chineses que estão influenciando os novos rumos do país.

Jinnan Wang, vice-presidente da Academia chinesa para o Planejamento Ambiental: "O governo pretende gastar, até 2020, o valor de US$ 300 bilhões contra a poluição do ar, e US$ 340 bilhões para a despoluição das águas. Em 2013, o governo chinês já investiu cerca de US$ 1 bilhão para apoiar a gestão da poluição do ar em Pequim, Tianjin e na província de Hebei. Neste ano, o governo do país vai investir cerca de US$ 2 bilhões nesses programas."

Tzi Ié, diretor do Centro de Investigação de Políticas Climáticas da Universidade Tsinghua, em Pequim: "Quando olhamos para Londres, Los Angeles ou Pittsburgh, vemos que todas essas cidades levaram décadas para resolver o problema da poluição do ar. Mas de uma coisa eu tenho certeza: vai levar menos tempo para a China resolver o mesmo problema, porque agora nós temos uma tecnologia melhor e nós sabemos muito bem o que precisamos para alcançar o nosso objetivo".

O dia a dia em um país tão poluído

Como é viver num país onde a qualidade do ar é tão hostil à saúde? Visitamos uma família de brasileiros nos arredores de Pequim. A casa de dois andares permanece com todas as janelas fechadas e filtros de ar ligados 24 horas por dia em cada cômodo. "Aqui em Pequim ou é muito frio ou é muito calor ou é muito poluído... Então, a gente não abre a janela". O ar da capital chinesa foi descrito pela dona da casa como "uma mistura de fumaça de cigarro com cheiro de comida... e alguma coisa que você não sabe o que é...".

Em Xangai, entrevistamos outra família de brasileiros. Pelas medições oficiais, há menos poluição que em Pequim. Mas a carga pesada de veículos e a queima intensiva de carvão – para sustentar, por exemplo, o deslumbrante espetáculo dos monumentos e prédios iluminados à noite – não deixam dúvida: o ar da cidade também não é dos melhores.

Xangai é, na média, três vezes mais poluída que São Paulo. "Quando a gente chega na capital paulista, sai do avião e dá uma respirada, sente logo a diferença. Só que, pelo fato da gente estar aqui já há muito tempo, vai se acostumando com o ar. Para mim, hoje está normal", diz o pai de família, que vive há 12 anos com a mulher, também brasileira, em Xangai.

Protegendo as crianças nas escolas

Em toda a China, estima-se que 42 milhões de pessoas tenham doenças respiratórias causadas ou agravadas pela poluição. É quase a população do estado de São Paulo.

Médico há quarenta anos e diretor do primeiro centro criado na China especialmente para tratar desse tipo de doença, dr. Bai nos contou que, somente no lugar onde trabalha, foram registrados no ano anterior mais de 5 mil casos de câncer de pulmão provocados ou agravados pela poluição. "Já diagnosticamos aqui câncer de pulmão em um adolescente de 14 anos. Mas colegas meus já detectaram a doença em uma criança de 7 anos de idade."

Proteger as crianças dos efeitos da poluição virou política de governo na China. Os diretores de escolas, por exemplo, são orientados a manter os alunos em ambientes fechados se os indicadores de poluição forem altos. É o que acontece na escola internacional, com 1.100 alunos – 17 deles brasileiros – que visitamos perto de Pequim.

O diretor checa de hora em hora a qualidade do ar em três diferentes aplicativos e mantém os professores informados sobre a situação. No dia de nossa visita, o nível da poluição estava alto e a saída dos alunos para atividades ao ar livre (recreio ou educação física) foi suspensa por tempo indeterminado. Professores improvisaram jogos e brincadeiras em sala de aula para entreter os estudantes, mas, pelo que pudemos perceber – chegamos a entrevistar alguns alunos –, eles preferiam ficar do lado de fora.

No ano anterior, as atividades ao ar livre na escola foram suspensas por 12 dias por causa da poluição do ar. Para evitar longos períodos de confinamento nas salas e nos corredores, a escola decidiu criar uma proteção especial sobre duas quadras esportivas. Serão mais 1.250 m^2 de área segura, com ar limpo, debaixo de uma redoma orçada em pouco mais de R$ 1,5 milhão.

"A cúpula será aquecida no inverno e climatizada no verão, mas totalmente purificada e segura para que a poluição não entre. E, no próximo verão, nós construiremos outro ginásio interno. Nós temos que continuar melhorando porque você nunca sabe como será o futuro nesta cidade", explica o responsável da escola.

A caminho do sol

Na China, o caminho para o futuro passa pelo sol. A tecnologia chinesa marcou um gol de placa solar nos estádios brasileiros durante a Copa de 2014. Vieram daquele país 3.650 placas solares instaladas na Arena Pernambuco e outras 1.556 placas no Maracanã. Graças a esses equipamentos está sendo possível deixar de emitir, em um ano, 1.150 toneladas de gases poluentes.

Viajamos até Baoding, a 158 km de Pequim, para conhecer a fábrica dessas placas fotovoltaicas instaladas no Brasil – a maior do mundo –, onde até as fachadas dos prédios são cobertas com placas solares. É um complexo tecnológico e industrial, com cinco fábricas, 29 mil funcionários e lucro de mais de US$ 2,2 bilhões, apenas no ano anterior à nossa visita.

Todas as placas solares vendidas pela fábrica (14 milhões de unidades) gerariam 4,2 GW de energia, o suficiente para abastecer uma cidade com 7 milhões de habitantes. Em apenas uma década, a produção da fábrica cresceu mais de cem vezes, e 40% de todos os equipamentos produzidos foram vendidos na própria China.

A fábrica exporta para quarenta países e, segundo o diretor, nos três anos anteriores os preços das placas caíram mais de 50%. "Nosso objetivo é muito claro. Nós estamos fazendo o nosso melhor para, em primeiro lugar, melhorar a eficiência das placas e, depois, reduzir o custo. Aí, então, podemos fazer a energia solar se tornar mais competitiva em comparação com as outras fontes", garante.

Não à toa, a China bateu o recorde mundial de instalação de placas solares no ano anterior. Eram 12 GW de capacidade instalada, mais do que a soma de todas as placas dos Estados Unidos, no mesmo período!

A nova geração de térmicas a carvão

Em tempos de guerra contra a poluição, o governo estimula a construção de termelétricas de última geração como a que visitamos em Xangai, considerada pelos chineses a mais moderna do mundo.

A usina produz energia suficiente para abastecer 1 milhão de pessoas. Mas o que a torna tão importante, além de ser a primeira desse tipo na China, são as 25 novas patentes industriais desenvolvidas ali com o único objetivo de aumentar a eficiência, reduzindo a poluição.

Na comparação com uma usina convencional (325 kg de carvão para produzir 1 MWh), a termelétrica de Xangai queima menos carvão (287 kg), emite menos poeira (50 microgramas por m^3 numa usina convencional e 11 microgramas por m^3 em Xangai) e dióxido sulfúrico (100 microgramas de SO_2 por m^3 em uma usina convencional e 25 microgramas por m^3 em Xangai), entre outros gases poluentes.

Embora seja uma estatal, a usina de Xangai tem autonomia de produção e comercialização. E a cada recorde de desempenho, o governo em Pequim aumenta o repasse de recursos públicos para a empresa.

Como não vai ser possível abrir mão do carvão tão cedo, os chineses investiram o equivalente a mais de mais de R$ 3 bilhões, apenas nessa usina, para que ela seja referência na geração de energia a partir dessa fonte.

Transporte mais limpo

Para reduzir a poluição, viajar de trem é uma opção estratégica. E quanto mais rápido, melhor. Um dos símbolos dessa China que deseja crescer rápido gerando menos impactos ambientais é o trem-bala. Em poucos anos o país se tornou o líder mundial em ferrovias rápidas, com 10 mil km de linhas, e esse número não para de subir.

A velocidade dos trens-bala – aproximadamente 300 km/h – contrasta com a lentidão crescente dos engarrafamentos. São mais de 250 milhões de veículos. É tanto carro que as próprias autoridades chinesas decidiram restringir a concessão de novas licenças em pelo menos seis grandes cidades do país. É o caso de Xangai, onde as autoridades realizaram leilões para conceder novas licenças para motoristas. No ano em que visitamos a cidade, uma autorização chegou a custar US$ 12 mil.

Parceria com o Brasil

Se não é possível eliminar totalmente a poluição dos veículos, dá para melhorar – e muito – a qualidade dos combustíveis. E o Brasil participa desse esforço.

Na Universidade de Tsinghua, em Pequim, funciona o Centro China-Brasil para Mudanças Climáticas e Inovação em Tecnologias para Energia, uma parceria deles com a UFRJ.

Uma nova tecnologia descoberta na China é considerada estratégica para o Brasil: biodiesel produzido em escala industrial a partir de enzimas naturais. As vantagens desse processo levaram o governo brasileiro a financiar parte do projeto, o que acabou aproximando ainda mais os dois países. Com a nova geração de biodiesel enzimático é possível reduzir em 80% a emissão de CO_2 e em 60% a emissão de material particulado.

As cidades "ecológicas"

Cerca de 350 milhões de chineses devem migrar do campo para a cidade nos próximos vinte anos. Jamais se viu tamanha movimentação na história num intervalo de tempo tão curto. E para abrigar todo esse formigueiro humano em cidades mais inteligentes e sustentáveis, os governos da China e de Singapura resolveram de comum acordo investir em um projeto modelo de cidade ecológica.

A 150 km de Pequim, uma "*ecocity*" está sendo erguida onde antes havia lixo a céu aberto, deserto e água poluída. Um projeto ambicioso, que pretende abrigar 350 mil moradores em prédios certificados ambientalmente até 2020.

Na época da nossa reportagem, só 10 mil pessoas viviam por lá – ainda sem transporte coletivo, cinemas, teatros, museus ou shoppings. As pessoas escolhidas para falar conosco pela organização da visita disseram que, ainda assim, o lugar era aprazível e que havia boas escolas para as crianças.

Um dos responsáveis pelo empreendimento admitiu as dificuldades, mas afirmou que o projeto está em andamento e vem sendo acompanhado de perto pela cúpula do governo chinês.

Selo verde para as construções

O futuro da China é cada vez mais urbano. Até 2025 serão 221 cidades com mais de 1 milhão de habitantes, 23 cidades com mais de 5 milhões e oito cidades com mais de 10 milhões de habitantes. Por isso, em várias cidades chinesas há incentivos fiscais para quem tenha "selo verde" nas edificações.

O professor Tan Hongwei, especialista no assunto, nos contou que o governo criou um sistema de três estrelas para classificar os prédios. Quanto menor a emissão de gás e maior a economia de energia, mais estrelas e, consequentemente, mais incentivos. O objetivo é que em 2050, de todos os prédios da China, 20% sejam "verdes".

Uma fazenda ecoeficiente

A busca por modelos de produção que emitam menos gases de efeito estufa também alcança o meio rural. Visitamos aquela que é considerada a maior "fazenda ecológica" da China. Na verdade, uma imensa granja, situada numa área de proteção ambiental, que produz 1,5 milhão de ovos por dia (é o maior fornecedor da Ásia).

Mas a produção de ovos é apenas um detalhe do projeto. O grande desafio foi transformar em um negócio lucrativo as 200 toneladas diárias de dejetos produzidas por 3 milhões de galinhas.

A solução foi canalizar o esterco das galinhas para biodigestores que convertem a matéria orgânica em metano, um gás combustível. A queima do gás gera energia para 10 mil residências. A fazenda também produz 70 mil toneladas de fertilizantes a partir da mesma matéria-prima (os dejetos das galinhas).

Em um país onde a poluição do ar e das águas gera tantos problemas, as soluções encontradas pela granja são motivo de orgulho para os chineses.

NOS BASTIDORES

A ida à China foi precedida de meses de negociações e reuniões com representantes do governo daquele país, que acertaram conosco o roteiro de viagem, as experiências que poderíamos mostrar na TV e a lista de entrevistados.

Fomos atendidos em quase tudo. Mas não conseguimos, por exemplo, mostrar nenhum projeto de despoluição das águas – um problema tão grave quanto o da poluição do ar – nem entrevistar o representante do Greenpeace em Pequim.

Também deveríamos custear as passagens e hospedagens de um guia local – uma simpática chinesa que falava português – que nos acompanharia de perto durante nossa estada na China. Durante as quase três semanas que viajamos pelo país, nos maravilhamos com a cultura, as pessoas e o impressionante desenvolvimento urbano dos chineses. Mas não foi possível mostrar o lado menos desenvolvido do país, especialmente no meio rural.

Éramos quatro profissionais ao todo: repórter, cinegrafista, produtora e editora. Todos sentimos – em maior ou menor grau – os efeitos da grave poluição do ar.

Pessoalmente, voltei da China impressionado com a determinação do governo em corrigir o rumo e despoluir o país. E perplexo com o fato de um país comunista, que tolera o capitalismo emergente, se deslumbrar com o consumismo e a ostentação. As mais suntuosas lojas de grife que vi no mundo estão em Pequim. No que vai dar essa mistura? O futuro dirá.

BRASIL

Tecnologia para evitar tragédias

Um dos mais modernos centros de monitoramento de desastres do mundo fica no Brasil. A equipe do *Cidades e Soluções* foi a São José dos Campos, no interior paulista, mostrar como funciona o Centro Nacional de Monitoramento e Alerta de Desastres Naturais (Cemaden).

São 1.300 m² de área, ocupados por 75 técnicos qualificados e tecnologia de ponta. Dali é possível processar mais de 4 mil informações diferentes, de diversas partes do país, que são transformadas em novos boletins a cada dez minutos.

A rede de informações do Cemaden alcança mais de 4 mil pluviômetros, que medem a quantidade de chuva, 35 radares meteorológicos, além de imagens em tempo real geradas por um satélite americano. Graças a esse sistema, é possível saber, ao longo das 24 horas por dia, o que acontece nos 958 municípios onde o risco de desastres naturais é maior (por razões geológicas ou hidrológicas). Nessas cidades, vivem 90% da população mais vulnerável a temporais, deslizamentos de terra ou de pedra, ou afetada por longos períodos de seca.

Estima-se que, no Brasil, aproximadamente 5 milhões de pessoas ainda morem em áreas de risco, vulneráveis principalmente à ocorrência de enchentes e deslizamentos de terra.

Desde dezembro de 2011, quando entrou em operação, o Cemaden emite, em média, cinco alertas por dia. Nos períodos chuvosos, especialmente nos meses de verão, esse número sobe para cinquenta. Os alertas são enviados para a Secretaria Nacional de Defesa Civil, que os repassa imediatamente para a Defesa Civil do Estado e do município em questão.

O Cemaden existe, exatamente, para prevenir a ocorrência de tragédias onde elas tenham maior possibilidade de acontecer. Para o pleno funcionamento do sistema, é preciso que a Defesa Civil dos estados e municípios estejam devidamente treinadas e aparelhadas.

Eventos extremos em Santa Catarina

Quis o destino que um dos menores estados do Brasil em tamanho seja um dos mais atingidos por eventos climáticos extremos. Santa Catarina registrou em 2004 a passagem do primeiro furacão já visto no Atlântico Sul. Batizado de Catarina, o furacão – com ventos acima de 150 km/h – causou 11 mortes, deixou mais de quinhentos feridos e prejuízos estimados em mais de R$ 1 bilhão.

Outros eventos extremos têm ocorrido com alguma frequência em Santa Catarina, como tornados, vendavais, enchentes, ressacas e longas estiagens. A recorrência de desastres climáticos na região é explicada pelo contraste de temperaturas. É um local de transição entre as massas de ar seco e as massas de ar frio, que registra o encontro do calor dos trópicos e o frio dos polos.

De acordo com o *Atlas brasileiro de desastres naturais*, Santa Catarina registrou 12,2% de todos os desastres naturais ocorridos no Brasil entre 1991 e 2010, apesar de representar apenas 1,2% do território nacional. O estado aparece em terceiro lugar no ranking, atrás apenas do Rio Grande do Sul e de Minas Gerais. O levantamento mostra que, entre 2000 e 2010, o registro de desastres cresceu 268% no país e 71,61%, em Santa Catarina.

A elevação do nível do mar

O Brasil está ficando diferente com as mudanças climáticas. Não é possível prever com exatidão tudo o que vai acontecer, mas a equipe do *Cidades e Soluções* ouviu especialistas em produção de alimentos, geração de energia e gerenciamento das zonas costeiras para antever cenários e ajudar a prevenir tragédias num futuro próximo.

Riscos para o Brasil

O nível do mar já subiu entre 10 e 20 centímetros no século passado, dependendo da região do planeta. A previsão dos cientistas para este século é que o nível dos oceanos possa subir até 1 metro, no cenário mais pessimista.

O prof. Paulo Rosman, da Coppe/UFRJ, é um dos maiores especialistas do Brasil em Engenharia Oceânica e Gerenciamento das Zonas Costeiras. Ele coordenou um amplo estudo, que revelou os pontos de maior vulnerabilidade no litoral brasileiro: "Os principais pontos de vulnerabilidade do Brasil são as grandes concentrações urbanas que avançaram na zona costeira, com destaque para o Rio de Janeiro. Recife e Fortaleza já registram seríssimos problemas de erosão em suas praias. No sul do Brasil, são vulneráveis todas as regiões costeiras onde as cidades ocupam a faixa dinâmica de litoral ou áreas de baixada, de baías e lagoas. Com o aumento do nível do mar e dos extremos climáticos, a tendência é que essas regiões passem a sofrer problemas de inundação mais frequentes e intensos. Porém, é possível preparar as cidades para enfrentar esses desafios."

O relatório defende que os municípios incluam em seus Planos Diretores medidas inteligentes de proteção das zonas costeiras. "As pessoas olham para as praias como se elas fossem apenas áreas de lazer, mas a principal função da praia é proteger o litoral. Não existe uma estrutura mais eficiente para proteger o litoral do que praia. O Plano Diretor deve levar em consideração as zonas de inundação, o nível médio do mar, o aumento da intensidade de ressacas, a faixa dinâmica de praia que é necessário dispor para poder deixar o mar 'comer' a praia e depois 'devolvê-la', entre outros fatores", acrescentou.

Os pesquisadores estimaram nesse estudo que os prejuízos causados pela elevação do nível do mar no Brasil podem chegar a R$ 200 bilhões. Mas a prevenção é muito mais barata, da ordem de R$ 60 milhões por ano. Esses recursos poderiam financiar, por exemplo, estudos técnicos detalhados que inspirassem projetos de engenharia específicos para cada localidade.

O novo mapa da agricultura

Pesquisadores da Embrapa e da Unicamp (SP) já mediram os impactos das mudanças climáticas sobre a produção agrícola brasileira. Nove culturas foram mapeadas: algodão, arroz, café, cana-de-açúcar, feijão, girassol, mandioca, milho e soja. Os prejuízos podem ser grandes. Com exceção da cana e da mandioca, todas as demais culturas pesquisadas devem sofrer uma diminuição importante das áreas de cultivo. A estimativa é a de que a elevação da temperatura possa provocar perdas de até R$ 7,4 bilhões/ano já em 2020.

A soja – carro-chefe do agronegócio – será atingida em cheio pela elevação da temperatura. Segundo maior produtor mundial, o Brasil poderá sofrer uma redução de 41% na área de baixo risco ao plantio do grão até 2070 (prejuízo de R$ 7,6 bilhões/ano).

Já a cana-de-açúcar reage bem à elevação da temperatura. O CO_2 "turbina" o crescimento do vegetal e o lucro dos empresários que atuam no setor. O estudo indica que a área de plantio pode crescer de 6 para 17 milhões de hectares em 2020, elevando o valor da produção de R$ 17 bilhões para R$ 29 bilhões.

Hilton Silveira, professor de Agrometeorologia da Unicamp, alertou que são vários os impactos previstos com a mudança do clima: "O café, por exemplo, é uma planta extremamente sensível a temperaturas altas.

Quando floresce, se houver um único dia com temperatura à tarde maior do que 33ºC, todas aquelas flores branquinhas abortam. Ou seja, elas não se transformam em grãos de café e a produção cai. Então, o café sofrerá uma grande perda econômica se não houver melhoramento da planta para que ela tolere a seca e as altas temperaturas."

Segundo explicou o prof. Hilton, "existe também o problema com as culturas de clima temperado, que precisam de um certo número de horas de frio por ano. O pêssego, por exemplo, demanda aproximadamente seiscentas horas de temperaturas abaixo dos 7ºC por ano. Como isso vai desaparecer, a cultura do pêssego tende a descer mais para o Rio Grande do Sul, para as áreas de altitude, e para países vizinhos, como Argentina e Uruguai."

Impactos na pecuária

Megaprodutor de proteína animal, o Brasil precisa redefinir estratégias em tempos de aquecimento global. A elevação da temperatura vai prejudicar também os pecuaristas e criadores de frango.

"A pecuária tem um problema sério: à medida que a temperatura aumenta, os pastos começam a secar e ficar vulneráveis ao fogo. Então, o custo da produção aumenta rapidamente por conta disso. O mesmo acontece em relação ao frango, que se ressente muito das ondas de calor. Temperaturas mais altas podem matar criações inteiras, obrigando os produtores a gastar dinheiro para melhorar os sistemas de ventilação ou, eventualmente, instalar ar-condicionado. Tudo isso é custo", destacou o prof. Hilton.

Mitigação e adaptação

O estudo da Embrapa e da Unicamp aponta saídas para os problemas causados pelas mudanças climáticas.

"Você tem dois caminhos: a mitigação e a adaptação. A *adaptação* seria a produção de novas variedades de sementes tolerantes à seca e ao calor. O custo disso chega a R$ 10 milhões para cada variedade. O Brasil tem hoje, só de soja, mais de trezentas variedades. Custa caro", ressaltou o prof. Hilton.

"A segunda forma é a *mitigação*. Por exemplo: para evitar que uma cultura de café sofra o aquecimento e deixe de produzir (ou passe a produzir não economicamente), posso plantar árvores fazendo sombra no café, reduzindo a insolação e o calor na plantação. Isso aí é barato e, tecnicamente, tem uma vantagem adicional: além de proteger o café, o agricultor pode produzir outra cultura, como manga ou abacate. Isso está sendo feito já no Brasil."

O "Atlas da carne"

Esse é o nome do relatório produzido pela Fundação Heirich Boll Brasil – com a colaboração de pesquisadores do Brasil, Chile, México e da Alemanha – que mapeou os impactos causados pela produção industrial de proteína animal no mundo.

De acordo com o *Atlas*, se o consumo de carne continuar crescendo, em 2050 a demanda será de 150 milhões de toneladas extras de proteína animal, agravando problemas ambientais já existentes, como a emissão de gases de efeito estufa (a pecuária intensiva responde por quase 1/3 das emissões globais desses gases), o uso intensivo de água (para cada quilo de carne gastam-se 15 mil litros de água), os desmatamentos (a pecuária extensiva responde por 80% do desmatamento da Amazônia) e a perda da biodiversidade. Além desses, outro impacto importante é o excesso de fertilização, comprometendo a qualidade das águas e do solo.

O estudo defende modelos de criação mais inteligentes no uso dos recursos – e que promovam o bem-estar animal –, e que compartilhem com o consumidor, de forma clara e objetiva, todas as informações sobre como a carne é produzida.

O ABC da sustentabilidade no campo

O Brasil conta com um programa financiado com recursos do governo federal para reduzir as emissões de gases estufa no meio rural. O Programa ABC (Agricultura de Baixo Carbono) está dividido em sete frentes de trabalho:

- Recuperação de Pastagens Degradadas;
- Integração Lavoura-Pecuária-Floresta (ILPF);
- Sistema de Plantio Direto (SPD);
- Fixação Biológica de Nitrogênio (FBN);
- Florestas Plantadas;
- Tratamento de Dejetos Animais;
- Adaptação à Mudança do Clima.

Desde seu lançamento, em julho de 2010, o Programa ABC já investiu R$ 13,2 bilhões, em um total de 28,5 mil contratos com produtores rurais, que abrangem 6,8 milhões de hectares. A meta é atingir 30 milhões de hectares até 2020. A Recuperação de Pastagens Degradadas representa 50% desse total (15 milhões de hectares). Até 2015, foram alcançados 41,3% desse objetivo.

O que muda no setor energético?

As mudanças do clima devem determinar alterações importantes também na matriz energética brasileira. Professor de Planejamento Energético da Coppe/UFRJ, Roberto Schaeffer integra o Painel de Mudanças Climáticas da ONU. Ele participou de vários estudos que ajudaram a construir uma ciência do clima no Brasil. E adverte: é preciso cautela nos investimentos em grandes usinas hidrelétricas na Amazônia.

"O nosso estudo mostrou que o nível de chuvas no Brasil será alterado, a temperatura vai mudar, e o nível de evaporação dos grandes reservatórios das hidrelétricas também. O que significa que uma hidrelétrica que gerava energia bem no passado poderá não gerar a mesma quantidade de energia no futuro por causa das mudanças climáticas. O nosso estudo considera fundamental que a variável mudança climática faça parte de qualquer planejamento futuro de expansão do setor energético brasileiro", afirmou o prof. Schaeffer.

O estudo indica que as hidrelétricas de Jirau e Santo Antônio, no rio Madeira, e a de Belo Monte, na bacia do rio Xingu, podem não gerar toda a energia prevista em função das mudanças climáticas. Já os projetos de energia eólica devem seguir de vento em popa.

"O padrão de vento se alterará no Brasil, e você passará a ter ventos mais propícios, mais intensos, basicamente na região Norte e Nordeste, e no litoral. Uma notícia boa é que o potencial eólico brasileiro, que já é bastante grande, tenderá a aumentar, devido ao impacto, nesse caso, positivo, das mudanças climáticas", acrescentou.

A pesquisa confirmou o aumento da produção de cana-de-açúcar (etanol) e a diminuição da produção de oleaginosas (biodiesel) pela mesma razão: a elevação da temperatura média no país. Outra constatação importante são os ganhos obtidos a partir da redução do desperdício de energia.

"Como sempre, o que salta aos olhos é que há várias medidas possíveis a custos bastante baixos e, às vezes, até a custos negativos. O que significa custo negativo? Custo negativo é que seria mais barato você mexer naquela matriz energética do que mantê-la do jeito que ela está. E aí o que salta aos olhos é o grande papel que a eficiência energética tem no Brasil, seja na indústria, no comércio ou nas residências. A verdade é que em todos os setores da economia há desperdício de energia. No caso das indústrias, o potencial de redução de consumo chega a aproximadamente 30%", enfatizou o professor da Coppe/UFRJ.

Impactos nas duas maiores cidades do país

São Paulo: a ex-terra da garoa

Um estudo financiado pelo governo britânico e realizado por universidades e instituições de pesquisas do Brasil (Unicamp, Unesp, Inpe, Ministério da Ciência e Tecnologia) mapeou os principais impactos das mudanças climáticas sobre as duas maiores cidades do país: São Paulo e Rio de Janeiro.

No caso de São Paulo, o estudo revela que a cidade já sofreu várias mudanças importantes no clima nos últimos setenta anos. Nesse período, segundo o pesquisador Carlos Nobre, do Instituto Nacional de Pesquisas Espaciais (Inpe), a temperatura da cidade subiu 2,5ºC e as descargas elétricas (raios) aumentaram entre 30% e 40% por causa do aquecimento. As chuvas intensas também acontecem com mais frequência (duas a quatro vezes mais) do que há setenta anos.

Os pesquisadores concluíram que a maior parte dessas mudanças estaria relacionada com os efeitos da urbanização (ilhas de calor, a dinâmica das chuvas, vento etc.) sobre o clima da Região Metropolitana, onde hoje vivem 20 milhões de pessoas.

Para Carlos Nobre, todas essas mudanças – e a perda da qualidade de vida associada a elas – não fizeram São Paulo tomar as medidas necessárias e adaptar a cidade à nova realidade.

As soluções passam por obras de drenagem (para escoar com maior rapidez e segurança a água da chuva), calçadas e asfalto permeáveis (que permitam a infiltração da água da chuva), maior captação de água da chuva a partir das edificações, maior arborização urbana (para regular o clima), retirada da população das áreas de risco (vulneráveis a deslizamentos e enchentes), entre outras medidas importantes.

Rio: o desafio de continuar maravilhosa

Paulo Pereira de Gusmão, da UFRJ, é pesquisador do Laboratório de Gestão do Território e coordenou a equipe encarregada de produzir o mais importante estudo já feito sobre vulnerabilidade e adaptação às mudanças climáticas na Região Metropolitana do Rio de Janeiro, onde vivem mais de 11 milhões de pessoas.

O relatório prevê três diferentes cenários de elevação do nível do mar na zona costeira do Rio, avançando por áreas de baixada: elevação de 0,50 m, 1 m e 1,50 m de altura.

Em todos os cenários, os efeitos mais danosos acontecem nas áreas de fundo de baía (da Guanabara), especialmente no município de São Gonçalo – que é densamente povoado e conta com infraestrutura precária –, na baixada de Jacarepaguá e nas divisas com os municípios de Maricá e Itaguaí. Todas essas áreas são potencialmente frágeis em um cenário de elevação do nível do mar.

Em relação à orla marítima, o estudo indica que as ressacas devem acontecer com maior frequência. Nas áreas habitadas, recomenda-se o "engordamento" da faixa de areia para proteção da orla. Em outras áreas, a orientação é preservar as faixas de areia das dunas e das restingas, que funcionam como uma excelente proteção natural. Isso significa proibir nesses locais a construção de avenidas, ruas, edificações ou qualquer obra de infraestrutura.

Segundo o estudo, a maior ocorrência de enchentes – associada à temperatura mais alta – abre caminho para a proliferação de doenças transmitidas por mosquitos e ratos.

ECODICAS

Reduzindo emissões ao volante

Um motorista preocupado em reduzir ao máximo a emissão de poluentes – com benefícios para o bolso – deve prestar atenção nas ecodicas do *Cidades e Soluções*.

Mais de 100 mil motoristas do Brasil já passaram por um treinamento que ensina a conduzir veículos de forma inteligente. Segue um resumo do curso:

- Não dirija em ponto morto. Nos veículos que têm injeção eletrônica, essa prática, ao contrário de economizar, aumenta o gasto de combustível e sobrecarrega os freios.
- Mantenha os pneus calibrados seguindo sempre a recomendação dos fabricantes. Pneus descalibrados aumentam o consumo de combustível em até 5%.
- Mantenha sempre o motor regulado (desregulado ele pode consumir até 60% a mais de combustível do que o normal) e faça as revisões periódicas indicadas pelo fabricante.
- Na hora de encher o tanque, dê preferência a etanol.
- Mantenha sempre o tanque cheio. Isso aumenta a vida útil da bomba de combustível. Com o tanque na reserva, o consumo é maior.

Brasil: campeão mundial de raios

Não há outro lugar no mundo onde caiam tantos raios quanto no Brasil. São aproximadamente 50 milhões de descargas atmosféricas por ano, com 130 mortos e quinhentos feridos. O *Cidades e Soluções* abriu espaço para mostrar por que isso acontece e o que devemos fazer para nos proteger de acidentes fatais envolvendo essa força da natureza.

Segundo os cientistas, o Brasil atrai essa quantidade impressionante de descargas elétricas por sermos um país tropical, de dimensões continentais, onde o calor favorece a ocorrência de tempestades. E elas estão ocorrendo com mais frequência em várias partes do país, muito provavelmente por conta das mudanças climáticas.

A equipe do *Cidades e Soluções* entrevistou Osmar Pinto Júnior, coordenador do grupo de Eletricidade Atmosférica do Inpe e um dos maiores especialistas em raios do mundo. Confira a seguir:

Cidades e Soluções – O que é um raio?

Osmar Pinto Júnior – É basicamente uma descarga elétrica intensa que acontece na atmosfera. É como se fosse a corrente elétrica que passa num fio no chuveiro da sua casa. Só que lá no fio do chuveiro, a corrente tem uma intensidade da ordem de 20 amperes (amperes é a unidade de corrente). O raio ocorre na atmosfera e, em média, a intensidade é de 20 mil amperes. Ou seja, um raio é uma corrente mil vezes mais intensa do que a corrente de um chuveiro.

C.S. – Toda tempestade tem raio?
O.P.J. – A gente define uma tempestade como sendo a nuvem capaz de gerar raio. Se ela gerou um raio, é chamada de tempestade. Se ela não gerou um raio, então a gente usa outro nome, normalmente a nomenclatura usada para aquele tipo de nuvem.

C.S. – Quantos tipos de raio existem?
O.P.J. – Muitos. Na verdade, não existem dois raios iguais. Um raio dura um pouco mais, outro dura um pouco menos. Um é um pouco mais forte; outro, um pouco mais fraco. Eles não se repetem. Enfim, o raio tem suas características individuais e elas ajudam a dimensionar o estrago que ele vai causar. Um raio mais intenso obviamente tem um impacto muito maior sobre o objeto ou a pessoa que ele atinge.

C.S. – Quantos raios caem no Brasil normalmente? Esse número tem aumentado?
O.P.J. – São aproximadamente 50 milhões de raios por ano no Brasil, o que nos coloca como o país com maior incidência de raios. Esse número tem aumentado? Para responder a essa pergunta, nós temos que usar os registros de raios históricos. E os registros começaram há cerca de 15 anos no Brasil. Então, ainda é pouco tempo para a gente responder a essa pergunta.

Agora, se nós esquecermos a quantidade de raios em si, mas pensarmos no número de tempestades, aí, sim, existem dados históricos, em alguns locais do país, em algumas cidades. Por exemplo, em São Paulo existem 120 anos de registros de números de dias de tempestades. E esse número vem crescendo. Hoje há 40% a mais de dias de tempestade em São Paulo, comparado ao que havia no início do século XX.

Como se proteger de raios?

Em países como os Estados Unidos, existem associações formadas por sobreviventes de descargas elétricas. O objetivo é promover o encontro de pessoas que passam por essa experiência traumática, para que elas possam buscar forças juntas para seguir em frente. No Brasil, esse tipo de entidade ainda não existe.

Segundo o Inpe, em quase vinte anos (entre 1991 e 2010), o número de mortos por raios no Brasil chegou a 2.640. Mais do que o número total de óbitos no mesmo período (2.475) por causa de enchentes ou deslizamentos de terra. Atualmente, a média é de 111 mortos por ano.

Estima-se que 80% das mortes por raios poderiam ser evitadas se as pessoas soubessem como agir durante uma tempestade. Confira as principais recomendações:

- Busque abrigo em carros, ônibus ou qualquer outro veículo metálico não conversível e com as janelas fechadas. Casas ou prédios, de preferência, com proteção contra raios. Abrigos subterrâneos ou áreas baixas, como desfiladeiros e vales.
- Ao ar livre, evite segurar objetos metálicos (como varas de pescar ou enxadas), empinar pipas, andar a cavalo ou nadar.
- É arriscado também buscar abrigo em pequenas construções, como barracos ou tendas, ou ficar próximo de cercas de arame, torres e árvores isoladas.

FIQUE POR DENTRO

Primeiro filme de raios feito no Brasil, *Fragmentos de paixão* é resultado de três anos de pesquisas de uma família apaixonada pelo assunto. Desde pequena, Iara Cardoso se acostumou a ouvir as histórias que o pai – Osmar Pinto Júnior – contava sobre raios. No filme, é a filha quem dirige o pai e resgata interessantes histórias de pessoas atingidas por raios no Brasil.

Enquanto isso, no Polo Norte...

Formado em geomorfologia, o fotógrafo e ambientalista americano James Balog escolheu as florestas e a vida selvagem como laboratório. Depois de trinta anos como "caçador de imagens", ele se encantou com os blocos de gelo em uma praia da Islândia. Foi amor à primeira vista.

A exuberância dos blocos, a geometria sinuosa, a textura, as nuances de cor. Tudo atraiu o fotógrafo aventureiro: "Foi lá que eu percebi o quanto esses blocos de gelo poderiam nos ajudar a entender o fenômeno da mudança climática. Porque eles estavam recuando de uma maneira muito direta, visível, sistemática. E a Islândia é o lugar onde você pode tocar e sentir a mudança climática em ação. Foi lá que o projeto inteiro nasceu."

Ele se refere ao Extreme Ice Survey ("monitoramento extremo do gelo"), um projeto ambicioso para instalar 24 câmeras nos pontos mais remotos do planeta e acompanhar o derretimento das geleiras – a prova mais contundente do aquecimento global. A ideia era acionar um dispositivo que permitisse uma nova fotografia a cada hora, durante o dia, ao longo de três anos.

"Eu sabia que essas coisas estavam acontecendo no mundo. E ouvi de muita gente que os cientistas precisavam de uma nova linguagem, de um novo vocabulário para expressar isso. E os cientistas me disseram: 'Estamos tão frustrados porque temos décadas de registros concretos do que está acontecendo, mas as medições e os gráficos já não conseguem sensibilizar as pessoas. Precisamos de outra linguagem para contar nossa história. Nós não somos contadores de histórias e, com certeza, não somos fotógrafos. Então, obrigado por ter vindo e nos ajudar a contar essa história.'"

O desafio começou na garagem de casa, com a ajuda de geólogos, engenheiros, cinegrafistas e voluntários. E continuou nas montanhas da Groenlândia, da Islândia, do Alasca e de Montana, nos Estados Unidos.

O próprio James escalou as geleiras para posicionar as unidades de monitoramento. Tudo em condições climáticas extremas: a equipe enfrentou ventos com a força de furacões e temperaturas de até 40ºC abaixo de zero.

A primeira geleira a ganhar a própria câmera foi a Solheim, na Islândia, uma alegria que virou tristeza rapidamente. A geleira foi também a primeira a agonizar – e morrer – diante das câmeras.

De todas as milhares de horas de gravação captadas pelo projeto, a imagem mais impressionante foi filmada na Groenlândia. Durante trinta dias, uma equipe acampou no mesmo ponto da geleira Store, onde um bloco tinha se soltado no início da expedição.

As câmeras ficaram apontadas para as áreas mais frágeis do gelo. Depois de 17 dias montando guarda, elas testemunharam o maior desmoronamento de gelo já registrado pelo ser humano.

Ao longo de 1 hora e 15 minutos, a geleira se despedaçou, com um barulho assustador, "desprendendo" uma área equivalente a toda parte sul da ilha de Manhattan (mais de quarenta quarteirões ou quase 18 mil m^2, onde vivem mais de 500 mil pessoas).

Com um detalhe: os blocos de gelo eram, em média, três vezes maiores que o prédio mais alto de Nova York. Alguns chegavam a ter 1.200 metros de altura.

O projeto ainda está em andamento e foi até ampliado. Hoje, conta com quarenta câmeras em diferentes ângulos, nas mesmas regiões. E as imagens, disponíveis no YouTube, são absolutamente impressionantes. O documentário *Chasing ice* mostra todas as etapas desse projeto e as incríveis imagens do degelo acelerado do Polo Norte.

Balog tem sido chamado para palestras em várias partes do mundo, nas quais conta o quanto as geleiras retraíram em cem anos e como estão agora. "Podemos mudar o arco da história se abrirmos nossos olhos e respondermos a essas evidências. Só temos que decidir que vamos fazer isso. Nós temos as ferramentas, temos as habilidades. Não há dúvida que há esperança", afirmou.

conversa com

Al Gore

Entrevista concedida a André Trigueiro,
em programa exibido em 04/11/2009.

"Ainda há tempo de enfrentar a crise ambiental"

Ex-vice-presidente americano (1993-2001), conhecido pela militância em favor das energias renováveis – principalmente após ter produzido o documentário vencedor do Oscar em 2006 *Uma verdade inconveniente*, no qual denunciou os problemas do aquecimento global (e que ganhou, em janeiro de 2017, a sequência *An Inconvenient Sequel: Truth to Power*). Em 2007, recebeu o Prêmio Nobel da Paz.

André Trigueiro – Quanto tempo o sr. acha que nós temos para evitar os piores cenários da crise climática?

Al Gore – Foi somente nos últimos anos que as lideranças científicas do mundo – quem melhor entende essa crise – começaram a afirmar que talvez tenhamos cerca de dez anos para implementar mudanças significativas até chegarmos ao ponto em que será muito mais difícil recuperar condições de vida favoráveis, tão importantes para *nós*, seres humanos.

O processo de destruição está acelerado, mas pode ser contido. E há sinais realmente encorajadores vindos dos líderes empresariais, religiosos, políticos... Os líderes de várias comunidades estão começando a dizer: "Basta! Não podemos continuar despejando 7 milhões de toneladas de gases poluentes que provocam aquecimento global na atmosfera todos os dias." Ainda temos tempo para resolver essa crise. Mas temos que começar a agir agora.

A.T. – Qual é a sua opinião sobre o Brasil: somos um país sustentável?

A.G. – Cabe destacar que o Brasil ratificou o Protocolo de Quioto e está liderando o mundo no desenvolvimento de tecnologia para a produção de combustível a álcool, que é importante porque não destrói outros nichos ambientais.

Estou convencido de que as melhores fontes de geração de emprego no Brasil virão do esforço para a redução de CO_2 – com medidas tais como reflorestamento e recuperação de áreas ambientais danificadas pelas ações do passado –, fazendo disso um negócio e tornando essas práticas mais eficientes. Então, haverá menos desperdício, mais lucratividade e produtividade.

A resposta para a sua pergunta: o Brasil é sustentável? Os Estados Unidos são sustentáveis? A civilização humana é sustentável? A resposta é a mesma para todas essas três questões: depende de nós.

A geração de hoje tem a grande obrigação de promover as mudanças que vão assegurar que a resposta seja "sim". Nossa civilização vai se tornar sustentável quando decidirmos diminuir a poluição e promover as mudanças que teríamos que fazer por outros motivos, de qualquer forma.

A.T. – O sr. poderia nos dizer como o seu documentário *Uma verdade inconveniente* aumentou a consciência internacional sobre o aquecimento global?

A.G. – Acho que há tantas pessoas que vêm tentando disseminar o conhecimento sobre o aquecimento global, que eu não quero ter tanto crédito por difundir esse conhecimento.

Na verdade, acredito que a voz mais poderosa é, sem dúvida, a da Mãe Natureza. Por causa das mudanças climáticas extraordinárias, estão se registrando novos padrões climáticos, epidemias e grandes incêndios em todas as partes do mundo. Temos a elevação do nível do mar, as tempestades cada vez mais fortes e o primeiro furacão que apareceu no Atlântico Sul, o Catarina, aqui no Brasil, em 2004.

Este é um sinal de que o Atlântico Sul tem se aquecido a ponto de que aquilo que era considerado impossível começa a acontecer. Vemos doenças que antes estavam restritas a áreas dos trópicos se espalhando para áreas populosas. E assistimos a mais secas e mais enchentes. Os cientistas previram isso.

Então, é muito importante abrir os olhos e ver com clareza essa crise planetária que nos confronta. Mas não podemos perder a esperança, porque ainda há tempo para resolver isso.

O ingrediente que falta em algumas nações, incluindo a minha, é vontade política. Mas esse é um recurso renovável. E as pessoas estão começando a renovar a vontade de agir.

resíduos

O lixo nosso de cada dia 159
Um raio-X do lixo no Brasil 159
A lei, o lixo e nós 161
Lixo Mínimo 163
Minhocasa 166
A garotada da compostagem 168
Um desperdício do tamanho do Brasil 169
Alimento que ia para o lixo vira refeição para moradores de rua 171
O charme das frutas "feias" 172
Tolerância zero com o lixo no chão 174
São Paulo: novas tecnologias para reciclar 176
Os consórcios intermunicipais 177
Reciclagem de bituca 178
O pesadelo das cápsulas de café 179
E se a lama de Mariana tivesse outro destino? 180
E o entulho: serve para alguma coisa? 181
Lixo eletrônico 183
Europa declara guerra às sacolas plásticas 184
A encrenca do isopor 187

Cuidado com os aerossóis! 188

Cemitério sustentável 189

O lixo que dá música 192

Conversa com Michael Bloomberg 193

O LIXO NOSSO DE CADA DIA

Um dos efeitos colaterais mais perversos da sociedade de consumo – onde se privilegia a cultura do descartável e do perecível – é a gigantesca quantidade de lixo gerada no mundo inteiro. São aproximadamente 10 bilhões de toneladas de resíduos por ano, com graves impactos sobre a saúde, a economia e o meio ambiente. A ONU estima que 3 bilhões de pessoas sejam diretamente atingidas pela falta de sistemas inteligentes de coleta, transporte e destinação final do lixo.

No Brasil, a maioria das cidades ainda tem vazadouros clandestinos a céu aberto, o popular "lixão", que produzem chorume (contaminando as águas subterrâneas e o solo), emitem gases de efeito estufa, atraem vetores que espalham doenças e expõem os catadores ao risco de acidentes.

O *Cidades e Soluções* exibiu dezenas de programas provando como é possível transformar lixo em energia, adubo, matéria-prima e outros insumos que geram emprego e renda de forma sustentável. Não seria exagero dizer que todos os dias desperdiçamos fortunas descartando o que não deveria ser chamado apressadamente de "lixo".

Mostramos também como não gerar resíduos desnecessariamente e até iniciativas na direção do "lixo zero". Não faltam leis, tecnologias ou até medidas simples para resolver o problema do acúmulo de lixo. O que falta é atitude!

Um raio-X do lixo no Brasil

Desde 2003, a Associação Brasileira das Empresas de Limpeza Pública (Abrelpe) lança todos os anos um relatório com informações atualizadas sobre os resíduos sólidos no Brasil. São números reveladores, que ajudam o país a perceber a gravidade da situação e a urgência de se buscar soluções para reduzir o desperdício de materiais e os riscos para a saúde e o meio ambiente.

A seguir, um breve resumo do último relatório (até o fechamento desta edição), lançado em 2016, com dados sobre o ano anterior:

- Apesar da crise econômica, a geração de resíduos sólidos urbanos cresceu 1,7% no Brasil (de 78,6 milhões de toneladas, em 2014, para 79,9 milhões de toneladas, em 2015). Os coordenadores do estudo dizem que, além do aumento da população, o brasileiro substituiu produtos (e marcas) mais caros por outros mais baratos, sem alterações importantes sobre a geração de resíduos.
- 3.326 municípios brasileiros (59,7% do total) ainda destinam seus resíduos para locais impróprios.
- Cerca de 30 milhões de toneladas de resíduos foram dispostas em lixões ou aterros controlados (chama-se de "aterro controlado" o lixão que recebeu algum investimento do município para remediar parte dos impactos). A quantidade é 1% maior do que a registrada em 2014.
- Em todo o país, 76,5 milhões de pessoas sofrem os impactos causados pela destinação inadequada dos resíduos.
- Se fosse para somar a quantidade de entulho e de lixo hospitalar abandonados nas ruas das cidades brasileiras, o volume total equivaleria a 1.450 estádios do Maracanã.
- Nos municípios maiores e mais ricos, onde se produz mais lixo, a situação é melhor. Por isso, mais da metade dos resíduos do país (58,7%) seguem para aterros sanitários.
- Estima-se que os investimentos necessários para universalizar a destinação adequada dos resíduos sólidos no Brasil sejam de aproximadamente R$ 7,5 bilhões até 2023. Esse valor representa pouco mais da metade dos R$ 13,2 bilhões que o país deve gastar nos próximos cinco anos com manutenção dos lixões existentes, tratamentos de saúde e recuperação ambiental.
- Em 2015, cada brasileiro gerou (em média) 391 kg de resíduos sólidos urbanos, o que representa um volume similar e, em alguns casos, até maior do que aquele constatado em países mais desenvolvidos e com renda (PIB *per capita*) mais alta do que a do Brasil.

A lei, o lixo e nós

Depois de mais de vinte anos de debates no Congresso, a Política Nacional de Resíduos Sólidos (PNRS), nº 12.305/2010, foi finalmente aprovada e sancionada em 2010. Ela introduziu na legislação brasileira várias mudanças importantes, que visam a reduzir o volume de lixo, eliminar os vazadouros clandestinos ("lixões") e estimular a reciclagem e a reutilização de materiais descartados como lixo.

Segue um resumo das principais novidades trazidas pela PNRS:

Resíduo não é rejeito

A nova lei estabeleceu a diferença entre *resíduo* (que pode ser reaproveitado ou reciclado) e *rejeito* (que não tem potencial de recuperação). A partir de 2014, os aterros sanitários só poderiam receber rejeitos. Todos os resíduos deveriam ter destinação inteligente (reutilização, reciclagem, produção de adubo, energia etc.). Isso ainda não acontece na maioria dos municípios do país, especialmente os pequenos.

Fim dos "lixões"

Os "lixões" (vazadouros clandestinos a céu aberto) já eram proibidos no Brasil desde 1981 com a Política Nacional de Meio Ambiente. A PNRS estabeleceu um prazo de dois anos para que os municípios elaborassem seus planos de gestão de resíduos sólidos e de quatro anos (encerrado em 2/8/2014) para que destinassem adequadamente os resíduos.

Segundo o Ministério do Meio Ambiente, no encerramento do prazo, somente 2.202 municípios – de um total de 5.570 – estabeleceram medidas para garantir a destinação adequada do lixo. Na época, o Ministério informou que muitas prefeituras (especialmente as de cidades pequenas) não dispunham de capacidade técnica para realizar seus planos e acessar recursos federais.

Ainda assim, o governo defendia a aplicação da lei, que prevê a investigação dos prefeitos por crime ambiental (eles podem até perder o mandato), com aplicação de multas de até R$ 50 milhões, além do risco de não receberem mais verbas federais na área de resíduos.

As associações que representam os interesses dos municípios reagiram e pressionaram o governo e o Congresso a prorrogarem os prazos da lei.

Existem hoje no Congresso vários projetos em tramitação sugerindo a prorrogação dos prazos para a destinação adequada dos resíduos e rejeitos no Brasil.

Alguns especialistas afirmam que prorrogar o prazo não resolve o problema, já que a questão do financiamento dos novos projetos continua em aberto. Uma das saídas – que seria cobrar pelo serviço de coleta/transporte e destinação final do lixo – é malvista pela maioria dos prefeitos e até pela população, embora seja entendida por alguns técnicos do setor como a única solução.

Consórcios intermunicipais

A lei indica como alternativa a criação de consórcios intermunicipais, que dividiriam os custos de um aterro sanitário (ou de outra solução qualquer) para a destinação correta de resíduos e rejeitos.

Aproveitamento energético

A lei indica como possibilidade o aproveitamento energético dos resíduos. O potencial de geração de energia a partir do lixo já foi medido pela empresa de pesquisa energética do governo federal. A queima do gás do lixo acumulado em aterros no Brasil seria suficiente para atender a 1,5% do consumo nacional, enquanto que a incineração (queima direta) atenderia até 5,4%.

Logística reversa

A lei estabelece que todos os geradores de resíduos são responsáveis pela destinação final do que for descartado. É o que se convencionou chamar de logística reversa. Uma fábrica de geladeiras ou de refrigerantes, por exemplo, deverá participar da solução para que, ao fim da vida útil de cada produto – ou seja, no momento de se descartar a geladeira velha ou a embalagem do refrigerante –, esses resíduos sigam para o lugar certo.

A lei cita nominalmente seis diferentes cadeias produtivas que ficam obrigadas a implantar o sistema de logística reversa de forma independente do serviço público de limpeza urbana. Mas, até hoje, nem todas as cadeias conseguiram fechar seus respectivos acordos setoriais.

Algumas se enquadraram rapidamente às novas rotinas (embalagens plásticas de óleos lubrificantes, lâmpadas fluorescentes de vapor de sódio, mercúrio e luz mista), mas outras ainda estão em dívida com a política (medicamentos e produtos eletroeletrônicos).

Mas a logística reversa alcança também importadores, distribuidores, comerciantes e até o cidadão comum. O que a lei estabelece de forma muito clara é que *todos* somos responsáveis pelos resíduos que geramos.

Os catadores e as cooperativas

Os catadores de resíduos são valorizados, e as cooperativas ou associações passam a ser priorizadas nos acordos setoriais de logística reversa. O cooperativismo valoriza o profissional que atua no setor, elevando as receitas com a separação de materiais e reduzindo os riscos de exploração de mão de obra.

Apesar da nova lei, a situação dos catadores no Brasil continua difícil, demandando muitos cuidados e atenção.

Incentivos fiscais

A lei prevê políticas de incentivos econômicos e tributários para estimular o mercado de recicláveis e o acesso facilitado a produtos e serviços relacionados às novas rotinas previstas na política. Nenhum desses incentivos chegou a sair do papel.

Lixo Mínimo

A região de Visconde de Mauá, na serra da Mantiqueira, é refúgio de turistas que procuram um contato mais próximo com a natureza, ar puro, águas limpas e paisagens deslumbrantes na divisa entre os estados do Rio de Janeiro e Minas Gerais.

O mais antigo hotel das redondezas fica em Bocaina de Minas, nas proximidades do rio Preto. Há quase noventa anos administrado pela mesma família de origem alemã (ele foi inaugurado em 1931), o hotel é pioneiro no uso sustentável dos recursos naturais.

A maior parte da energia do hotel (70%), por exemplo, vem de uma pequena usina, cuja primeira instalação, ainda bem rudimentar, foi construída em 1945, aproveitando a passagem da água de um rio que atravessa a propriedade.

Mas o maior orgulho da família é o projeto Lixo Mínimo. A meta estabelecida pelo hotel de evitar a todo custo gerar resíduos mobiliza um intenso aparato que alcança funcionários e hóspedes. Os recicláveis (lixo seco) são separados com precisão germânica. Uma vez por semana, um caminhão da Associação de Catadores de Resende leva o material para a cidade, que fica a 40 km de distância.

Na cozinha do hotel (que pode abrigar até sessenta hóspedes), todos os funcionários são treinados para separar restos de comida, especialmente cascas de legumes, frutas e verduras. O material é lavado, secado e colocado em um recipiente identificado com a inscrição "lixo orgânico para reciclagem". Esse resíduo é colocado em uma área nos fundos do hotel, para onde são levados também os resíduos orgânicos produzidos pelos hóspedes nos quartos (inclusive papel higiênico usado).

Tudo é colocado dentro de uma composteira, uma grande caixa de alvenaria com pequenos furos laterais que permitem a entrada do oxigênio. É esse oxigênio que nutre os micro-organismos necessários à decomposição do material. O equipamento não atrai insetos nem gera odor (só dá mau cheiro se faltar oxigênio ou tiver excesso de água). O resultado é um adubo de excelente qualidade. Cada colher desse composto orgânico tem aproximadamente dois mil micro-organismos. É esse adubo natural que fertiliza a horta do hotel onde são cultivados 25 tipos diferentes de hortaliças.

O hotel criou o cemitério de guimbas (ou bitucas) de cigarro e o de fraldas (que também recebe absorventes, fio dental, e outros materiais que não podem ser reaproveitados). São buracos abertos no solo onde esses materiais são depositados e permanecem vedados por tempo indeterminado.

E o que fazer com aqueles sabonetinhos que não chegam a ser usados até o fim e costumam ser descartados como lixo na maioria absoluta dos hotéis e pousadas do Brasil?

O projeto Lixo Mínimo prevê uma destinação inteligente para esse material. Aproximadamente duzentos sabonetinhos deixados pelos hóspedes são totalmente reciclados. Eles são lavados e misturados com água fervente para depois ficar de molho em um balde por duas semanas até virar uma pasta. Após esse tempo, a pasta é batida no liquidificador para virar sabão. Pode-se até acrescentar algumas gotas de essência de eucalipto para dar um cheirinho especial.

Outra linha de produção de sabão tem origem no óleo de fritura que é recolhido na cozinha. Para cada 5 litros de óleo mistura-se 1 litro de água fervendo, 1 litro de álcool e 500 gramas de soda cáustica. Deixa-se a pasta na forma por dois dias e o resultado são barras de sabão usadas no próprio hotel.

O que não é reciclável no hotel tem outro destino. As partes menos interessantes do lixo (esponjas velhas, tênis despedaçados, embalagens aluminizadas, pilhas etc.) são separadas e aguardam o momento certo para "desaparecer".

A cada nova obra ou reforma, a direção do hotel orienta os pedreiros a colocarem esses resíduos (devidamente triturados) dentro dos tijolos antes de erguer um muro ou uma parede. As construções do hotel são na verdade "cemitérios verticais" que escondem esse gênero de resíduo inservível.

A experiência do hotel inspirou o livro *Lixo Mínimo, uma proposta para a hotelaria* (Ed. Senac Nacional), escrito pela jornalista e dona de pousada Silvia de Souza Costa. A obra resume as principais dicas para se reduzir ao máximo o volume de lixo na rede hoteleira, e os cuidados que precisam ser tomados no treinamento dos funcionários e na orientação dos hóspedes.

NOS BASTIDORES

O programa sobre o projeto Lixo Mínimo rendeu ao *Cidades e Soluções* o primeiro prêmio em dinheiro de sua história (ver lista de prêmios na página 319). Graças a ele, em 2007, conquistamos o Prêmio Ethos de Jornalismo – Prêmio Especial do Júri na categoria Mídia – no valor de R$ 10 mil. Era (ainda é) uma bolada!

Depois dos festejos, veio a dúvida. O que seria feito com o dinheiro? Sugeri para a equipe que a produtora/editora Marina Saraiva pudesse usar a totalidade do dinheiro para financiar o curso de Pós-Graduação Executiva em Meio Ambiente oferecido pela COPPE/UFRJ.

Eu já havia feito o curso em 2000 e, como editor do programa, entendia que se deveria qualificar a equipe com pessoas versadas na área ambiental. Além disso, a colega já vinha manifestando há meses interesse em fazer o curso, mas não dispunha dos recursos necessários.

Marina completou o curso (360 horas) e "turbinou" as reuniões de pauta do *Cidades* com muita informação útil. Desde então, virou tradição do programa o rateio dos valores com todos os que participaram direta ou indiretamente do projeto premiado.

Enquanto isso, na clínica psiquiátrica...

A experiência do hotel em Bocaina de Minas inspirou uma clínica psiquiátrica, no bairro da Gávea, na zona sul do Rio de Janeiro, a fazer algo parecido. O administrador da clínica frequentava o hotel há mais de trinta anos e resolveu replicar o projeto Lixo Mínimo.

O volume de lixo da clínica é bem maior. São servidas setecentas refeições por dia que geram aproximadamente 80 kg de lixo orgânico. O material leva em média quatro meses para virar adubo. Ao todo, foram investidos R$ 20 mil com equipamentos, acessórios, treinamento e placas de sinalização.

O resultado veio rápido e impactou positivamente as contas da clínica. Graças ao projeto, foi possível reduzir os custos com limpeza no estabelecimento. Antes, gastavam-se quase R$ 3 mil por mês com a coleta e o transporte do lixo orgânico para aterros credenciados. Graças ao "lixo mínimo", essa despesa caiu para aproximadamente R$ 900,00 por mês.

Minhocasa

Que tal transformar o lixo orgânico em adubo dentro de casa ou do apartamento com o precioso auxílio de minhocas?

O projeto Minhocasa foi inspirado na experiência da Austrália, onde algumas cidades oferecem cursos e distribuem kits aos moradores interessados em transformar a parte orgânica do lixo em adubo de excelente qualidade.

O *Cidades e Soluções* acompanhou uma aula oferecida em Brasília por uma ONG que replicou essa experiência no Brasil. Cada aluno aprende que a minhoca é um excelente reciclador de matéria orgânica, e pode ser cultivada dentro de casa ou do apartamento sem ocupar muito espaço, exalar mau cheiro ou atrair insetos. Basta que as regras ensinadas no curso sejam seguidas.

A minhoca vermelha da Califórnia e a gigante africana são as mais indicadas para esse sistema. Elas se reproduzem sozinhas (são hermafroditas) e geram de 5 a 12 novas minhoquinhas por vez.

O sistema permite a conversão em adubo de até 30 litros de lixo orgânico por mês. O interessado deverá aprender a manipular o kit (composto por três caixas sobrepostas) e a alimentar corretamente as minhocas.

Se o responsável tiver que viajar por algumas semanas, elas se cuidam sozinhas. Fungos e bactérias complementam a digestão da matéria orgânica dentro das caixas, de onde sai húmus em forma sólida (terra preta) e líquida, para dispersão nas plantas ou jardins.

NOS BASTIDORES

Ser vermicultor nunca foi um projeto de vida. Mas testemunhar a conversão do lixo orgânico em adubo a partir do trabalho persistente, silencioso e higiênico das minhocas mexeu comigo.

Não demorou muito, lá estava eu recebendo pelo correio o kit da Minhocasa (duas caixas, um saco de húmus com minhocas da Califórnia e um indispensável manual de instruções). A cozinha do apartamento onde moro é pequena, mas o kit é modesto e coube muito bem.

Foi interessante acompanhar a multiplicação das minhocas dentro da caixa (um sinal importante de adaptação) e, semanas depois, do aparecimento da terra preta.

O húmus produzido pelas minhocas passou a ser aplicado regularmente nas plantas do apartamento juntamente com o líquido residual do processo. Os vegetais se tornaram mais resilientes e viçosos.

Minhoca inspira política pública

A Prefeitura de São Paulo abriu inscrições pela internet, em 2014, para quem desejasse participar de um projeto pioneiro no Brasil: receber uma composteira doméstica (com minhocas) para tratar o lixo orgânico dentro de casa, acompanhada de um manual explicativo de todo o processo.

A resposta surpreendeu os responsáveis pela iniciativa. Mais de 10 mil pessoas se inscreveram, das quais apenas 2 mil receberam os kits disponíveis. Os escolhidos se comprometeram a enviar informações sobre os resultados da compostagem, sugestões e críticas.

Dois anos depois, com base nas informações enviadas, descobriu-se que os participantes ajudaram outras 2.525 pessoas a fazerem composteiras por conta própria, o que permitiu que aproximadamente 250 toneladas de resíduos orgânicos por ano deixassem de seguir para os aterros de São Paulo.

ECODICAS

Como alimentar as minhocas?

Para cada parte de lixo orgânico fresco (cascas e talos de frutas, verduras e legumes), devem-se adicionar na Minhocasa duas partes de lixo orgânico seco (folhas de papel ou jornal, folhas secas, serragem etc.). Nessa proporção, garante-se o equilíbrio de nitrogênio e carbono que assegura o sucesso da compostagem. Tudo isso bem picadinho para facilitar a ingestão das minhocas.

As minhocas também podem digerir com facilidade rolos de poeira ou de cabelo, pó de café e filtros de papel, saquinhos de chá, flores e ervas, caixas de pizzas (se não plastificadas), cinzas (sem sal) da churrasqueira etc.

Mas atenção: elas não devem ser alimentadas com restos de carne ou peixes (ossos, sim). Também não podem ser colocadas na Minhocasa fezes de cachorros, gatos ou humanos.

A garotada da compostagem

Um estudante de Engenharia Ambiental arranjou trabalho em uma grande empresa de compostagem, onde acabou tendo uma ideia genial. Que tal montar seu próprio negócio com compostagem? Esse foi o ponto de partida do Ciclo Orgânico, um projeto que oferece brindes para quem der a destinação correta para o próprio lixo.

Para a coleta a domicílio – sempre de bicicleta –, paga-se R$ 75,00 por mês, ou R$ 55,00 se a preferência for deixar os resíduos num dos pontos de coleta do projeto. Todos os clientes têm direito a um brinde: um saco de adubo orgânico ou uma muda de árvore, junto com um cartãozinho dizendo o quanto de gás carbônico deixou de ser emitido no processo.

Todo o resíduo coletado vai para as composteiras gigantes que o Ciclo Orgânico mantém num parque e duas escolas públicas da zona sul do Rio de Janeiro. A mistura entre o nitrogênio dos alimentos e o carbono das folhas secas, turbinada pela serragem, gera um calor de mais de 60ºC, ambiente ideal para os micro-organismos se multiplicarem e degradarem o lixo mais rápido.

A química precisa ser perfeita, porque, se tiver muito nitrogênio e pouco carbono, a composteira dá mau cheiro e atrai moscas. Se for o contrário, a compostagem demora mais para acontecer. A compostagem termofílica não usa minhocas porque elas não gostam de calor. Por isso, a vermicompostagem usa recipientes mais rasos e menores, e acabou se tornando o método mais comum de compostagem doméstica.

Em quase dois anos de projeto (desde julho de 2015), foram recolhidas aproximadamente 50 toneladas de resíduos, que por meio da compostagem deixaram de emitir 38,5 toneladas de CO_2/E. O processo resultou na produção de 30 toneladas de adubo orgânico de excelente qualidade.

No início de 2017, o número de clientes chegou a 350. A equipe também cresceu: são três ciclistas, dois estagiários, um voluntário e o ex-estudante de Engenharia Ambiental – formado pela UFRJ –, que comanda o negócio e fatura aproximadamente R$ 20 mil por mês.

Um desperdício do tamanho do Brasil

O que se joga fora de comida por ano no Brasil daria para alimentar aproximadamente 30 milhões de pessoas. É a população, por exemplo, de um país como o Iraque. Cada um de nós gera, em média, 1 kg de lixo por dia e mais da metade disso é matéria orgânica. São 22 milhões de toneladas de alimentos que vão parar na lixeira. Resíduos que se transformam em uma bomba-relógio ambiental na maioria das cidades brasileiras.

Abandonados a céu aberto em vazadouros clandestinos, a decomposição desses resíduos produz chorume, que contamina as águas subterrâneas, e gás metano, que agrava o efeito estufa. Além de atrair ratos, moscas e baratas.

É nesses locais que milhares de pessoas acabam vivendo, na tentativa arriscada de ganhar a vida. Mas há quem já enxergue no lixo uma maneira correta de trabalhar e excelentes oportunidades de negócio. A destinação inteligente do lixo úmido já é realidade em várias empresas do Brasil.

Adubando os negócios

A equipe do *Cidades e Soluções* acompanhou a rotina de uma empresa que vai buscar de caminhão, todos os dias, os restos de comida dos bandejões de grandes indústrias na Região Metropolitana do Rio de Janeiro. O que é deixado no prato dos funcionários vai se acumulando em bombonas que o caminhão leva.

Em uma fábrica de beleza, de restinho em restinho, chega-se a 5 toneladas de resíduos por mês. Numa outra fábrica de equipamentos, em vez de aterros credenciados, as 3 toneladas de lixo orgânico recolhidas por mês passaram a ter outro destino mais nobre e ambientalmente correto.

Acompanhamos a rotina dessa empresa, uma das primeiras a transformar o lixo orgânico em negócio lucrativo. O material é levado para um imenso galpão em Magé, na Região Metropolitana do Rio, onde acontece a compostagem.

O processo que levaria de cinco a seis meses para ser concluído é acelerado com a ajuda da biotecnologia. Um líquido contendo nutrientes especiais para os micro-organismos que digerem a matéria orgânica – a fórmula é secreta – é borrifado sobre a montanha de restos de comida. Graças a isso é possível completar a compostagem em até quarenta dias.

Outra vantagem desse sistema é que ele reduz drasticamente as emissões de gases de efeito estufa, que provocam o aquecimento global. Nos aterros de lixo, geram-se 400 gramas de gás para cada quilo de lixo orgânico. Nas composteiras, essa emissão fica em torno de 4 gramas, por quilo, ou seja, cem vezes menos.

O que antes era resto de comida vira material seco, sem cheiro ou riscos para a saúde. Misturado à terra preta, o composto é ensacado para, então, se transformar em um produto cobiçado no mercado de jardinagem.

O negócio cresceu. Hoje a empresa ocupa uma área equivalente a 17 campos de futebol em Cachoeiras de Macacu (RJ), onde foi instalada uma usina de compostagem com capacidade para processar 850 toneladas de resíduos por mês. Leiras de 60 metros de comprimento são revolvidas por máquinas e equipamentos que facilitam a aeração e a decomposição adequada do material. Em vez de vender adubo no varejo, a empresa agora utiliza essa matéria orgânica para fertilizar a maior produção de coco orgânico do estado do Rio.

Como se vê, quem presta atenção na riqueza do "lixo" faz bons negócios.

Alimento que ia para o lixo vira refeição para moradores de rua

Imagine juntar os grandes nomes da gastronomia e desafiá-los a preparar pratos nutritivos, saborosos e requintados para a população de rua a partir dos restos de alimentos descartados como lixo nos grandes mercados.

Um dos mais emocionantes programas *Cidades e Soluções* que já fizemos registrou dois dias de trabalho no Refettorio Gastromotiva, projeto inspirado no conceito de gastronomia social que, entre outras atividades, serve regularmente refeições para moradores de rua no bairro da Lapa, no centro do Rio de Janeiro. Até o dia da gravação, haviam sido servidas 5.040 em setenta encontros inesquecíveis e emocionantes.

A cada semana, o projeto recebe 2 toneladas de alimentos doados por atacadistas. Boa parte desses alimentos não tem mais apelo comercial por estar com aparência feia (amassada, cortada, madura demais etc.). Muitas frutas, legumes e verduras chegam tão castigados que não se prestam a qualquer aproveitamento na cozinha e seguem direto para o lixo (embora uma das metas do projeto seja assegurar destinação inteligente também para esse resíduo). Mas a maioria é muito bem aproveitada.

Bastam 40 kg de alimentos por dia para que o projeto funcione. Transformar tudo isso em pratos saborosos é o desafio que já mobilizou mais de cinquenta *chefs* de cozinha do Brasil e do exterior. Entre eles, estão estrelas da gastronomia internacional, como o italiano Massimo Bottura – considerado o "número 1 do mundo" –, o francês Alain Ducasse e o espanhol Joan Roca.

A equipe do *Cidades e Soluções* acompanhou em dias diferentes o trabalho de dois *chefs* de cozinha de conhecidos restaurantes cariocas que aceitaram o desafio de preparar – a partir desses restos de comida – pratos saborosos para setenta moradores de rua.

Os profissionais convidados contam sempre com a ajuda da equipe fixa do projeto – integrada por muitos estudantes de gastronomia – que dá todo suporte às ideias do *chef*, e se beneficiam da experiência dele.

Em um dia onde não houve doação de proteína animal, vimos um *chef* planejar o seguinte cardápio com os ingredientes disponíveis: gaspacho (aproveitando boa parte dos muitos tomates doados), tortilha de batata e bolo de banana com sorvete.

O *chef* convidado chega pela manhã, organiza as rotinas e fica o dia inteiro comandando os trabalhos da equipe. A maioria absoluta dos *chefs* convidados jamais havia servido moradores de rua.

O ineditismo também vale para os voluntários que servem os pratos. Há inclusive empresas que reservam todas as vagas de garçom para seus funcionários – essa é uma das receitas financeiras do projeto, que usa um espaço cedido pela Prefeitura – para que eles registrem algo de útil no dia a dia a partir dessa experiência. É de fato um acontecimento especial.

Os moradores de rua são convidados a participar da ceia por organizações assistenciais parceiras do Refettorio Gastromotiva. O momento em que as portas são abertas para a entrada deles é particularmente emocionante (para muitos deles, será a única refeição do dia). Eles entram, se sentam e percebem-se como o centro das atenções. O *chef* de cozinha convidado dá, então, as boas-vindas e anuncia o cardápio do dia. Os pratos impressionam pela beleza e sabor.

Fustigados pelo dia a dia na rua, onde por vezes a luta pela sobrevivência determina conflitos e disputas dolorosas, essas pessoas recebem no galpão do projeto na Lapa um tratamento digno e respeitoso.

Uma refeição não mudará a rotina difícil deles. Mas o que acontece ali vai muito além disso. Há o acolhimento, o reconhecimento. Por algumas horas, eles deixam de ser invisíveis – morador de rua costuma ser alvo do mais profundo desprezo ou indiferença – e recebem atenção e carinho. É nutrição emocional e espiritual.

O charme das frutas "feias"

A Organização das Nações Unidas estima que 30% de toda a produção agrícola do mundo sejam jogados fora. O desperdício é imenso e uma das iniciativas mais simples e eficientes para resolver o problema foi mostrada pelo *Cidades e Soluções* em dois países da Europa.

Toneladas de frutas, legumes e verduras, normalmente desprezados no varejo por não terem uma boa aparência, ocupam lugar de destaque em alguns mercados de Portugal e da França.

A cooperativa portuguesa

A cooperativa portuguesa Fruta Feia, além de aceitar doações, também compra dos produtores rurais tudo o que costuma ser descartado por estar amassado, perfurado, maduro demais, muito pequeno ou que apresente qualquer outro problema. Para os produtores, tornou-se uma forma de ganhar uns trocados (ainda que o valor seja baixo) pela venda do que normalmente iria para o lixo, sem retorno financeiro algum.

Todos os produtos recolhidos são dispostos em embalagens próprias para fácil identificação. Os consumidores cadastrados na cooperativa têm que recolher os produtos no próprio dia, já que o projeto não tem espaço disponível para fazer estoques.

Na época da reportagem, eram 420 sócios, mas havia uma fila de espera com mais 2 mil pessoas. Eles pagam, em média, metade do preço do produto no supermercado.

Os feios mais queridos da França

Na França, frutas, legumes e verduras com má aparência também são vendidos em gôndolas especiais em vários supermercados. Os franceses não perderam a chance de colocar uma pitadinha de humor nas embalagens desses produtos, onde se lê mensagens como "caras deformadas" ou "o que tem de errado com a minha cara?" (em referência a uma música do famoso cantor francês Johnny Hallyday). Vale tudo para chamar a atenção dos consumidores para o problema do desperdício de alimentos.

Logo nas primeiras semanas da iniciativa, os estoques de frutas e legumes fora dos padrões acabaram rapidamente. Em um supermercado popular da periferia de Paris, ouvimos alguns clientes que adoram levar para casa os produtos, digamos, menos atraentes.

"O aspecto não conta. O que eu olho na hora de comprar é se está madura como deve ser, para que tenha um gosto bom. Depois, eu olho qual tem o melhor preço. Mas eu não me importo que sejam grandes ou finas demais. Não me importo se não forem bonitos", disse uma cliente.

"Tem pessoas que têm um orçamento muito apertado e eu compreendo quem procura um preço baixo. Ontem mesmo, no sul de Paris, eu vi gente revirando lixo. A alimentação é um gasto alto aqui na França", acrescentou. "Se queremos fazer um molho de tomate, como eu costumo fazer, não vale a pena pegar tomates bonitos e sem defeito, afinal vamos descascá-los, cortá-los e cozinhá-los", declarou outra cliente.

O primeiro supermercado a oferecer produtos "feios" com desconto registrou um aumento de 24% das vendas de frutas e legumes em apenas uma semana. Com o sucesso, vários outros concorrentes também aderiram à campanha – dos mais populares até os mais caros.

Tolerância zero com o lixo no chão

O Rio de Janeiro foi a primeira capital do Brasil (e uma das primeiras cidades de todo o país) a organizar um sistema de fiscalização para reprimir e multar quem joga lixo no chão.

Após o primeiro mês de vigência do programa Lixo Zero, o *Cidades e Soluções* fez uma edição mostrando os resultados da ação e comparando a experiência do Rio com a de outras cidades do mundo que realizam movimentos semelhantes: Nova York, Paris e Tóquio.

Quem mora no Rio de Janeiro já sabe: não importa o tamanho do resíduo. Se for flagrado pela fiscalização jogando no lugar errado, a multa é aplicada na hora.

Apenas um mês depois do início do Lixo Zero, haviam sido multadas 2.133 pessoas. A maioria no centro da cidade (76,37%), principalmente por pequenos resíduos jogados no chão (na maior parte dos casos, bitucas de cigarros). As multas pesam no bolso:

- Para qualquer objeto descartado com tamanho igual ou menor ao de uma lata de cerveja, a multa é de R$ 200,00.
- Para resíduos maiores que uma lata de cerveja e menores que 1 m^3, o valor sobe para R$ 502,00.
- O que for descartado de forma inadequada com tamanho acima de 1 m^3 custará R$ 1.249,00.
- Esse valor pode chegar até R$ 4.001,00, em caso de entulho, por exemplo.
- Para o cidadão que for flagrado fazendo xixi na rua, a multa é de R$ 548,00.

A Guarda Municipal (sempre acompanhada de um fiscal da Companhia Municipal de Limpeza Urbana) usa um computador portátil (*palm top*), com acesso a internet, acoplado a uma mini-impressora para aplicar as multas na rua. Basta o número do CPF para que a multa seja registrada. Se o cidadão se recusar a dar o CPF, é levado por um PM até a delegacia mais próxima.

Quem for multado tem o direito de recorrer. Se, ainda assim, for considerado culpado e decidir não pagar a multa, terá o título protestado pela Prefeitura e o nome inscrito no Serasa. Ou seja, poderá ter dificuldades para pedir empréstimos ou fazer compras parceladas no varejo.

Logo no primeiro mês de vigência do programa Lixo Zero já foi possível constatar a diminuição do volume de resíduos que antes eram recolhidos nas ruas. Segundo dados da Comlurb, a redução chegou a 50% no centro, primeiro bairro onde os fiscais começaram a atuar, 46% em Copacabana, e 42% em Ipanema, Leblon, Lagoa, Gávea e Jardim Botânico.

Três "Maracanãs" de resíduos

No ano anterior ao da nossa reportagem foram recolhidas das ruas, praias, encostas e outros lugares da cidade onde não deveria haver lixo nenhum, mais de 1 milhão e 225 mil toneladas de resíduos. O equivalente a três estádios do Maracanã repletos de lixo, do chão até o teto!

Pelas contas da companhia de limpeza, foram gastos R$ 600 milhões com a varrição de calçadas e a retirada de lixo das praias no réveillon anterior à gravação do nosso programa. Outras comparações ajudam a dar a dimensão do problema: se fosse possível reduzir em apenas 15% o volume de lixo despejado no lugar errado, no Rio de Janeiro, o dinheiro economizado seria suficiente para construir:

- 1.184 casas populares;
- 30 clínicas da família;
- 22 creches modernas (como os Espaços de Desenvolvimento Infantil – Edis).

Com orçamento de R$ 1.200 bilhão, o quinto maior do município, a Comlurb vem demandando cada vez mais dinheiro público para poder manter a cidade limpa.

O papel da escola

Além da multa, é importante ensinar a garotada desde cedo a não jogar lixo no chão. Esse trabalho preventivo já é feito pela Secretaria Municipal de Educação do Rio em todas as 1.074 escolas do município.

Mas, apesar dos 650 mil alunos serem estimulados desde pequenos a não jogar lixo no lugar errado, a própria Secretaria reconhece que, quando o mau exemplo vem dos pais ou responsáveis, fica difícil ensinar diferente.

Um balanço do Lixo Zero

De 20/08/2013 – quando foi lançado oficialmente – até março de 2017, o programa Lixo Zero aplicou 210 mil multas. A Comlurb não informou os valores arrecadados, mas diz que 100% dos recursos são revertidos na manutenção do programa que atende 97 bairros da cidade (23 deles permanentemente e o restante em *blitzes* frequentes). Nos bairros onde a fiscalização é permanente, a redução do volume de lixo descartado nas ruas chega a 63%.

O programa Lixo Zero já foi adotado por mais de vinte cidades brasileiras, dentre elas: Teresina-PI (fevereiro 2014); Porto Alegre-RS (abril 2014); Joinville-SC (maio 2014); Canoas-RS (junho 2014); Santos-SP (julho 2014); Novo Hamburgo-RS (julho 2014); Cuiabá-MT (setembro 2014) e Alvorada-RS (janeiro 2014).

São Paulo: novas tecnologias para reciclar

A maior central de triagem de materiais recicláveis do Brasil impressiona pelo tamanho e pela tecnologia. A unidade visitada pelo *Cidades e Soluções* (uma das duas em funcionamento na época em São Paulo) tem 4.200 metros de área ocupados por máquinas e equipamentos importados da Alemanha, França e Itália.

São Paulo investiu em tecnologia de ponta para transformar, apenas nessa usina, mais do que o dobro da capacidade de processamento de materiais recicláveis de todas as 22 cooperativas de catadores credenciadas pelo município.

O sistema mecanizado (equipado com scanners e máquinas que fazem a segregação dos materiais por fibra ótica) é capaz de processar 125 toneladas de recicláveis por dia e, apesar de todo o aparato tecnológico, emprega sessenta catadores. São eles que participam da etapa final da triagem, separando os materiais de maior valor comercial.

A cidade de São Paulo gera, aproximadamente, 12.500 toneladas todo dia. Cerca de 35% desse volume é de lixo seco (reciclável). O incremento da reciclagem permitiria que só seguissem para os aterros de lixo os rejeitos (ou seja, os que não têm nenhuma utilidade, nem se prestam à reciclagem).

O objetivo seria reduzir de 98% para apenas 20%, em um período de vinte anos, o volume de resíduos encaminhado para os aterros. Com as duas centrais de triagem de materiais recicláveis, seria possível reaproveitar aproximadamente 10% do lixo gerado pela cidade.

As centrais de triagem foram montadas com recursos públicos repassados às concessionárias privadas. São elas que operam o sistema. A cada mês, o município paga R$ 36 milhões para cada uma. Esse dinheiro é usado para a manutenção de máquinas, equipamentos, caminhões de coleta e funcionários.

O dinheiro arrecadado com a venda dos recicláveis para as indústrias vai para um fundo privado, que tem a missão de remunerar as cooperativas de catadores participantes do projeto e estimular toda a cadeia da reciclagem em São Paulo.

Os consórcios intermunicipais

A maioria dos municípios pequenos do Brasil ainda tem lixões. Em boa parte dos casos, os prefeitos alegam falta de recursos para dar uma destinação adequada aos resíduos.

No Rio Grande do Sul, 12 cidades que se enquadram nesse perfil – Alpestre, Constantina, Engenho Velho, Entre Rios do Sul, Gramado dos Loureiros, Novo Xingu, Nonoai, Rio dos Índios, Ronda Alta, Sarandi, Três Palmeiras e Trindade do Sul – decidiram se unir para resolver o problema. Assim nasceu, em 2005, um consórcio intermunicipal (Conigepu) para implantar um sistema integrado de coleta, transporte e destinação final dos resíduos.

Todos os dias aproximadamente 30 toneladas de lixo são recolhidas nas cidades que integram o consórcio e levadas para a usina de reciclagem do consórcio, em Trindade do Sul. Para a construção do complexo foram investidos R$ 800 mil, incluindo o aterro, as construções e o maquinário. Parte do dinheiro veio de recursos federais e o restante foi dividido entre as prefeituras consorciadas.

O resultado da coleta seletiva (fardos com papel, papelão, metais, plásticos e vidro) é vendido em leilões públicos, garantindo uma receita média mensal de aproximadamente R$ 18 mil. Para cobrir as despesas da usina são necessários mais R$ 12 mil, pagos pelas prefeituras.

Trinta e cinco por cento dos resíduos que entram na usina são materiais que não podem ser reciclados, por isso são prensados e levados para o aterro sanitário. A meta do consórcio é transformar em adubo a parte orgânica do lixo. Para isso, foi construído um galpão para compostagem que, até o fechamento deste livro, aguardava aprovação dos órgãos ambientais do estado para entrar em operação.

Reciclagem de bituca

Pequenininho. Malcheiroso. Poluente. E tóxico. Agora multiplique isso por 390 milhões. Essa é a quantidade estimada de "bitucas" (ou "guimbas") de cigarro descartadas como lixo todos os dias no Brasil.

A maior parte vai parar nas ruas sem que as prefeituras saibam exatamente o que fazer com esse resíduo fedorento e gorduroso, que leva centenas de anos para se decompor, poluindo as águas e transportando cerca de 8.700 substâncias tóxicas contidas no filtro.

O *Cidades e Soluções* mostrou os bastidores de uma usina de reciclagem de bituca de cigarro em Votorantim, a pouco mais de 100 km de São Paulo. O ponto de partida do projeto foram os 890 coletores de bituca espalhados pela Região Metropolitana de Sorocaba.

Quem trabalha nessa usina é obrigado a usar uma máscara de proteção das narinas, porque o odor desprendido pelas bitucas é muito forte.

O processo de reciclagem começa com o cozimento por cinco horas do material em gigantescas panelas industriais (4 kg de resíduos por vez) a 100ºC. Adiciona-se, então, uma solução química desenvolvida por pesquisadores da Universidade de Brasília (UnB), que permite a segregação das toxinas presentes na bituca.

Essa carga tóxica fica retida na água, que é retirada da panela. Após 15 horas de decantação, 90% dessa água retornam para as panelas, onde serão reutilizadas em novos cozimentos. Os 10% restantes constituem um lodo, que está sendo estudado para eventual uso como inseticida.

A parte sólida que sai da panela é chamada de polpa, e passa por uma lavagem especial que deixa a celulose da bituca ainda mais limpa e higienizada. Essa lavagem é feita com água de chuva coletada no telhado da usina. Depois essa polpa é prensada e secada.

As "bolachas" de celulose não contêm nenhuma toxina, são inertes, não têm cheiro, e servem de matéria-prima para a fabricação de papel e papelão. Essa é a única usina de reciclagem de bituca de cigarro do gênero no mundo.

A farra do "bolachão"

A polpa da celulose presente na bituca do cigarro foi batizada de "bolachão" nas aulas de arte do Sesi (Serviço Social da Indústria), também em Votorantim. Nelas, a bituca de cigarro inspira as mais diversas atividades pedagógicas.

Entre outras coisas, os alunos aprendem a hidratar a polpa, retirar pequenos chumaços úmidos, e envolvê-los em sementes de árvores para projetos de reflorestamento. E se divertem enterrando as "bombas de semente" de espécies nativas da Mata Atlântica nos jardins da escola.

Outra atividade muito apreciada pela garotada é a fabricação de papel em sala de aula, com a ajuda de telas que comprimem a celulose e a deixam no formato de uma folha.

O tempo inteiro os professores lembram que a matéria-prima daquele trabalho vem de algo tóxico, que normalmente gera impactos ambientais (fora os estragos causados à saúde do fumante) e que ali tem uma função nobre, regenerativa, ecológica.

O pesadelo das cápsulas de café

A febre do cafezinho em cápsulas determinou o aparecimento de um novo gênero de resíduo que se multiplica rapidamente pelo mundo sem destinação adequada.

O jornalista americano Murray Carpenter fez as contas e concluiu que, se as cápsulas de café descartadas como lixo em 2011 fossem colocadas lado a lado, seria possível dar 6,5 voltas na Terra.

A conta ficou pior em 2015, quando a organização não governamental Kill the Cup denunciou que se essas cápsulas fossem enfileiradas já seria possível dar 10,5 voltas em torno do planeta.

O fato é que esse resíduo não é atraente para o mercado de reciclagem. Ouvindo especialistas, a equipe do *Cidades e Soluções* descobriu que as cooperativas de catadores rejeitam as cápsulas de café por dois motivos: a maior parte das embalagens é feita de diferentes tipos de plástico, alumínio e papel, o que torna a operação complicada e cara. Além disso, as cápsulas são descartadas com borra de café no fundo do recipiente, o que tornaria indispensável a lavagem.

O veto alemão

Em Hamburgo, segunda maior cidade da Alemanha, a Prefeitura decidiu banir em fevereiro de 2016 as cápsulas de café de todos os prédios públicos. Segundo eles, comprar cápsulas que não são fáceis de reciclar gera desperdício de dinheiro público. Além das cápsulas de café, também foram banidos talheres, pratos e certas garrafas de plásticos, entre outros, materiais considerados problemáticos.

E se a lama de Mariana tivesse outro destino?

Bem antes da maior tragédia ambiental da história do Brasil (ver página 61), já havia gente olhando para a montanha de rejeitos de minério de ferro produzidos em Mariana imaginando se seria possível aproveitar de forma inteligente tudo aquilo.

Em um dos laboratórios da Universidade Federal de Minas Gerais (UFMG), em Pedro Leopoldo, cidade de Região Metropolitana de Belo Horizonte, pesquisadores descobriram como usar os rejeitos da mineração para fabricar pisos, tijolos e blocos.

O processo começa na transformação da lama em pó, chamado de lama calcinada. Aquecida no forno, a lama perde água e muda suas propriedades, ganhando características parecidas com a do cimento. Estima-se que para cada tonelada de rejeito seja possível fabricar 500 kg de lama calcinada.

O *Cidades e Soluções* mostrou uma casa de 46 m^2 (dois quartos, sala, cozinha, banheiro), toda construída com rejeitos de barragem. Segundo os pesquisadores, o custo dessa obra ficou 30% abaixo do que seria se fossem usados materiais convencionais disponíveis no mercado, e seguiu as normas da ABNT (Associação Brasileira de Normas Técnicas). Outra vantagem é que a cor avermelhada da lama calcinada – cor de tijolo – dispensa a aplicação de tinta.

Linhas de pesquisa

Em outra linha de pesquisa, a Universidade Federal de Ouro Preto descobriu como separar a areia, a argila e o minério de ferro da lama residual da mineração. A descoberta chegou a ser patenteada. Os pesquisadores manipulam a lama sem luvas, nem qualquer outro equipamento de segurança.

Depois de cinco anos de estudos avaliando as propriedades físico-químicas das barragens situadas no quadrilátero ferrífero (maior produtora nacional de ferro localizada no centro-sul do estado de Minas Gerais), eles chegaram à conclusão de que esse rejeito é composto basicamente de areia, ferro e argila, sem toxicidade.

Apesar dessas descobertas incríveis, quando fizemos a reportagem, nenhuma mineradora de Minas Gerais (ou do país) manifestou interesse em dar destinação inteligente à lama residual da mineração de ferro.

Em tempo: a Samarco chegou a financiar – em parceria com a Fundação de Amparo à Pesquisa do Estado de Minas Gerais (Fapemig) – as pesquisas da UFMG. Mas, ao que parece, ficou por isso mesmo.

E o entulho: serve para alguma coisa?

No Brasil, são recolhidas, segundo dados da Abrelpe de 2015, aproximadamente 45 milhões de toneladas de entulho por ano. Mas os especialistas no assunto admitem que a quantidade gerada é muito maior do que essa. O fato é que os restos de obra abandonados em lugares inadequados geram terríveis impactos ambientais, além de elevar os gastos das prefeituras para a sua correta remoção e destinação final.

Usinas de reciclagem em BH

Belo Horizonte conta com duas usinas de reciclagem de entulho: a da Pampulha (de 1996) e a que funciona em Jardim Filadélfia, na BR-040 (de

2006). O principal objetivo dessas instalações é transformar os resíduos da construção civil em materiais (chamados de "agregados reciclados") que possam substituir a brita e a areia na construção civil em projetos que não tenham função estrutural.

Todo o material que chega é despejado no pátio para a retirada das impurezas, como pedaços de ferro, plástico e madeira. Tudo o mais é despejado no britador (equipamento bastante usado na mineração), que tritura o entulho em cinco granulações diferentes.

Dessas usinas saem areia, brita e pedras de diferentes tamanhos para uso imediato nas obras municipais. Esses subprodutos da reciclagem de entulho são usados na produção de blocos e na pavimentação das ruas. Um dos principais destinos do entulho reciclado é seu uso como matéria-prima para a base e sub-base de asfalto.

Normalmente, o entulho recolhido pelas prefeituras é usado para aterros ou para cobrir o lixo. Em Belo Horizonte, entulho é um recurso precioso que reduz os gastos públicos.

Apenas em 2016, foram recicladas na capital mineira 15 mil toneladas de entulho, o que permitiu uma economia de R$ 680 mil em recursos públicos. Esse é o valor que a Prefeitura gastaria se tivesse de adquirir no mercado os materiais obtidos a partir da reciclagem. Os agregados reciclados foram utilizados em obras do município e no recobrimento dos resíduos de saúde (lixo hospitalar).

A experiência de São José do Rio Preto

A 450 km de São Paulo, a cidade de São José do Rio Preto disponibiliza 17 pontos de coleta de entulho para que moradores e carroceiros – que ganham a vida fazendo esse tipo de serviço – despejem os restos de obra da forma correta. Três vezes por semana esse entulho é recolhido e levado de caminhão até a usina de reciclagem da cidade. Segundo dados de 2017, são recolhidas aproximadamente 1.500 toneladas de entulho por dia.

Inaugurada em 2008, a usina da cidade só consegue reciclar 1/3 desse volume (o resto é vazado em aterros). Mas é o suficiente para que a Prefeitura economize aproximadamente R$ 1 milhão por ano transformando restos de obras em materiais úteis para a construção civil. São ao todo 18 diferentes subprodutos (tijolos, tubulações, bocas de lobo etc.) que passaram a ser fabricados com o que antes era jogado fora.

A Prefeitura gastava R$ 27,00 por tonelada de entulho com a retirada desses restos de obra de terrenos baldios (incluídos os gastos com maquinário e funcionários). A partir da construção da usina, esse custo por tonelada caiu para R$ 16,00.

Lixo eletrônico

O lixo eletrônico é o gênero de resíduo que mais cresce no mundo. Enquadra-se nessa categoria computadores e impressoras, telefones celulares e baterias, televisores, câmeras fotográficas etc.

Segundo dados de 2017 do Pnuma, são descartados por ano cerca de 41 milhões de toneladas de lixo eletrônico por ano (principalmente computadores e telefones celulares). Esse número deve-se elevar para 50 milhões de toneladas/ano em 2017. Europa e Estados Unidos são os maiores produtores desses resíduos.

Noventa por cento de todo o lixo eletrônico do planeta – avaliado em US$ 19 bilhões – são ilegalmente vendidos ou descartados, sobretudo em países da África como Gana, Nigéria, Costa do Marfim e República do Congo.

Um estudo da Associação de Empresas da Indústria Móvel (GSMA) e da Universidade das Nações Unidas estima que a América Latina gera aproximadamente 9% dos resíduos eletrônicos do mundo, a maioria no Brasil (36,16%). Mas essa informação sobre o Brasil foi questionada formalmente pelo governo federal por ter origem num dado do município de Belo Horizonte que foi extrapolado para o país inteiro com base no perfil de consumo médio do cidadão europeu.

Pouca informação para muito lixo

O *Cidades e Soluções* mostrou diversos projetos de governos, empresas, ONGs, igrejas e universidades relacionados à coleta do lixo eletrônico. O objetivo é sempre o mesmo: promover o desmonte das peças com valor de mercado e a destinação inteligente desse material. São iniciativas isoladas, heroicas, num país onde, na maioria absoluta dos municípios, toneladas de lixo eletrônico são misturadas todos os dias ao lixo comum.

Para complicar a situação, não há dados disponíveis sobre a geração desse gênero de resíduos no país. Dada a escalada de produção de eletroeletrônicos – cada vez mais acessíveis, baratos e presentes no dia a dia das pessoas –, é incrível como ainda estamos tão atrasados nesse campo.

Europa declara guerra às sacolas plásticas

O Velho Continente – onde se concentram alguns dos mais espetaculares exemplos de gestão sustentável – elegeu uma meta rígida para inibir o gigantesco consumo de sacolas plásticas (aproximadamente 100 bilhões de sacolas por ano). A União Europeia decidiu cortar em 80% o consumo das sacolinhas em dez anos, mas deixou que cada país definisse como alcançar esse objetivo.

De acordo com as regras aprovadas pelo Parlamento Europeu, o consumo de sacolas plásticas não poderá ultrapassar quarenta unidades por pessoa, por ano, a partir de 2025. Hoje, cada cidadão europeu consome, em média, cinco vezes mais. A Hungria é a recordista, com uma média de consumo de mais de quinhentas sacolas plásticas por pessoa ao ano. Já a Irlanda aparece em um honroso lugar de destaque no ranking europeu (com apenas vinte sacolas plásticas por habitante a cada ano!) porque criou em 2002 uma taxa sobre essas sacolas que equivale a aproximadamente R$ 0,70 por unidade. A medida provocou uma queda de 90% no consumo e o dinheiro arrecadado vai para um fundo ambiental.

Para cortar o consumo, os países do bloco poderão criar taxas e impostos, ou até mesmo proibir as sacolas gratuitas. Uma exceção são as sacolas muito finas, usadas para embalar frutas e verduras, que não precisarão ser reduzidas.

Como é na Alemanha

No país mais rico e populoso da Europa, o consumo anual das sacolas plásticas está abaixo da média europeia: 71 unidades por pessoa.

As sacolas ainda são gratuitas em lojas de departamentos, farmácias, livrarias e butiques. Mas é grande a pressão de ambientalistas para que a Alemanha elimine de vez as sacolas grátis. O Ministério do Meio Ambiente diz que não vai decidir nada antes de consultar os vários setores envolvidos.

A equipe do *Cidades e Soluções* visitou um supermercado em Berlim que faz sucesso com uma proposta radical: banir as embalagens de todo tipo, inclusive as sacolas plásticas.

O Original Unverpackt – ou "original sem embalagens" – é o primeiro supermercado do gênero na Alemanha. Lá, os clientes costumam levar as embalagens de casa. Quem esquece, pode comprar no próprio mercado, que oferece potes, sacos de papel, garrafas de vidro ou saquinhos de tecido. O que chama a atenção nesse supermercado é a ausência de marcas – expostas em embalagens chamativas – já que o que aparece em destaque são os produtos a granel, dispostos em recipientes discretos.

É um dos poucos lugares do mundo onde se vende, por exemplo, pasta de dente sem caixa. O produto vem em tabletes que o cliente coloca na boca, mastiga e escova os dentes normalmente. Dispensa-se a embalagem tradicional das pastas, com mais praticidade e menos lixo.

É possível encontrar mais de 350 produtos que são disponibilizados em sacas, potes ou recipientes para líquidos. O cliente pega o que quer e leva na embalagem que trouxe de casa.

Em outros supermercados é muito comum encontrar à venda sacolas retornáveis (como já acontece também no Brasil). A maioria das pessoas prefere levar de casa mochilas, caixas de papelão ou sacolas de pano, mas existe sempre a opção de se comprar no varejo uma dessas sacolas de plástico, que são bem robustas e chegam a custar o equivalente a quase R$ 1,00.

Com a palavra, a eurodeputada Sylvia-Yvonne Kaufmann

Cidades e Soluções – O que acontece com o país que não respeitar a meta de redução das sacolas plásticas?

Sylvia-Yvonne Kaufmann – A Comissão Europeia vai verificar se cada país do bloco alcançou a meta estabelecida. Se os dados não forem disponibilizados, pode-se até, em casos mais graves, adotar sanções contra os Estados-membros. E isso pode sair bem caro para eles.

C.S. – Quais os impactos dessa medida sobre a economia da Comunidade Europeia?

S.K. – Setenta por cento de todas as sacolas plásticas que usamos não são produzidas na Europa, mas sobretudo importadas da Ásia. Isso significa que, ao reduzirmos nosso consumo, os impactos serão sentidos em outras partes do planeta. Mas esse é um problema global e deve ser entendido assim na China, na Índia ou no Brasil.

C.S. – Como um país como o Brasil pode estimular a sociedade a se engajar na luta contra os sacos plásticos? Essa também é uma questão cultural?

S.K. – Se é cultural, eu não sei... Mas é um péssimo hábito. Nos acostumamos, nas últimas décadas, a usar sacola plástica sempre que possível e nunca pensamos no lixo que produzimos. Os números são alarmantes: calcula-se que até 14 milhões de toneladas de lixo plástico vão parar no mar a cada ano. Os peixes comem as pequenas partículas, os pássaros também. E isso não é só um problema europeu, mas global, atingindo todos os países. Por isso, acho bom que também no Brasil, como nós aqui na Europa, reflitam sobre como é possível evitar esse lixo.

Oceanos plastificados

Vivemos num planeta em que um novo continente de plástico – equivalente à soma dos estados de Minas Gerais, Rio de Janeiro e do Espírito Santo – flutua pelo Oceano Pacífico, sem solução à vista.

Essa é apenas uma parte de várias outras "manchas" de resíduos plásticos que vão crescendo pelos mares do mundo à medida que os descartes irregulares (estimados em 8 milhões de toneladas por ano, o equivalente a um caminhão de lixo por minuto) prosseguem.

A ingestão acidental dos fragmentos desse lixo afeta diretamente a biodiversidade marinha. No atual ritmo de contaminação, 99% das aves marinhas terão ingerido plástico em 2050.

Um estudo do Fórum Econômico Mundial, em parceria com a Fundação Ellen MacArthur, estima que, se nada for feito, até 2050 teremos mais plásticos do que peixes nos oceanos (por peso).

Em fevereiro de 2017, um estudo publicado na revista *Nature* por cientistas da Universidade de Aberdeen, da Escócia, confirmou a presença de poluentes em fossas oceânicas a mais de 10 mil metros de profundidade em regiões afastadas das zonas industriais. Análises em laboratório detectaram a presença de poluentes orgânicos persistentes (POPs) que teriam alcançado as profundezas por meio de resíduos plásticos e também da carniça de outros animais contaminados.

A encrenca do isopor

Ele é barato, fácil de fabricar e se multiplicou tão rapidamente que virou problema. O isopor – ou poliestireno expandido, mais conhecido internacionalmente como EPS – foi descoberto no século XIX, mas só se tornou popular após a Segunda Guerra Mundial. É um tipo de plástico, que fica superleve, porque é preenchido com 98% de ar.

Ninguém sabe ao certo quantos séculos o isopor leva para se decompor na natureza. Além disso, ele não é um produto valorizado no mercado de reciclagem, já que os catadores ganham por peso e o isopor é extremamente leve.

O fato de ser reciclável não resolve a questão (como não parece resolver também no caso das garrafas PET ou das sacolas plásticas de supermercado). É preciso que haja uma solução econômica – tornando atraente a separação desse material – para que a reciclagem do isopor se viabilize no mercado. Ou então, que não se use mais isopor na escala com que hoje se vê.

O *Cidades e Soluções* mostrou uma multinacional do setor de eletroeletrônicos holandesa que conseguiu substituir o isopor na proteção dos produtos eletroeletrônicos e eletrodomésticos que fossem encaixotados e enviados para o cliente. Optou-se pelo papelão. Deu certo. Em tempo: o papelão é um produto extremamente valorizado no mercado de reciclagem.

Da penitenciária direto para reciclagem

O *Cidades e Soluções* mostrou o exemplo das quatro penitenciárias do Paraná, na região de Londrina, onde 2.500 presos cumprem pena. Duas vezes por dia, caminhões levam o almoço e o jantar dos presidiários em marmitex. A cada mês, aproximadamente 150 mil embalagens de isopor viravam lixo.

Pelo contrato firmado com o Estado, as empresas que fornecem a alimentação também ficam responsáveis pelo descarte correto das embalagens. A opção escolhida foi a reciclagem do material na própria região. Elas descobriram uma empresa que realiza esse serviço e, desde então, deixaram de levar para os aterros de lixo 1 milhão e 800 mil embalagens por ano.

Setenta por cento da receita da recicladora vêm da parceria com empresas geradoras de resíduos de isopor – como os presídios –, enquanto os outros 30% vêm da venda do material processado para uma empresa de Santa Catarina, que utiliza o poliestireno expandido para fabricar molduras e rodapés.

Em apenas dez anos, a tradicional empresa catarinense (há mais de setenta anos no mercado) retirou 20 mil toneladas de isopor do meio ambiente. Os produtos fabricados a partir do isopor – que lembram gesso ou madeira – têm a vantagem de não apodrecer, mofar ou atrair cupins.

Cuidado com os aerossóis!

Eles podem explodir. Simples assim. Como as embalagens de aerossol armazenam um gás altamente inflamável, onde houver aumento de pressão ou contato com faísca ou fogo, há o risco de acidente. Estima-se que 130 dessas embalagens equivalem a um botijão de gás de cozinha.

Apesar de todos esses riscos, toneladas de tubos metálicos seguem todos os dias para os aterros de lixo sem os devidos protocolos de segurança. Além do risco à integridade de quem manipula esses resíduos, há um enorme desperdício de materiais que têm valor de mercado.

A equipe do *Cidades e Soluções* visitou em São Paulo uma fábrica que recicla essas embalagens. Primeiro são separados o plástico (da tampa, da válvula do spray, e do canudo por onde sai o gás), o aço e o alumínio. Cada etapa do processo exige extremo cuidado, capacitação técnica e rígido controle de segurança. Todo o material é comprado de uma cooperativa de catadores de Diadema, que coleta os aerossóis nas ruas e condomínios da cidade. Há ainda a possibilidade de receber as latas de spray direto das empresas. A fábrica emite um laudo técnico detalhando todo o processo de destruição das embalagens.

Todos os aerossóis precisam ficar em local arejado, longe do sol e do calor. Ao todo são recicladas 9 toneladas de materiais por mês. Uma quantidade ínfima, desprezível, diante da avalanche de aerossóis fabricados no Brasil. Mas já é um começo.

Cemitério sustentável

A única certeza que temos em vida é que um dia o corpo morre.

Antes que as leis da natureza deem sequência ao processo de decomposição, é preciso dar destinação inteligente a essa matéria orgânica para evitar impactos à saúde e ao meio ambiente. No Brasil, são aproximadamente 1 milhão de óbitos por ano e, na maioria absoluta dos casos, opta-se pelo enterro em cemitérios.

A equipe do *Cidades e Soluções* ouviu um dos maiores especialistas em impactos ambientais causados por cemitérios no Brasil. Leziro Marques Silva é geólogo, professor da Universidade São Judas Tadeu e já pesquisou mais de 740 cemitérios diferentes em todo o país. Seguem algumas conclusões importantes desse trabalho:

Cidades e Soluções – Por que o sr. compara um cemitério a um aterro de lixo?

Leziro Marques da Silva – Cemitérios demandam cuidados especiais, da mesma forma que qualquer outro tipo de depósito de resíduos sólidos que contenha matéria orgânica, como os aterros de lixo. Quando a pessoa falece, essa matéria orgânica – assim como uma árvore ou um animal – se decompõe. E nessa decomposição são gerados compostos que são nocivos aos seres vivos. Todos temos dentro de nós uma microfauna e uma microflora de micróbios, bactérias, vírus que são bastante deletérios. É muito perigoso para a saúde pública.

C.S. – Que riscos um cemitério pode oferecer ao meio ambiente?

L.M.S. – É preciso proteger as águas subterrâneas de uma substância líquida liberada pelo cadáver (entre o segundo mês do sepultamento até dois anos e meio depois) denominada necrochorume. Esse líquido é composto por 60% de água, 30% de sais minerais e 10% de substâncias orgânicas biodegradáveis. Essas substâncias orgânicas biodegradáveis formam um meio de cultura muito grande para bactérias e vírus. É aí que mora o perigo. Se o necrochorume vaza do jazigo, ele pode alcançar as águas subterrâneas. Quando isso acontece, forma-se uma "mancha" de poluição que se espalha a quilômetros de distância do cemitério. Alguns desses micro-organismos permanecem vivos e têm condição de contaminar eventuais pontos de captação de água para consumo humano.

C.S. – Que tipos de doenças podem ser transmitidos por essas substâncias?
L.M.S. – Todas as chamadas infectocontagiosas tipo 4, com transmissão hídrica, como poliomielite, tuberculose, gangrena espumosa etc.

Duas experiências bem-sucedidas

Curitiba

Para eliminar o risco de contaminação, a legislação brasileira determina que a distância mínima do lençol freático para o fundo do jazigo seja de 1,5 m.

A equipe do *Cidades e Soluções* foi até a capital paranaense mostrar o sistema de monitoramento das águas subterrâneas nos cemitérios da cidade. As águas são coletadas para exames laboratoriais desde 2004. Em um dos cemitérios há um sistema de drenagem inovador, que coleta e filtra as águas subterrâneas. O investimento encareceu em mais de 30% o projeto do cemitério, que se tornou o primeiro do gênero na cidade.

São Paulo

Também visitamos o parque Jaraguá, na zona oeste de São Paulo, que segue o estilo "cemitério jardim", com suas 11 mil árvores plantadas sem ornamentos ou túmulos chamativos.

As águas subterrâneas são constantemente monitoradas e servem para regar o gramado. Tudo é planejado para assegurar conforto aos visitantes e risco zero de contaminação. Os jazigos, por exemplo, são protegidos por blocos de concreto, em um solo onde a combinação adequada de areia e argila garante a blindagem dos despojos.

Além disso, uma câmara de troca gasosa faz com que os gases das sepulturas sejam absorvidos pelo solo, onde certas bactérias retiram o nitrogênio, o fósforo e o enxofre em favor da vegetação do próprio cemitério.

Regras para o licenciamento ambiental de cemitérios

Relacionamos a seguir os principais pontos da Resolução Conama nº 368, de 28 de março de 2006:

- É proibida a instalação de cemitérios em Áreas de Preservação Permanente ou em outras que exijam desmatamento de Mata Atlântica primária ou secundária, em terrenos que apresentam cavernas, sumidouros ou rios subterrâneos.
- O nível inferior das sepulturas deverá estar a uma distância de pelo menos 1,5 m acima do mais alto nível do lençol freático, medido no fim da estação das cheias.
- O perímetro e o interior do cemitério deverão ser providos de um sistema de drenagem adequado e eficiente.
- O subsolo da área pretendida para o cemitério deverá ter a permeabilidade adequada (a resolução define os parâmetros técnicos da permeabilidade do solo) na faixa compreendida entre o fundo das sepulturas e o nível do lençol freático. Para permeabilidades maiores, é necessário que o nível inferior dos jazigos esteja 10 m acima do nível do lençol freático.

NOS BASTIDORES

Quando propusemos essa pauta à direção do canal, recebemos sinal verde apenas para gravar e editar. A exibição só seria autorizada depois que a direção visse o programa. Foi uma das raríssimas vezes em que isso aconteceu.

Nosso desafio, portanto, foi o de contar de forma cuidadosa uma história absolutamente pertinente (depois que o corpo morre, vira matéria orgânica que precisa ter a destinação final adequada), num mundo onde a morte ainda é um tabu. Todos os detalhes do programa foram cercados de cuidados extremos para não causar reações indesejadas. Suprimimos, por exemplo, vários trechos de entrevistas em que os especialistas mencionavam aspectos, digamos, nojentos do processo de putrefação do cadáver.

O resultado final foi emocionante. Na abertura e no encerramento, abordamos de forma clara e objetiva (com pitadas de poesia e filosofia) a nossa finitude, e como podemos tornar nossa despedida desse planeta uma experiência sustentável.

O lixo que dá música

O *Cidades e Soluções* descobriu em São Paulo um grupo de músicos – todos professores de uma escola de música – que se apresenta tocando instrumentos criados a partir do lixo. Quem ouve de olhos fechados nem percebe a diferença. Esse é o trabalho da banda Tudo que toco tu tocas (escreve-se tudo junto), que recebeu recursos da Lei Rouanet para gravar um CD e realizar apresentações em escolas públicas.

O objetivo do grupo é sensibilizar o público para a importância de dar a destinação correta para os resíduos, e também mostrar o valor que as coisas têm. O uniforme da banda é um macacão confeccionado a partir de pedaços de tecidos descartados pela indústria têxtil.

Foram feitos ao todo 2 mil CDs com o trabalho da banda. O dinheiro arrecadado é doado para as Casas André Luiz, instituição espírita que presta assistência gratuita a milhares de portadores de deficiência em Guarulhos, na Grande São Paulo.

Segundo Fábio Veronese, músico e idealizador do projeto, "a grande meta do projeto é a educação. Todos nós somos professores. Não queremos que as pessoas façam instrumentos com resíduos. A nossa proposta é mostrar o cuidado com o meio ambiente. Quando a gente formatou o projeto, ninguém tinha noção de que poderia ser assim, nem do som que sairia desses instrumentos. A proposta era boa, mas seria viável? A reação do público, sempre impactante, é a nossa melhor resposta".

conversa com

Michael Bloomberg

Entrevista concedida a André Trigueiro quando Bloomberg era prefeito de NY, em programa exibido em 17/12/2014.

"Falta coragem aos governantes para fazer diferente"

Prefeito de Nova York por três mandatos consecutivos (2002-2013), o megaempresário foi um dos principais articuladores da organização C-40 (Cities Climate Leadership Group). A rede reúne atualmente mais de noventa cidades, onde vivem cerca de 600 milhões de pessoas. Até janeiro de 2017, essas cidades promoveram mais de 10 mil ações para reduzir as emissões de gases de efeito estufa.

André Trigueiro – Qual é a importância do compromisso assumido pelas cidades que integram o C-40 para redução de gases de efeito estufa?

Michael Bloomberg – O grupo do C-40 começou com trinta e poucas cidades; hoje, somos muito mais. Essas cidades estão, quase todas, fazendo real redução de gases de efeito estufa em nível local. Como representam um grande número de pessoas, devido à densidade urbana, elas estão realmente impactando o globo, em tudo.

Nós estamos nos concentrando em garantir que os ganhos que já obtivemos sejam compartilhados com os outros; assim, outras cidades podem ver como o trabalho foi desenvolvido e fazer o mesmo. Estamos trabalhando para que todos tenham acesso aos dados, e para que as medições sejam feitas com embasamento. Temos uma expressão nos EUA: "comparar maçãs com laranjas". No C-40 queremos comparar "maçãs com maçãs" e estamos trabalhando para isso.

Também estamos tentando olhar para outros problemas. Por exemplo, um dos grandes fatores de poluição é o gás metano proveniente do lixo. A maioria das cidades não incinera os resíduos, elas os enterram. Quando o lixo começa a mudar a sua composição química (se decompor), o gás é emitido. Por isso, as cidades têm que começar a capturar o metano e usá-lo para gerar energia. Assim, você não só o impede de ir para a atmosfera, como tira algum benefício desse processo natural.

Temos que tentar construir uma consciência de que o grupo do C-40 existe e pode fazer coisas. Talvez isso possa ser um incentivo para que os governos federais, ao se sentir envergonhados, façam alguma coisa.

A.T. – O que o sr., na condição de atual prefeito, está fazendo em Nova York para atingir essas metas?

M.B. – Temos uma variedade de programas específicos. Por exemplo, nós mudamos nosso código de construção de prédios. Nos próximos três anos, os prédios que geravam muita poluição devido ao uso de combustíveis pesados passarão a usar um óleo mais leve ou gás natural.

Além disso, vale lembrar que Nova York é diferente de outras cidades. Na maioria das cidades, 80% dos gases de efeito estufa são provenientes do transporte e 20% de prédios. No nosso caso é exatamente ao contrário. Por quê? Porque usamos transporte de massa e muitas pessoas andam a pé. A densidade é tanta, que nós temos menos carros e caminhões nas ruas. Nossas ruas são lotadas, mas nós não temos o tipo de trânsito que gera emissões de gases de efeito estufa como em outras cidades.

Também temos um programa para plantar árvores. E isso vai ajudar a aumentar o valor das propriedades. Além disso, temos programas para pintar os telhados de branco (ver página 252). Se pegarmos um prédio de quatro ou cinco andares e fizermos isso, vamos reduzir o consumo de energia em 20% ou 30%, literalmente de um dia para outro. A tinta branca reflete a luz do sol e impede que o calor do sol seja absorvido pelo prédio e seja necessário usar ar-condicionado.

Nós fechamos algumas ruas para criar passarelas para os pedestres. Lembre-se: ruas foram criadas não para automóveis, mas para o deslocamento de pessoas. Em algum momento da história – porque há tanto dinheiro envolvido nesse processo – nós mudamos esse conceito, para o de que as ruas são para os automóveis. Isso não é verdade. E se há maneiras melhores de usar as ruas, seja com bicicleta ou caminhando ou colocando uma passarela no meio, isso é o que deveríamos estar fazendo.

A última coisa que eu quero citar (e que penso ser mais importante de tudo): estamos criando uma imagem na cabeça das pessoas de que Nova York é um local onde está acontecendo uma mudança, no sentido de sermos socialmente responsáveis.

A.T. – Algumas pessoas falam que a maioria das cidades não tem dinheiro para implementar ou melhorar suas políticas de redução da emissão de gases de efeito estufa. O sr. concorda com isso?

M.B. – Isso é ridículo. A maioria dessas medidas não custa muito dinheiro. Em Los Angeles, por exemplo, mudaram todas as luzes das ruas para lâmpadas de LED. É uma economia de gastos e o retorno financeiro vem em menos de um ano em vários desses casos. Como assim "não tem dinheiro"?

A história nos mostra que as grandes realizações que mudaram as cidades – e isso vale, particularmente, para Nova York – sempre aconteceram nos piores momentos econômicos. É quando você tem que fazer investimentos, criar empregos, atrair pessoas. É quando você tem que dar às pessoas alguma confiança de que há um futuro para eles viverem com seus filhos naquele lugar, ao invés de ir embora.

Nos anos 1970, houve uma grave crise na economia americana. Como muitas outras cidades, Nova York parou de investir no futuro, a taxa de criminalidade aumentou, as pessoas que pagavam impostos foram embora. Isso se refletiu na deterioração física da cidade: as pontes caíram, os túneis começaram a ter infiltração, as vias públicas ficaram destruídas etc.

Décadas depois, graças a um extenso conjunto de medidas, a situação mudou totalmente e a expectativa de vida é, agora, de três anos a mais do que a média nos Estados Unidos. No final, tudo que você precisa é a coragem dos governos de mudar e tomar essas iniciativas, a nível nacional, estadual e municipal.

planejamento urbano

O ponto de partida 201

ICMS Ecológico 201

IPTU Verde 203

Cidades em ebulição: ideias que transformam 204

Áreas portuárias ganham nova vida 207

Os desafios de Brasília 209

Centro de Operações: quando a cidade cabe numa sala 214

Sobre duas rodas se vai longe 217

Carona solidária 221

Carros elétricos 222

Acessibilidade: uma questão ainda pendente 224

"Homem-bomba" em São Paulo 225

Conversa com Achim Steiner 230

O PONTO DE PARTIDA

A falta de planejamento condena o gestor público a "enxugar gelo", ou seja, ser reativo aos problemas da cidade – sempre em desvantagem e invariavelmente vulnerável –, em vez de marcar sua administração pela capacidade de enfrentar os problemas com criatividade e competência.

A cultura do planejamento permanece ausente – ou enfraquecida – em boa parte do Brasil, como revela o perfil dos municípios brasileiros (IBGE/2015). De acordo com o levantamento, metade das cidades brasileiras não tem Plano Diretor (instrumento que organiza o desenvolvimento e o ordenamento urbano) e 70% dos municípios não fazem licenciamento ambiental de atividades que impactam a natureza.

O resultado disso é improviso, desperdício de tempo e de preciosos recursos públicos. É conhecida entre os administradores a frase atribuída a um político americano do século XVIII, segundo o qual "a maioria das pessoas não planeja fracassar, fracassa por não planejar".

Todas as soluções mostradas neste capítulo – e por que não dizer, em todo o livro – resultam de um planejamento competente que mudou para melhor a vida das pessoas.

ICMS Ecológico

Ninguém gosta de imposto. Aliás, no Brasil a carga tributária é pesada e quem paga imposto não costuma ver os resultados disso na qualidade dos serviços públicos. Mas há tributos que dão resultados concretos em favor do meio ambiente. É o caso do ICMS (Imposto sobre Circulação de Mercadorias e Serviços). Em pelo menos 17 estados brasileiros há leis regulamentando o repasse de parte do ICMS destinado aos municípios, de acordo com as políticas sustentáveis implantadas pelos respectivos prefeitos.

O pioneirismo do Paraná

O ICMS Ecológico foi criado em 1992 no estado do Paraná. Uma das cidades historicamente bem posicionadas no ranking dos repasses do governo paranaense é São José do Patrocínio, na divisa com Mato Grosso do Sul, a 700 km de Curitiba.

Com a decadência do café, as plantações deram lugar à pecuária extensiva e ocorreu um esvaziamento econômico da cidade. A virada veio na década de 1990. Mais da metade do território da cidade faz parte do Parque Nacional de Ilha Grande, situado ao longo do rio Paraná e que é formado por mais de 180 ilhas.

É o habitat de várias espécies da flora e da fauna, hoje ameaçadas de extinção. Ao criar APAs (Áreas de Proteção Ambiental), com a preservação das várzeas e matas ciliares, a Prefeitura conseguiu obter preciosos recursos do ICMS Ecológico. Aos poucos, os projetos foram aumentando e os recursos também.

Aproximadamente 30% da arrecadação tributária do município vêm do ICMS Ecológico. Dinheiro que permite mais investimentos em educação, saúde, geração de empregos e, claro, na preservação do meio ambiente.

Alguns exemplos interessantes registrados pelo *Cidades e Soluções*: a cidade é uma das poucas do estado a ter a coleta seletiva do lixo em 100% das casas. Também constatamos que a educação ambiental está entre as disciplinas ensinadas nas escolas municipais.

Na área da saúde, o dinheiro do ICMS Ecológico foi usado para a construção de um hospital capacitado para cirurgias de alta complexidade e um laboratório, onde são feitos mais de 2 mil exames por mês.

Os recursos do ICMS Ecológico permitiram também que a Prefeitura realizasse uma parceria com os produtores rurais para ajudá-los na compra de equipamentos usados na lavoura. Além disso, no viveiro municipal, centenas de mudas de espécies nativas e exóticas foram distribuídas de graça para os produtores rurais constituírem a área de reserva legal – que é uma exigência federal – nas suas propriedades.

Enquanto isso, em São Paulo...

São Paulo foi o segundo estado brasileiro (depois do Paraná) a regulamentar o ICMS Ecológico (repassando 0,5% do volume total do imposto aos municípios que se destacam na proteção das Unidades de Conservação Estaduais).

Embora alguns especialistas considerem a legislação do ICMS Ecológico de São Paulo muito tímida, restringindo o alcance dos repasses, o estado desenvolveu outro mecanismo de auxílio aos municípios que queiram proteger seus recursos naturais. O projeto Município Verde/Azul vem promovendo desde 2008 a gestão mais eficiente das políticas ambientais em todas as cidades do estado. Dos 645 municípios paulistas, 617 já aderiram ao projeto. São Paulo é hoje um dos estados que mais avançaram na cobertura vegetal de seu território: 13% (em 2007) para 17% (em 2017).

O ponto de partida dessa parceria é o compromisso assumido pelos prefeitos de seguirem um protocolo de ação baseado em dez diretivas: esgoto tratado, resíduos sólidos, biodiversidade, arborização urbana, educação ambiental, cidade sustentável, gestão das águas, qualidade do ar, estrutura ambiental e conselho ambiental.

A partir daí, o município realiza um diagnóstico sobre a sua situação e apresenta um plano de ação para resolver cada um dos problemas, revelando quais as dificuldades para realizar esse plano. É quando a Secretaria entra com o apoio técnico possível, oferecendo cursos, seminários, capacitação técnica e informação qualificada.

IPTU Verde

O Imposto Predial e Territorial Urbano (IPTU) é considerado a principal fonte de arrecadação em muitas cidades brasileiras. Em alguns municípios, foram aprovadas leis que oferecem descontos para os contribuintes (pessoas físicas ou jurídicas) que possuam imóveis com inovações sustentáveis, como coleta de água de chuva, painéis solares fotovoltaicos, coletores solares (para aquecer a água do banho), ventilação e iluminação naturais, quintais permeáveis (para facilitar o escoamento da água da chuva), propriedade com área vegetada, entre outras medidas.

Cada cidade estabelece sua própria regra de desconto. Normalmente, define-se uma pontuação específica para cada item sustentável do imóvel, e o valor final do desconto é calculado com base na soma desses pontos.

O objetivo do IPTU Verde é estimular ações que promovam o uso inteligente dos recursos e, com a multiplicação dessas benfeitorias nos imóveis das cidades, gerar impactos positivos para toda a coletividade. Salvador (BA), Guarulhos (SP), Paragominas (PA) e Lajeado (RS) são exemplos de municípios que já instituíram o IPTU Verde.

Cidades em ebulição: ideias que transformam

Em várias cidades do mundo, investimentos realizados em áreas urbanas abandonadas ou degradadas promoveram a rápida valorização desses espaços e a reinserção deles nas rotinas dos moradores e visitantes. O *Cidades e Soluções* mostrou como isso vem acontecendo.

Berlim: uma cidade que se reinventou

Depois de permanecer dividida durante quarenta anos, Berlim precisou se reinventar com a queda do Muro. Um dos principais desafios urbanísticos da reunificação foi descobrir o que fazer com as extensas áreas abandonadas da antiga Berlim Oriental.

Dentre muitos projetos interessantes, destacamos um dos mais ambiciosos, que transformou uma área degradada nos arredores da cidade (onde antes havia o parque industrial de Adlershof) em um parque de alta tecnologia.

O parque era um dos principais locais de pesquisa e desenvolvimento científico da antiga Alemanha Oriental até 1989. A área era imensa (2,2 km^2), com mais de trezentos prédios e uma infraestrutura praticamente destruída. A grande questão para a Berlim reunificada naquela época era o que fazer com cinco mil pessoas altamente qualificadas que viviam em torno desse projeto fracassado. Como intervir naquela área, sem causar uma explosão social?

O governo de Berlim decidiu estabelecer uma espécie de plataforma integrada de economia e ciências. Mais de duzentos prédios foram demolidos, 35 km de vias asfaltadas foram construídas, todo o sistema de abastecimento de energia foi refeito. Na primeira fase do projeto, mais de € 1,5 bilhão foi investido (80% recursos públicos, 20% recursos privados). Depois que a nova infraestrutura ficou pronta, o projeto começou a ser dominado pelos investimentos privados.

Ao todo, mais de oitocentas empresas de médio e pequeno porte foram criadas. A taxa de crescimento do setor naquela área é de 15% ao ano, aproximadamente 12% acima da média alemã, e a taxa de falência é inferior a 1% ao ano.

Medellín: mais qualidade de vida, menos violência

Conhecida como a capital mundial da cocaína nos tempos do narcotraficante Pablo Escobar, Medellín, na Colômbia, conquistou o reconhecimento internacional como exemplo de cidade que promoveu a qualidade de vida da população – e a redução dos indicadores de violência – a partir de uma ampla reforma urbana.

Nos anos 1990, a cidade era considerada a mais violenta do mundo, com um índice anual de homicídios que chegou a 381 óbitos por 100 mil habitantes. Em 2014, Medellín registrou 27 homicídios por 100 mil habitantes, número ainda elevado para os padrões internacionais, mas o índice mais baixo dos últimos quarenta anos.

A violência não deixou de ser um problema na cidade onde, segundo algumas estimativas, existem 350 quadrilhas que reúnem 13 mil homens. Negado pelas autoridades, o chamado "pacto do fuzil" estabeleceu uma trégua na disputa pelo tráfico de drogas.

Mas o pano de fundo dessa nova realidade é o projeto que tornou Medellín mais justa e inclusiva, com mais cultura e transporte de qualidade. Em uma cidade onde a maioria dos três milhões de habitantes vive em favelas (71% da população), o grande desafio era interligar as chamadas "comunas", facilitar a circulação das pessoas e a presença do poder público em áreas dominadas pelos traficantes.

Parque de ciências, parques-biblioteca, Jardim Botânico, um centro cultural erguido onde antes havia um lixão, teleféricos, BRTs e tantos outros símbolos de mudança tornaram Medellín uma cidade mais bonita, próspera e funcional.

Segunda maior cidade da Colômbia, Medellín foi premiada em 2013 como a cidade mais inovadora do mundo pelo Urban Land Institute.

Nova York: um parque na linha do trem

Construído em 1934, o High Line era uma linha de trem que interligava as empresas da indústria alimentícia baseadas no Meatpacking District (bairro em Manhattan que abrigava, no início do século passado, aproximadamente 250 matadouros e fábricas de embalagem).

Com o passar dos anos, a indústria se mudou para as áreas mais remotas da cidade e a Prefeitura de Nova York decidiu demolir toda essa estrutura. Mas um grupo de moradores conseguiu interromper as demolições e, com a ajuda do poder municipal, promover um concurso que pudesse escolher o melhor projeto de revitalização do High Line.

A ideia vencedora foi a que sugeriu a criação de um parque verde. Foram dez anos de trabalho intenso – inclusive com doações para viabilizar o projeto, orçado em US$ 115 milhões. Inaugurado em 2009, o parque suspenso mistura passeio público com hortas urbanas e uma vista incrível da cidade.

Em apenas dois anos, os investimentos privados no entorno do High Line deram um salto de US$ 2 bilhões (17 vezes mais do que o custo de criar o parque) com a construção de vários condomínios de luxo. Hoje, ele é visitado por cerca de 6 milhões de pessoas ao ano.

Paris: o "viaduto das artes"

Em 1853, um terminal de transportes ferroviário foi construído na praça da Bastilha com um viaduto que permitia o acesso dos trens à estação. Tudo ia muito bem até que se decidiu construir bem ali – na área do terminal – a Ópera da Bastilha (que terminou sendo inaugurada em 1989).

A Prefeitura pensou em demolir o viaduto, mas decidiu transformar a estrutura no "viaduto das artes". Na parte de cima, um lindo jardim suspenso – chamado *La coulée verte* ("O corredor verde") – tem uma vista privilegiada do bairro residencial. São 4,5 km de verde que, às vezes, atravessa os prédios da região. Na parte de baixo, os arcos viraram vitrines do artesanato francês e lojas foram ocupadas por artistas e designers. É um espaço frequentado essencialmente por parisienses, mas que vem atraindo cada vez mais turistas.

Seul: o resgate de um rio

A capital da Coreia do Sul é palco de um dos mais impressionantes projetos de revitalização urbana deste século.

A história começa na década de 1960 quando, com o rápido desenvolvimento urbano do país, optou-se por enterrar com cimento o arroio poluído que atravessava Seul. Anos depois, em 1968, construiu-se sobre a área aterrada um elevado de 12 metros de altura (Cheonggyecheon Expressway) para tentar desafogar o trânsito cada vez mais intenso da cidade.

No início dos anos 1990, um renomado professor de história da cidade passava de carro por aquela via expressa, quando se lembrou do arroio Cheonggyecheon dos velhos tempos, com suas águas ainda limpas. Seria possível recuperar o rio que jazia enterrado no coração da cidade?

Em 2002, essa ideia ganhou corpo na sociedade e iniciou-se o projeto de "resgate" do rio Cheonggyecheon. Mas, para isso, foi preciso demolir a via expressa construída em cima dele. Foi assim que a capital sul-coreana ganhou de volta o seu rio, que hoje atravessa um moderno parque urbano de 5,8 km de extensão.

As águas do arroio trouxeram ar fresco e a temperatura do centro da cidade diminuiu em média 3,5ºC. A nova área de lazer também serve de ponto de encontro, nos momentos de folga, para os trabalhadores que se concentram nessa parte de Seul. Curiosamente, uma monitoração do trânsito comprovou que, mesmo sem a via expressa, o tráfego melhorou em toda Seul.

Áreas portuárias ganham nova vida

É cada vez maior o número de cidades que investem em projetos de revitalização de zonas portuárias, transformando galpões e armazéns abandonados em centros de cultura e lazer, polos gastronômicos e shoppings.

A degradação das zonas portuárias pelo mundo tem origem na introdução dos contêineres na logística do transporte de cargas, que reduziu a demanda de espaço nos portos mais antigos. Extensas áreas portuárias se tornaram rapidamente obsoletas e, não raro, marginalizadas.

O *Cidades e Soluções* mostrou projetos inovadores, que resgataram a importância e o prestígio dessas áreas.

Puerto Madero: a Manhattan argentina

A maior revolução urbanística de Buenos Aires nos últimos cem anos chama-se Puerto Madero. Nos arredores da Casa Rosada – sede do governo federal –, uma área equivalente a 170 campos de futebol se transformou em um dos metros quadrados mais caros da Argentina.

Na primeira metade do século XX, quando o país era conhecido como o "celeiro do mundo", o porto de Buenos Aires viveu seu momento de esplendor. Era intensa a movimentação: por lá passavam exportadores, imigrantes, artistas e até chefes de Estado. Com o tempo, o porto passou por várias reformas, até ser considerado defasado.

Abandonado, virou refúgio de ratos, mendigos e ladrões. Foram sessenta anos de decadência até que em 1989, um século depois de sua inauguração, Puerto Madero passou por uma profunda transformação.

O bairro transformou-se em ponto de passeio para os portenhos nos fins de semana. O projeto de revitalização abriu espaço no porto para escritórios, produtoras de TV, agências de publicidade, bancos e para o maior polo gastronômico de Buenos Aires. Há estações do metrô nas redondezas, além de áreas ao ar livre para 7 mil automóveis e um estacionamento subterrâneo para outros 1.200 carros.

Estação das Docas: parada obrigatória em Belém

A Estação das Docas é uma das principais atrações turísticas de Belém. Todo turista que chega à capital paraense deve fazer um passeio na área de 500 metros junto à orla, que oferece muitas atrações para os visitantes.

A estrutura original do porto foi preservada: são três galpões de ferro pré-fabricados na Inglaterra e um terminal de passageiros. A máquina que fornecia energia para o porto foi mantida, juntamente com os guindastes americanos usados no transporte de cargas e que receberam iluminação cênica.

Foram investidos R$ 23 milhões no projeto, que reúne num boulevard restaurantes com música ao vivo, lojas, ponto de partida para passeios turísticos, além da vista privilegiada para o rio. Nos fins de semana, a Estação das Docas chega a reunir 12 mil pessoas. Da área degradada do antigo porto surgiu um empreendimento bem-sucedido que redesenhou o mapa do turismo na cidade.

O Porto Maravilha do Rio de Janeiro

Uma das maiores intervenções urbanas do mundo mudou a paisagem da zona portuária do Rio. A área de influência do projeto alcançou sete bairros que, juntos, somam 5 milhões de m².

Para abrir caminho para o novo, foi preciso botar o velho abaixo. A demolição do Elevado da Perimetral, com seus mais de 5 km de extensão, foi a obra mais polêmica pelos impactos imediatos causados na mobilidade urbana. Mas essa foi apenas uma parte do projeto. Foram construídos 5 km de túneis, e novos empreendimentos culturais como o Museu de Arte do Rio (MAR), o Museu do Amanhã e o Aquário do Rio (o maior da América do Sul).

A região foi literalmente revirada do avesso com 700 km de novas redes subterrâneas de água, esgoto, energia, gás natural e telecomunicações.

As obras do Porto Maravilha também revelaram uma parte da história da cidade que estava escondida no fundo da terra. É o caso do antigo Cais do Valongo, por onde passaram mais de 500 mil escravos trazidos da África.

Nessa área totalmente revitalizada foi construída a primeira linha de Veículo Leve sobre Trilho (VLT) do Rio, ligando a rodoviária Novo Rio ao aeroporto Santos Dumont.

O Porto Maravilha é uma parceria público-privada e viveu seu momento de glória durante os Jogos Olímpicos, em 2016, quando parte do trajeto da maratona passou por ali.

Naqueles dias, milhares de pessoas circularam diariamente pela região que acolheu – de forma inédita – a chama olímpica. A região, que antes era degradada, marginalizada e ignorada pela maioria da população, hoje é um dos pontos turísticos mais importantes da cidade, com intensa agenda cultural.

Os desafios de Brasília

No aniversário dos 50 anos de Brasília, o *Cidades e Soluções* foi na contramão do senso comum: enquanto a maioria dos veículos de comunicação lembrava a saga da construção da nova capital federal – Patrimônio Cultural da Humanidade – em uma área deserta do Cerrado, decidimos mostrar em dois programas especiais a periferia de Brasília e seus principais problemas ainda não resolvidos: ocupações irregulares, loteamentos mal concebidos, especulação imobiliária, descarte inadequado de lixo, violência, transporte ruim etc.

Oficialmente, Brasília compreende o Plano Piloto e outras 29 "cidades satélites", hoje denominadas regiões administrativas. Com seus 2,6 milhões de habitantes, Brasília é hoje uma das vinte cidades mais desiguais do mundo, segundo as Nações Unidas.

Um de nossos entrevistados foi o ex-secretário de Desenvolvimento Urbano e Meio Ambiente do Distrito Federal, Cassio Taniguchi. Ele explicou o que, na sua visão, deu errado no projeto original de Brasília: "Lúcio Costa previa um Plano Piloto estruturado, organizado, para abrigar 500 mil pessoas. E criava-se também um cinturão verde, de abastecimento de produtos hortifrutigranjeiros para Brasília. Bom, o que aconteceu em seguida, infelizmente, não tem nada a ver com o plano original. Houve várias invasões dessa área verde e o projeto original do Plano Piloto deixou de existir. O Distrito Federal ficou absolutamente fragmentado. Então, dos 500 mil habitantes que deveriam estar hoje no Plano Piloto, só temos 220 mil. E, no Distrito Federal, como um todo, são 2 milhões e 600 mil pessoas. Sem contar mais de 1 milhão de pessoas no entorno."

Morando longe do trabalho

Um dos grandes desafios do Distrito Federal é que 70% dos empregos são oferecidos no Plano Piloto. Como a qualidade do transporte público é precária, milhares de trabalhadores que vêm das regiões administrativas sofrem todos os dias com esses deslocamentos.

O adensamento populacional desse "miolo" de Brasília é uma questão polêmica, que divide opiniões. Há quem considere importante aproximar as pessoas do local de trabalho e permitir que Brasília tenha mais gente. Outros entendem que é melhor manter as atuais regras de ocupação e evitar o adensamento. O fato é que, mesmo sendo uma cidade planejada, Brasília não conseguiu se livrar de problemas típicos de cidades maiores e mais antigas.

O lixo federal

Outro problema é a destinação final do lixo do Plano Piloto e das cidades satélites. Situado às margens do Parque Nacional de Brasília – a apenas 15 km da Esplanada dos Ministérios – o "lixão da Estrutural" ocupa uma área equivalente a duzentos campos de futebol e é considerado um dos maiores do mundo (é o maior da América Latina).

O bairro da Estrutural, nas cercanias do lixão, foi alvo de inúmeras invasões e milhares de pessoas vivem da economia do lixo com a venda dos recicláveis.

Apenas em janeiro de 2017, o governo do Distrito Federal conseguiu inaugurar (com dez anos de atraso) o aterro sanitário de Samambaia, sem, contudo, deixar de depositar a maior parte dos resíduos no lixão da Estrutural. Ou seja, o problema continua.

A escassez de água

Outro desafio é o abastecimento de água. Em 2010, o *Cidades e Soluções* advertia para o risco de um colapso hídrico numa região conhecida pelo desperdício desse precioso recurso. Brasília ostentava a condição de cidade com o maior consumo *per capita* de água do país.

Mostramos um estudo da companhia de saneamento do Distrito Federal que apontava o crescimento da demanda num ritmo muito mais rápido do que a expansão da oferta de água em todas as regiões da capital. Para evitar a escassez, Brasília precisa, entre outras medidas, proteger seus principais mananciais (as barragens do Descoberto e de Santa Maria), sobretaxar o consumo exagerado de água tratada e estimular o consumo consciente em campanhas permanentes.

A omissão das autoridades sobre o risco de um colapso hídrico determinou, em janeiro de 2017, que – pela primeira vez na história – as regiões administrativas no entorno de Brasília tenham sofrido racionamento de água tratada para evitar o desabastecimento.

Ocupação irregular e grilagem

Sobrevoamos de helicóptero casas e mansões construídas irregularmente no Jardim Botânico, nos arredores do Plano Piloto. Os loteamentos avançavam sobre as encostas verdes, comprometendo os mananciais de água doce.

Também do alto, a alguns minutos dali, filmamos Paranoá, área de invasão próxima à barragem do lago Paranoá, que virou loteamento. Embora regularizada, a comunidade registra uma grande aglomeração de casas (conurbação), que prejudica a qualidade de vida dos moradores. São lotes pequenos, sem arborização, dispersos por ruas estreitas.

Sobrevoamos também Itapoã e Varjão, áreas de invasão que, do alto, pareciam favelas em expansão.

Os especialistas ouvidos pelo *Cidades e Soluções* criticaram a política instituída por alguns governos (especialmente na década de 1990), que estimularam a ocupação desordenada desses espaços públicos por meio da doação de lotes que resultavam em "currais eleitorais".

"Durante os vinte anos de autonomia política, nós tivemos um condomínio irregular a cada semana e meia de governo. Num certo sentido, a grilagem foi a política pública mais bem-sucedida do DF nesses anos. É corrupção no nível do urbano e do território", criticou Frederico Flósculo, mestre em Planejamento Urbano pela Universidade de Brasília e ex-presidente do Sindicato dos Arquitetos de Brasília.

Nas "cidades-satélites"...

Em Águas Claras, a 20 km do Plano Piloto, a aglomeração é de prédios altos. Um impressionante conjunto de espigões de até 28 andares – muito próximos uns dos outros – foi apontado pelos especialistas convidados pelo programa como um exemplo de especulação imobiliária desregrada.

Aproximadamente seiscentos edifícios amplos (construídos em ritmo acelerado, em pouco mais de dez anos) se destacam na paisagem como um gigantesco paliteiro a céu aberto, com impactos no sombreamento, na circulação de ar e, principalmente, na mobilidade na região (acúmulo de automóveis com grandes engarrafamentos). Os moradores reclamam que o crescimento da cidade não foi acompanhado da expansão dos serviços públicos como hospitais, delegacias e escolas.

Em Ceilândia, a 26 km do Plano Piloto, acompanhamos uma operação de rotina do Batalhão de Operações Especiais da Polícia Militar (Bope) em uma área dominada por traficantes de drogas. Essa é a maior região administrativa do Distrito Federal, com aproximadamente 500 mil habitantes.

Segundo o comando do policiamento do DF, o maior número de ocorrências policiais de menor potencial ofensivo acontece no Plano Piloto, enquanto que os crimes mais violentos (assaltos, homicídios, estupros) são registrados nas regiões administrativas em torno de Brasília. A falta de planejamento marcou a história da maioria dessas regiões, o que acaba tendo reflexos também sobre os indicadores de violência.

No entorno do DF...

Os problemas e desafios de Brasília para este século transcendem as divisas da Capital Federal. Além do Plano Piloto e das 29 Regiões Administrativas, existem outras 18 cidades de Goiás e até de Minas Gerais, muito próximas de Brasília, que sofrem a influência direta da Capital Federal.

É o caso de Águas Lindas de Goiás, a 50 km de distância do Plano Piloto, onde registramos inúmeros anúncios de compra e venda de lotes às margens de uma rodovia federal (BR-070).

Segundo os especialistas ouvidos pelo *Cidades e Soluções*, o comércio irregular de propriedades é nutriente para novos loteamentos em áreas sem infraestrutura adequada.

Fundada em 1995, Águas Lindas de Goiás tem hoje uma população de aproximadamente 200 mil habitantes e que continua crescendo. O grande atrativo para essas ocupações é, justamente, a proximidade de Brasília.

Três cenários possíveis para o DF

Um dos especialistas ouvidos pelo *Cidades e Soluções* foi Frederico Flósculo, professor adjunto da Universidade de Brasília, com mestrado em Arquitetura e Urbanismo, e doutorado em Processos de Desenvolvimento Humano e Saúde pela UnB. Ele apontou diferentes possíveis cenários para Brasília até 2050:

1) Brasília como cidade do México: a especulação imobiliária e as ocupações irregulares prevalecem. População de aproximadamente 7 milhões de pessoas, com crescimento acelerado e impactos importantes sobre o meio ambiente até o fim do século XXI. Falta de água, violência urbana e estresse social (esse seria o cenário mais provável, se não houver ajustes importantes).

2) Brasília como Washington: contenção do crescimento populacional e investimento vigoroso em uma centena de municípios dos arredores de Brasília, estimulando o desenvolvimento regional em cada uma dessas cidades. Desacelerar o crescimento econômico da capital federal.

3) Brasília como uma cidade-parque: resgate do projeto de Lúcio Costa, com a recuperação dos quase trinta bairros da capital federal. Parceria com o governo de Goiás para criar uma zona metropolitana com investimentos em projetos de desenvolvimento humano.

Centro de Operações: quando a cidade cabe numa sala

A tecnologia se tornou um recurso fundamental para a gestão das cidades. Não é de se estranhar, portanto, que a oferta de sistemas inteligentes – que tornam as rotinas da administração pública mais ágeis e eficientes – tenha se multiplicado pelo mundo. O *Cidades e Soluções* registrou o funcionamento de alguns dos mais modernos centros de operações do mundo.

Rio de Janeiro

Inaugurado em 2010, o Centro de Operações do Rio de Janeiro impressiona pelo tamanho e pelo megatelão multiuso. É um "paredão" com oitenta monitores, dos quais 12 reproduzem um mapa interativo da cidade, que permite a técnicos de trinta diferentes empresas públicas e privadas (todas prestadoras de serviços, como água, esgoto, luz, gás, trem, metrô, barcas, empresas de ônibus, controle de tráfego, coleta de lixo, defesa civil, assistência social etc.) acompanhar on-line, 24 horas por dia, tudo o que acontece na cidade.

Câmeras espalhadas pelas ruas, frotas de veículos monitoradas com GPS, imagens de satélites e outros sistemas de informação fornecem uma gigantesca quantidade de informações essenciais para o correto gerenciamento da cidade.

O protocolo de resposta pode mobilizar dois ou mais serviços ao mesmo tempo. Por exemplo: uma árvore cai em uma rua movimentada, atingindo um carro e interrompendo o trânsito. Reunidos em uma mesma sala, os operadores definem rapidamente que é preciso enviar para o local uma ambulância, operadores de tráfego e funcionários que façam a remoção da árvore e a poda correta do que sobrou dela. Se a companhia de energia constata que a queda da árvore provocou um blecaute – e que o conserto deverá levar pelo menos três horas –, os mais importantes serviços públicos que dependem de energia (metrô, trens, fornecimento de água etc.) sabem imediatamente do problema e se mobilizam para reduzir danos.

Por meio do Centro de Operações do Rio de Janeiro é possível ter acesso nos telões, entre outras informações, ao posicionamento exato de todos os caminhões de lixo (monitorados a distância) ou levantar os dados completos de cada escola municipal (nome da escola, endereço, nome do diretor, número de alunos).

Inspirado no Centro de Controle da Nasa, o Centro de Operações carioca é o primeiro do gênero no mundo e surgiu de uma parceria da Prefeitura com a IBM.

O Centro de Operações também abriga uma equipe com quatro meteorologistas e sete técnicos, que se revezam 24 horas por dia atualizando as informações sobre o tempo.

O Alerta Rio recebe informações de satélites, radares meteorológicos e 33 estações que medem intensidade da chuva e sensores de descargas elétricas. É essa equipe que decide se a cidade deve ficar em estado de alerta por causa de uma tempestade que se aproxima.

Os boletins são divulgados para todos os órgãos da Prefeitura – principalmente a Defesa Civil –, pelas redes sociais, para a imprensa, e para diversas lideranças comunitárias que foram treinadas (se for o caso) a levar para abrigos predeterminados (escolas, clubes, creches etc.) pessoas que estejam morando em áreas de risco.

A Prefeitura determinou, por decreto, que em situações de crise, caso o prefeito esteja ausente ou inacessível por uma razão qualquer, caberá ao chefe do Centro de Operações o comando da cidade.

Nova York

Depois dos atentados de 11 de setembro de 2001, Nova York realizou mudanças importantes nos sistemas de segurança da cidade. Investiu, por exemplo, em tecnologia para cruzar dados e informações sobre pessoas suspeitas e criminosos. Para isso, foi criado o Centro de Crime em tempo real, que dá suporte aos policiais que investigam crimes violentos.

Funciona assim: um gigantesco banco de dados com mais de 120 milhões de queixas criminais e 31 milhões de registros de crimes ocorridos no país pode ser acessado a qualquer momento. As informações podem ser visualizadas em segundos em um telão: a foto de um suspeito aparece com detalhes (tatuagens, sinais de nascença etc.), antecedentes criminais, endereço, mapas. Tudo isso é passado imediatamente aos policiais no local do crime. O que antes levava dias, hoje leva apenas alguns minutos.

Madri

A principal função do Centro Integrado de Segurança e Emergência de Madri é coordenar uma resposta rápida e conjunta dos serviços de emergência. Polícia, bombeiros, ambulâncias – serviços que exigem pronto atendimento – dispõem de um painel de 90 m^2 de telões, com ampla informação sobre o que acontece na cidade.

Paris

A Zona de Defesa e Segurança de Paris foi criada para prevenir atentados terroristas, remediar danos causados por tragédias naturais e oferecer pronta resposta a qualquer situação que represente risco aos franceses.

As equipes se revezam, acompanhando a movimentação registrada por mais de seiscentas câmeras espalhadas por Paris, nos principais meios de transporte da capital francesa, aeroportos, estradas e pontos turísticos. O sistema agilizou a recuperação de imagens gravadas pelos sistemas de segurança de empresas particulares. Também está apto a emitir alertas em relação à qualidade do ar da capital francesa.

FIQUE POR DENTRO

Três diferentes modelos que ajudam a tomar decisões:

1) Sala de Situação (*Situation Room*): permite o acompanhamento de grandes eventos, como Copa do Mundo ou Olimpíada (ex.: Gauteng, na África do Sul).

2) Centro de Crise: coordena operações de emergência, mobilizando principalmente a polícia, ambulâncias, bombeiros e Defesa Civil (ex.: Madri).

3) Centro de Operações: reúne vários operadores de serviços em um mesmo ambiente, agilizando a tomada de decisões em diferentes níveis (ex.: Rio de Janeiro).

Sobre duas rodas se vai longe

O *Cidades e Soluções* abriu generosos espaços para mostrar em diferentes momentos, no Brasil e no exterior, o espetacular avanço da bicicleta como um meio de transporte rápido, eficiente, ecológico e de baixo custo.

Mostramos como o Rio de Janeiro construiu a maior malha cicloviária do continente, a polêmica construção das ciclovias de São Paulo e como as principais cidades colombianas (especialmente Bogotá e Medellín) ganharam fama internacional com investimentos vultosos para estimular a circulação de ciclistas.

Acompanhamos também a inauguração do primeiro programa de bicicletas públicas da França (Vélib) e os impressionantes bicicletários da Holanda (o de Amsterdã tem três andares e abriga até 10 mil bicicletas por dia).

Uma das razões para o crescimento das bicicletas nas cidades é o colapso da mobilidade urbana, com congestionamentos crescentes agravados pela multiplicação indiscriminada de veículos automotores. No Brasil, para complicar a situação, sucessivos governos estimularam com isenção fiscal (redução do Imposto sobre Produtos Industrializados – IPI) o consumo de automóveis, enquanto os investimentos em transporte público de massa (principalmente trens e metrô) ficaram aquém do necessário.

É nesse contexto que as bicicletas se fortaleceram como opção de transporte, e muitos prefeitos do país (repetindo o que vem acontecendo em algumas das mais importantes cidades do mundo) investem em ciclovias, ciclofaixas, bicicletários e outros equipamentos que estimulam os ciclistas a se deslocarem com maior frequência pelas cidades.

No Brasil, um levantamento feito em 2015 nas prefeituras das 19 capitais revelou que, juntas, elas possuem mais de 2.190 km de ciclovias, ciclofaixas e faixas compartilhadas.

Não se sabe exatamente quantas bicicletas existem hoje no país, mas esse número pode chegar a 90 milhões. Desse total, 10% das bicicletas são importadas, 20% são produzidas na Zona Franca de Manaus e 70% são fabricadas no restante do país.

A taxação média das bicicletas no Brasil é de aproximadamente 72% sobre o custo. Se houvesse isenção de IPI, como normalmente se dá para os carros, estima-se que o aumento nas vendas seria superior a 11%. Sem uma política fiscal que estimule o uso de bicicletas, o setor vem amargando uma queda na produção e nas vendas.

O perfil do ciclista brasileiro

Esse é o nome do estudo realizado em 2015 pela Parceria pela Mobilidade em Bicicleta, que reúne organizações de todo o país em prol de quem pedala. A pesquisa mostrada pelo *Cidades e Soluções* revela o perfil do ciclista em dez das mais importantes cidades do país. Ao todo, cinco mil ciclistas foram entrevistados em São Paulo, Rio de Janeiro, Belo Horizonte, Niterói, Porto Alegre, Aracaju, Salvador, Recife, Manaus e Brasília. Entre as principais conclusões da pesquisa, se destacam:

- Em todas as cidades pesquisadas, o principal destino dos ciclistas é o trabalho. Essa foi a resposta de mais de 80% dos entrevistados. O resultado desmente a tese de que a maioria dos deslocamentos de bicicleta é para lazer e entretenimento.
- Mais de 50% dos ciclistas entrevistados pedalam há menos de cinco anos. Ou seja: o número de ciclistas dobrou nesse período.
- A principal motivação para o uso da bicicleta é a praticidade oferecida pelo veículo.
- A pesquisa confirmou o aumento dos ciclistas em São Paulo, depois que a cidade passou a contar com mais de 400 km de ciclovias. E um dado interessante: o número de novos ciclistas do sexo feminino explodiu. Foram feitas contagens de ciclistas mulheres entre os anos de 2010 (antes da construção das ciclovias) e 2015 (com as ciclovias já inauguradas). Na avenida Paulista, o aumento geral de ciclistas foi de 188%. Mas entre as mulheres, o aumento foi de 1.004%. Na avenida Eliseu de Almeida, o aumento geral foi de 122%. Mas entre ciclistas do sexo feminino, o número cresceu 1.444%.

NOS BASTIDORES

Em 2007, entrevistei Zé Lobo, da ONG Transporte Ativo, andando de bicicleta na Lagoa Rodrigo de Freitas, no Rio de Janeiro. Eu e o Zé (cada um numa bicicleta) seguíamos atrás do cinegrafista Evilásio Carneiro que registrou a nossa conversa sentado num quadriciclo (conduzido por um outro colega, ao lado dele). O efeito é interessante porque a entrevista acontece em movimento, numa área pública, interagindo com a paisagem e as pessoas.

Oito anos depois, em outro programa sobre as bicicletas nas cidades, voltei a entrevistar o Zé Lobo, só que desta vez no Aterro do Flamengo e com o cinegrafista Sebastião Miotto sentado na garupa de uma outra bicicleta (que seguia à nossa frente). Ele estava virado de costas para o condutor, com uma câmera de 12 quilos no ombro, filmando eu e o Zé, numa longa conversa de quase 15 minutos.

Foi algo tão inusitado – e engraçado – que resolvi encerrar o programa filmando com uma microcâmera o cinegrafista (enquanto ele me filmava), reconhecendo publicamente o esforço físico do colega (decisão dele, é bom frisar) em registrar dessa maneira a entrevista. Ficou realmente muito bom! E o programa acabou sendo agraciado com o Prêmio Especial da Confederação Nacional dos Transportes (CNT).

Aplicativos para ciclistas

Strava: é um dos mais populares, principalmente entre os atletas. Ele monitora distância, velocidade média e até o batimento cardíaco do ciclista. O Strava também informa a lista de pessoas que já passaram pelo trecho que você escolheu seguir de bicicleta.

Endomondo: mostra um mapa do trajeto, a altitude e as calorias gastas com as pedaladas. O ciclista também pode arquivar os dados e compartilhar nas redes sociais.

Código de Trânsito Brasileiro para Ciclistas: traz todas as informações importantes sobre direitos e deveres do ciclista, e de quem compartilha as vias com ele.

Transporte Ativo: a ONG desenvolveu um aplicativo repleto de informações úteis para quem adora pedalar.

A *bike* pelo mundo

Se em várias partes do Brasil a bicicleta só mais recentemente começou a ser vista como opção de transporte, lá fora esse conceito já existe faz tempo. Segundo *The Copenhagenize Index* (2015), no ranking das melhores cidades do mundo para andar de bicicleta, Copenhague (Dinamarca) aparece em primeiro lugar, seguida de Amsterdã e Utrecht (Holanda), Estrasburgo (França) e Eindhoven (Holanda).

Este último país é considerado por muitos (especialmente pelos próprios moradores) o melhor país do mundo para se andar de bicicleta. Já na década de 1950, 20% da população holandesa se locomoviam sobre duas rodas. Mas, na década seguinte, a prosperidade econômica aumentou e um dos resultados disso foi o crescimento no número de automóveis. Com o passar dos anos, os ciclistas foram perdendo espaço e o número de acidentes se elevou drasticamente. O trânsito se tornou um ambiente hostil, de disputas e violência. Diante da crise, os holandeses não perderam tempo, e organizaram um grande movimento para reduzir os acidentes. A campanha "Abaixo o assassinato de crianças" recebeu o apoio da população e do governo. A Holanda voltou a prestigiar o ciclismo e o número de acidentes caiu.

A mobilidade por bicicleta não parou mais de crescer. O ciclismo foi totalmente integrado à malha de transportes holandesa, com sinalização adequada e estacionamentos de bicicletas compatíveis com a demanda crescente.

Na Holanda, bicicletas dobráveis viajam de graça em outros meios de transporte público e as tradicionais podem ser transportadas fora dos horários de pico por uma pequena taxa. A companhia ferroviária e prefeituras oferecem estacionamento perto das estações. Desde 2003, o serviço de aluguel de bicicletas torna ainda mais acessível essa opção de transporte.

FIQUE POR DENTRO

O Vélib – programa de bicicletas públicas de Paris, inaugurado em 2007 – foi totalmente financiado por uma empresa que explora *outdoors* e painéis de propaganda em ônibus, postes e bancas de jornal.

A ideia de investir no Vélib (mistura em francês das palavras "bicicleta" e "liberdade") surgiu para fortalecer a renovação do contrato da empresa com a Prefeitura de Paris, e continuar explorando com exclusividade os espaços publicitários da Cidade-Luz.

Carona solidária

Na França, há vários sites oferecendo o serviço de *covoiturage* (traduzido ao pé da letra significa "compartilhamento de veículo"). Normalmente, os sites publicam a oferta de carona por diferentes motoristas que desejam dividir os custos da viagem (longas ou pequenas distâncias).

A ideia básica é ratear os custos da gasolina, do pedágio ou outras despesas relacionadas à viagem. Publicam-se também as demandas dos caroneiros, para onde eles querem seguir, e as combinações vão acontecendo livremente.

Os sites chegam a dar destaque para as melhores ofertas de carona: "Bordeaux a Toulouse a partir de € 13,00." É possível até organizar caronas regulares com um grupo fechado que, não raro, vira um grupo de amigos. É o tipo do negócio em que todos saem ganhando: menos despesas com deslocamentos, menos emissões de gases estufa e outros poluentes, menos engarrafamentos com a redução do número de veículos etc.

Hoje é fácil encontrar diversas modalidades de carona solidária – de graça ou compartilhando os custos com o condutor do veículo – em várias partes do Brasil e do mundo.

Conhecendo 59 países de carona

Ludovic Hubler é um jovem francês que conquistou fama internacional por conseguir percorrer 59 países – inclusive o Brasil – pegando carona das mais diferentes formas. Foram cinco anos de deslocamentos, gastando em média

US$ 10,00 por dia. Ludovic usou muito o polegar para seguir viagem por terra (carros e caminhões). Pelo mar, a tática era outra.

"Eu pegava carona de barco, de veleiro, quebra-gelo, cargueiro... Ia nas marinas, visitava um barco atrás do outro e me apresentava: 'Bom dia, sou o Ludovic. Sou francês, estou indo para tal lugar... Você está indo nessa direção? Será que posso ir junto e trabalhar, fazendo faxina, descascando batatas, içando a vela etc.?' Ou seja, trabalhava e, em troca, viajava sem pagar. Quando eu estava na ilha de Bora Bora, na Polinésia Francesa, me dei conta que os turistas que estavam ali por duas semanas pagavam o equivalente ao meu orçamento para dois anos!". As aventuras de Ludovic renderam um livro e boas histórias para contar.

Carros elétricos

Ao longo de dez anos de programas, o *Cidades e Soluções* registrou em várias edições o crescimento da frota de carros elétricos (totalmente movidos a energia elétrica) e híbridos (motor a combustão combinado com um gerador elétrico) pelo mundo. A corrida tecnológica em busca de modelos competitivos com preços acessíveis mobiliza todas as grandes montadoras do mundo.

Hoje, existem no mundo cerca de 4,5 milhões de veículos. Os carros híbridos são a maioria (95%) e chegam a fazer 20 km com um litro de combustível. Os carros elétricos movidos a bateria (5%) já somam aproximadamente 200 mil unidades em todo o mundo. Japão, Estados Unidos e Europa largaram na frente.

No Brasil, ainda há poucos carros elétricos circulando. A principal razão é a elevada carga de impostos que incidem sobre o preço final. São 35% de imposto de importação, mais 55% de IPI, mais 13% de PIS/Cofins, mais 12 a 18% de ICMS, dependendo do estado, fazem com que a tributação que incide sobre os carros elétricos possa ultrapassar os 120%. E com isso, o preço médio hoje no Brasil chega a R$ 200 mil.

Pelas contas da USP, se 10% de todos os carros brasileiros fossem elétricos, o consumo de energia para recarregar todas as baterias seria equivalente a quase 3% da energia produzida na hidrelétrica de Itaipu.

A USP abriga um projeto pioneiro para medir os impactos que os carros elétricos podem causar nas redes de abastecimento.

Quando fizemos a reportagem, os pesquisadores estimavam que nos horários de pico poderia haver algum problema para abastecer uma frota numerosa de veículos elétricos. A solução seria estimular a recarga no período noturno (de preferência, de madrugada) com tarifas diferenciadas.

A USP também instalou o primeiro posto de recarga rápida do Brasil. O *Cidades e Soluções* acompanhou um dos motoristas credenciados pela Universidade a recarregar seu carro elétrico no posto. Em casa, ele levava seis horas para reabastecer na tomada; no posto, apenas 30 minutos.

Embora no Brasil os veículos elétricos ainda sejam mais caros, eles são mais econômicos e eficientes que os modelos convencionais. O carro elétrico que dirigimos na USP – um modelo japonês com potência equivalente a um motor 1.4 – gasta apenas três centavos por quilômetro rodado, 7,5 centavos menos que o motor a gasolina. Pode chegar a 130 km por hora e é tão silencioso que, no Japão, já estão sendo acoplados dispositivos que emitem ruídos para evitar atropelamentos.

Naquele país asiático, um carro elétrico custa o equivalente a R$ 70 mil. Com o incentivo do governo, cai para R$ 53 mil. Mesmo assim, mais caro que um carro do mesmo padrão movido a gasolina, que sai por cerca de R$ 40 mil.

O primeiro táxi elétrico de São Paulo

Alberto de Jesus tornou-se celebridade ao ser escolhido para guiar o primeiro táxi elétrico da capital paulista. Os passageiros adoram bater fotos do veículo e sempre fazem várias perguntas sobre a tecnologia dos motores elétricos.

O projeto de uma montadora estrangeira em parceria com a Prefeitura de São Paulo fez com que Alberto tivesse o privilégio de circular pela maior cidade do país (provavelmente a mais barulhenta) num veículo que não emite ruído algum.

A autonomia de 160 km garante com folga os deslocamentos com passageiros pela cidade. Quando chega a hora de reabastecer, Alberto leva o carro para o ponto de recarga da montadora.

Acessibilidade: uma questão ainda pendente

Mais de 45 milhões de brasileiros com algum tipo de deficiência (visual, auditiva ou motora) ainda sofrem com a ausência de rampas, sinalização adequada, piso tátil, sinais sonoros nos cruzamentos, meios de transporte minimamente adaptados e várias outras intervenções que tornariam as cidades mais acessíveis.

A realização dos Jogos Paralímpicos de 2016 no Rio de Janeiro expôs de forma sem precedentes as gigantescas demandas desse numeroso segmento da população.

Às vésperas dos Jogos do Rio, o *Cidades e Soluções* andou pelas ruas da cidade com um cadeirante e uma deficiente visual para evidenciar os obstáculos enfrentados todos os dias por eles na cidade sede das Paralimpíadas.

Os entrevistados criticaram bastante os desníveis e os buracos no calçamento e a inclinação acentuada das poucas rampas disponíveis. Flagramos a dificuldade do cadeirante ao ser levado para dentro de um ônibus que até tinha elevador, mas o equipamento estava quebrado (um problema recorrente, segundo ele).

A deficiente visual se queixou da falta de piso tátil e do vão que separa os vagões de trem das estações, já que os funcionários da concessionária não costumam estar presentes nos momentos em que ela precisa de ajuda para sair do vagão (na entrada, eles ajudam).

Em ambos os casos, houve muitas queixas em relação a arenas esportivas, cinemas, teatros, restaurantes e escritórios não acessíveis. Se é assim no Rio de Janeiro – segunda cidade mais rica do país –, dá para imaginar o que acontece em milhares de outras cidades do Brasil?

Não é de surpreender, portanto, que nosso país não possua nenhum ranking oficial de cidades acessíveis. Na União Europeia há uma premiação anual que destaca a cidade que mais ajustes consegue realizar em favor da acessibilidade. Só concorrem cidades com mais de 50 mil habitantes. E a campeã de 2016 foi Milão, na Itália.

"Ajudinha virtual"

- Um dos aplicativos brasileiros mais completos na área da acessibilidade é o Guiaderodas. Lá é possível encontrar mais de 5 mil estabelecimentos acessíveis, em 410 cidades de 31 países. Mais de 7 mil usuários usam regularmente a ferramenta. Eles também participam, informando onde há obstáculos indesejáveis.
- O aplicativo de transporte Moovit lançou uma ferramenta exclusiva para deficientes visuais. Ela permite que em mais de mil cidades do mundo, o usuário pressione o dedo na tela do celular para ouvir qual botão ou ícone está sendo visualizado. É assim que o deficiente visual pode planejar suas rotas com mais segurança e conforto.

Arenas Olímpicas adaptadas

Foram realizados os seguintes ajustes de projeto nas Arenas do Rio de Janeiro:

- Pavimentação adequada para evitar trepidação excessiva e inclinação de, no máximo, 5% nas rampas para os cadeirantes (padrão internacional).
- Banheiros e bebedouros adaptados.
- Piso tátil em todas as arenas orientando os deslocamentos dos deficientes visuais.
- Transmissão das provas pelo rádio em diferentes idiomas (para os deficientes visuais).
- 1% dos lugares reservados para cadeirantes.
- As grelhas dos bueiros foram projetadas para evitar que bengalas ou cadeiras de rodas pudessem travar ali.
- O gerente de acessibilidade do Comitê Rio-2016 é um cadeirante.

"Homem-bomba" em São Paulo

Imagine circular pela cidade de São Paulo com vários equipamentos acoplados ao seu corpo medindo ao mesmo tempo pressão arterial, batimento cardíaco, temperatura, umidade, ruído e nível de oxigênio no sangue.

Participei de uma experiência em São Paulo que mostrou os inúmeros danos da poluição à saúde humana. "Fui batizado de *homem-bomba* pela equipe do Laboratório de Poluição Atmosférica da USP, que me transformou em cobaia de uma experiência incomum: medir cientificamente os impactos causados à nossa saúde pela poluição em uma megacidade."

Foram ao todo seis horas de medições em São Paulo, sempre monitorado pela equipe do Laboratório de Poluição Atmosférica da USP e sob o atento acompanhamento dr. Paulo Saldiva, médico patologista e professor da Faculdade de Medicina da USP, então coordenador do Laboratório.

A equipe multidisciplinar da USP e do Instituto Saúde e Sustentabilidade levou quatro dias para tabular todos os dados registrados nos equipamentos e produzir o relatório final. E os resultados foram impressionantes.

Material particulado

Segundo a OMS, a quantidade máxima de material particulado, como poeira ou fuligem, que um ser humano poderia inalar sem prejuízos à saúde é de 25 microgramas por m^3 a cada dia.

Durante todo o trajeto que fizemos em São Paulo os níveis registrados pela equipe do dr. Paulo Saldiva foram muito superiores. O pico da concentração de material particulado foi na avenida Salim Farah Maluf, no trajeto entre o aeroporto e a estação de metrô Tatuapé, onde os equipamentos registraram 752 microgramas por m^3. É um índice trinta vezes superior ao limite recomendado pela OMS.

Ruídos

A OMS considera como padrão de conforto um volume de ruídos até 40 decibéis para períodos de sono e até 50 decibéis durante o dia. Durante nossa permanência em São Paulo, o volume médio de exposição a ruídos foi de 78 decibéis, com mínimo de 60 e pico de, pelo menos, 95 decibéis. Esse é o limite de registro do aparelho. Para a equipe de cientistas, houve momentos em que ultrapassamos esse limite. O momento em que o barulho foi maior foi na passagem pelo túnel Maria Maluf.

Temperatura ambiente

A temperatura ambiente variou bastante durante a experiência: exatamente 8°C (entre 27,2° e 35,4°). As "ilhas de calor" em São Paulo podem agravar a mudança de temperatura durante os deslocamentos.

Umidade relativa do ar

A OMS considera que há perigo quando a umidade relativa do ar desce ao nível de 30% ou fica abaixo disso. Em São Paulo, isso costuma acontecer nos meses de inverno, quando se declara estado de atenção. Fizemos a experiência em um dia quente de outono. Na média, a umidade relativa do ar ficou abaixo de 40%, índice considerado preocupante pela equipe de cientistas pela combinação com temperatura alta, em torno de 35°C, e a exposição a cargas elevadas de poluentes.

Pressão arterial

Minha pressão arterial, normalmente, é 11 por 6. Mas, durante o trajeto, ela oscilou bastante, sempre acima do valor-base. Só voltou ao normal mesmo durante a pausa para o almoço.

Frequência cardíaca

Os pesquisadores monitoraram a capacidade do coração regular a frequência dos batimentos. O resultado foi uma queda nessa capacidade. Segundo a equipe, o que aconteceu comigo confirma um fenômeno amplamente percebido e já publicado em importantes estudos científicos: a exposição à poluição prejudica o funcionamento do coração. Em grupos mais vulneráveis, como idosos e pessoas com problemas cardíacos, a redução dessa capacidade de regulação pode levar a arritmia e infarto.

Inalação de monóxido de carbono

O monóxido de carbono (CO) é um dos gases mais perigosos e letais, resultante da queima de combustíveis. No caso de São Paulo, a principal fonte de monóxido de carbono são os veículos automotores. Enquanto estive na capital paulista, a quantidade desse gás inalada por mim dobrou em apenas 20 minutos. Durante as seis horas de medições na cidade, inalei uma carga de monóxido de carbono e material particulado equivalente a de quatro cigarros!

Dois anos a menos de vida

"O custo da poluição da cidade de São Paulo, computando-se tanto gastos diretos em saúde quanto a perda de produtividade pela redução da expectativa de vida, chega a US$ 1.800 bilhão por ano. Com isso, daria para construir 18 km de metrô por ano e quase 60 km de corredor de ônibus por ano. Em outras palavras, a gente está de alguma forma subsidiando com a nossa saúde uma estratégia equivocada de mobilidade, de pensar a cidade", resumiu dr. Paulo Saldiva.

O médico explicou que esses problemas ambientais levam a uma mortalidade precoce por doenças respiratórias, cardiovasculares e abortamento. "Para se ter uma ideia, esses níveis de poluição acima dos limites estabelecidos pela OMS provocam 4 mil óbitos a mais por ano em São Paulo. Isso é mais do que tuberculose e Aids somadas. Quer dizer, é um problema de saúde pública, e significa que nós não perdemos só tempo no congestionamento. Nós perdemos *saúde.* A expectativa de vida nossa podia ser dois anos maior se a gente resolvesse o problema da qualidade do ar", declarou.

Dr. Paulo Saldiva, o Instituto Saúde e Sustentabilidade e várias organizações que militam em favor da qualidade de vida nas cidades defendem a adoção de políticas públicas mais severas para reduzir a concentração de poluentes no ar das cidades brasileiras. E a adoção dos parâmetros da OMS – mais restritivos – para embasar essas políticas.

Ibirapuera: verde que te quero... ozônio!

Depois de uma breve parada no mercado municipal para um lanche, seguimos para o Parque do Ibirapuera onde fizemos as medições finais.

Por incrível que pareça, a "ilha verde" mais famosa de São Paulo – uma das principais áreas de lazer da cidade com 1,1 milhão de m^2 e que chega a receber 130 mil pessoas aos domingos – é castigada pela elevada concentração de ozônio, principalmente no período entre as 10h e as 16h.

O poluente é resultado de uma reação química – estimulada pela luz solar – que envolve os gases liberados pelos veículos automotores. Em contato com o sol, esses gases que saem do escapamento de carros, ônibus e caminhões produzem ozônio.

No momento da reportagem, a concentração de ozônio no Parque do Ibirapuera era de 165 microgramas por m^3, 70% acima do padrão adequado estabelecido pela OMS. O dr. Paulo Saldiva explicou os efeitos do ozônio em nosso organismo: "O ozônio é o clássico poluente respiratório: provoca rinite, sinusite e o agravamento de asma. É um oxidante e destrói parte das nossas defesas respiratórias, nos deixando mais propensos a pegar uma infecção, uma virose etc.".

NOS BASTIDORES

Se alguém nos visse no estacionamento do aeroporto de Congonhas montando os equipamentos da reportagem certamente chamaria a polícia. Devo reconhecer que isso não seria exagero. Imagine um grupo de pessoas retirando de uma van equipamentos que eram caprichosamente instalados no meu corpo por debaixo das roupas.

Jamais poderia entrar no aeroporto daquele jeito. Já pensou como seria passar pelo detector de metais? O que eu ia dizer? Em vários outros países do mundo, a simples suspeita de que eu estava sendo munido de artefatos explosivos justificaria a detenção imediata. O fato é que nós nos divertimos muito com a situação. Fui batizado de "homem-bomba".

conversa com

Achim Steiner

Entrevista concedida a André Trigueiro em programa exibido em 06/06/2012, quando Steiner era diretor-executivo do Programa da ONU para o Meio Ambiente (Pnuma).

"Precisamos agir coletivamente"

Especialista em questões ambientais e políticas, nascido no Brasil e criado na Alemanha, foi diretor-executivo do Pnuma de 2006 a junho de 2016, e diretor-geral da União Internacional para a Conservação da Natureza (UICN).

André Trigueiro – Em relação às mudanças climáticas, quais as perspectivas considerando as emissões de gases poluentes?
Achim Steiner – Nós estamos tendo a década mais quente já registrada. Estamos vendo os cenários dos relatórios sobre mudanças do clima sendo refletidos no mundo real, com eventos extremos que têm sérias implicações no campo da segurança alimentar. Precisamos agir coletivamente. Só assim, nós seremos capazes de realizar as mudanças condizentes com o que os cientistas vêm prevendo que seja necessário.

A.T. – E quanto às florestas e à biodiversidade?
A.S. – A perda de biodiversidade e a destruição de ecossistemas do nosso planeta continuam de muitas formas, sem melhoras. Hoje, temos mais espécies ameaçadas de extinção do que nós tínhamos no passado.

Estamos perdendo produtos ativos como, por exemplo, os peixes nos oceanos. É difícil de acreditar, mas no último século nós fomos de uma situação onde os oceanos estavam repletos de peixes para a atual, em que estimamos que 70% de todas as espécies de peixes nos oceanos estão diminuindo ou indo a colapso. Esse é o rastro deixado pela Humanidade nos últimos cem anos.

A.T. – Qual a solução para isso?
A.S. – Se fosse fácil responder, talvez nós já tivéssemos feito algo... Mas acho que hoje já identificamos muitos dos agentes desse modelo de consumo e produção insustentável.

Nós, particularmente nas nações ricas, temos nos focado em dissociar a ideia de "desenvolvimento e progresso econômico" com a de "consumo de recursos e poluição", o que não é fácil.

Nas nações em desenvolvimento, a história é diferente. Precisamos achar o caminho para elas... Países em desenvolvimento têm uma necessidade legítima e o direito de ainda gerar mais energia porque eles precisam produzir mais comida, desenvolver seus sistemas urbanos, de transporte e infraestrutura. Mas é imperativo fazer tudo isso da maneira mais eficiente.

A urbanização pode ser um fator chave, capaz de fazer essa transição em direção a economias mais sustentáveis. Se, por exemplo, investirmos de maneira eficiente em um sistema de transporte melhor – e em transporte público – teremos 3,5 a 4 bilhões de pessoas vivendo nas cidades nos próximos dez anos em todo mundo sem o consumo de recursos e pegada ecológica que se teve nos anos 1970 e 1980.

A.T. – Qual sua definição de "economia verde"? Ela é a resposta para essa crise?

A.S. – A era em que o meio ambiente e a economia lutam um contra o outro pertence ao passado. É um mito do século XX que continua no século XXI, às vezes por razões que são compreensíveis, mas não se justificam mais.

Grandes e pequenas economias provaram que, se você trabalha da maneira correta, os mercados se adaptam e as finanças também vão na mesma direção. É só olhar para a energia renovável de diferentes nações pelo mundo. Há cinquenta anos, energia oriunda do vento e do sol era apenas um sonho dos ambientalistas.

Precisamos criar condições políticas para que a transição para uma economia verde seja mais viável e não uma punição para o consumidor ou para o negócio. Esse é o segredo. E não se trata de outra alternativa ideológica...

A.T. – Que perspectivas o sr. vê de mudança?

A.S. – Muito vai depender de que as pessoas acreditem que, agindo em coletividade, como uma comunidade de nações, nós somos capazes de fazer progressos mais rápido. Afinal, de onde vai vir a comida para alimentar 9 bilhões de pessoas em 2050, se hoje nós estamos destruindo nossas terras ao redor do planeta?

Temos que reinventar o multilateralismo para permitir que países se unam em vez de usar conferências internacionais para definir posições nacionais e focar nas diferenças.

A.T. – Qual o papel do Brasil na construção de um mundo sustentável?

A.S. – Eu penso que o papel é um papel muito importante. O secretário-geral da ONU tem uma grande esperança a respeito da liderança nacional e internacional do Brasil.

construções sustentáveis

Há um jeito certo de construir? ... 237

Os selos verdes na construção civil ... 238

Um paliteiro de arranha-céus sustentáveis ... 241

Greenbuilding, of course! ... 243

O que vale para o rico vale para o pobre ... 245

O "aço verde" ... 249

Os telhados do século XXI ... 250

Mais eficiência energética nos edifícios ... 253

A primeira Câmara Municipal movida a energia do vento ... 255

Vá de retro...fit! ... 255

Conversa com John Elkington ... 257

HÁ UM JEITO CERTO DE CONSTRUIR?

A construção civil é o setor da economia que mais impacta o meio ambiente. Seja pelo elevado consumo de matéria-prima e energia, seja pela geração de resíduos ou emissões de gases estufa, as edificações respondem por um grave passivo ambiental.

Mas isso está mudando. Apesar de alguns setores do mercado e do mundo acadêmico ainda ignorarem – e isso é gravíssimo – as vantagens das construções inteligentes e sustentáveis, elas ganham cada vez mais espaço nos empreendimentos imobiliários do Brasil e do exterior. De fato, multiplicam-se pelo mundo as políticas públicas que estimulam a eficiência e inibem o desperdício nas edificações. Da mesma forma, cresce a oferta de selos e certificações que orientam o mercado a perceber o que se ganha num imóvel com esse perfil.

Morar ou trabalhar em uma construção inteligente significa reduzir os custos de manutenção (principalmente de água e energia), desonerando a demanda coletiva por esses recursos. Incentivar a ventilação e iluminação naturais, coletar água de chuva, promover a destinação correta dos resíduos, usar o sol para aquecer a água do banho e gerar eletricidade, escolher materiais menos impactantes... É grande a lista de intervenções que tornam a construção uma aliada dos novos tempos.

Melhor ainda quando elas já vêm na planta e, desde o início do projeto, são implementadas práticas que visam a impactar menos o meio ambiente (como, por exemplo, o descarte correto dos entulhos durante a obra). Mas nada impede que se façam os ajustes desejados em uma construção antiga. O importante é agir!

Os selos verdes na construção civil

Uma das formas de acompanhar o aparecimento de construções mais sustentáveis é por meio dos selos criados para medir o nível de eficiência dessas edificações. O *Cidades e Soluções* conferiu o trabalho realizado por diferentes certificadoras.

LEED

O Leadership in Energy and Environmental Design (LEED) é uma das certificações mais antigas e respeitadas. Criada em 1988 nos Estados Unidos, está hoje presente em 167 países, onde aparece em mais de 125 mil projetos (dados de 2017).

O LEED analisa os projetos a partir de oito diferentes quesitos, que somam pontos (entre 40 e 110) e definem o nível da certificação (Certificado Silver, Gold e o mais alto, Platinum).

Estima-se que os projetos alinhados com as recomendações do LEED consigam reduzir em até 30% o consumo de energia, 30% a 50% o consumo de água, e 60% a 80% a geração de resíduos durante a construção.

Além de novas construções, a certificação LEED também avalia design de interiores, edifícios já construídos e até bairros que desejem ser avaliados. O custo adicional para que se faça a avaliação e a auditoria do projeto de edificação é de aproximadamente R$ 1,00 por m^2.

O Brasil aparece, em 2017, em quarto lugar no ranking de países certificados pelo LEED, com 1.225 empreendimentos registrados, atrás apenas de EUA (64.586), China (3.193) e Índia (1.292). Atualmente, o LEED está presente em 25 estados do Brasil. Isso representa mais de 31 milhões de m^2.

O *Cidades e Soluções* visitou um edifício certificado com o selo LEED em São Paulo. Medidas simples como bicicletários ou vagas reservadas na garagem para carros mais eficientes contam pontos.

Mas o que pesa, realmente, na certificação são os sistemas inteligentes que permitem a redução no consumo de energia e água. No caso da edificação que visitamos, os custos do condomínio foram reduzidos em aproximadamente 40% graças às inovações previstas no processo de certificação.

Aqua-HQE

O selo Aqua-HQE foi desenvolvido a partir da certificação francesa Dèmarche HQE (*Haute Qualité Environnementale*) e aplicado no Brasil exclusivamente pela Fundação Vanzolini. Os parâmetros utilizados em todo o mundo respeitam as especificidades e diferenças de cada país.

O selo Aqua/HQE já foi concedido a 427 edifícios comerciais e residenciais e 88 casas (mais de 7 milhões de m^2 construídos) e 47 mil unidades habitacionais, além de oito bairros, um porto, um projeto de interiores e trinta edifícios em operação, segundo dados de 2017.

A avaliação da qualidade ambiental do edifício é feita a partir de 14 indicadores de "preocupação ambiental", dentre eles a gestão da energia, da água e dos resíduos.

A certificadora realiza três auditorias presenciais ao longo da construção para verificar se todos os critérios de sustentabilidade foram atendidos. O custo da certificação é definido de acordo com a metragem e a complexidade do empreendimento, iniciando em R$ 29.300,00 para áreas até 1.500 m^2, mais R$ 2,64 por m^2 adicional. A certificação assegura níveis de redução de até 60% no consumo de água e 40% no consumo de energia.

O *Cidades e Soluções* visitou em São Paulo um empreendimento certificado pelo Aqua-HQE. Entre os ajustes de projeto sugeridos pela certificadora, vimos quase setecentas persianas automáticas que regulam a entrada de luz e calor (reduzindo a demanda de energia com climatização dos ambientes), softwares inteligentes que informam aos passageiros qual o elevador mais próximo que o levará ao andar desejado (evitando, assim, o sobe e desce aleatório que aumenta o consumo de energia), captação e tratamento de água de chuva para fins não nobres, como rega de jardim e lavagem de pisos (economia de aproximadamente R$ 25 mil por mês na conta de água da Sabesp), entre outras intervenções.

Caixa Econômica Federal

O Selo Casa Azul é uma classificação socioambiental dos projetos habitacionais financiados pela Caixa Econômica Federal (CEF). São 53 critérios de avaliação divididos em seis categorias: Qualidade Urbana; Projeto e Conforto; Eficiência Energética; Conservação de Recursos Materiais; Gestão da Água, e Práticas Sociais.

Para receber o Selo Casa Azul, o empreendimento deve obedecer a 19 critérios obrigatórios. Se o projeto atender apenas a esses 19 critérios obrigatórios, ganha o selo nível Bronze; se além dos 19 itens obrigatórios, atender a outros seis opcionais, ganha o selo Prata; ou Ouro, se atender não só os 19 itens obrigatórios, mas, pelo menos, outros 12 opcionais. Desde a sua criação em 2010, 21 empreendimentos receberam o Selo Azul da Caixa, em um total de 8.343 unidades habitacionais.

O *Cidades e Soluções* visitou em São Paulo, no bairro de Paraisópolis, um empreendimento imobiliário financiado pela CEF, para a população de baixa renda, que recebeu o selo Ouro.

A Prefeitura aceitou os termos da certificação e autorizou os ajustes no projeto original. Todos os apartamentos (de 50 m^2) têm equipamentos que racionalizam o consumo de água, aquecedores com selo Procel letra "A", e janelas onde a luz solar e a ventilação natural tornam o ambiente agradável.

A implantação da coleta seletiva de lixo, calçadas permeáveis à água da chuva e áreas verdes em torno dos prédios são alguns dos itens que tornaram o projeto sustentável.

A "casa container"

Criado nos anos 1930 para facilitar o transporte de carga – ideia do americano Malcom McLean –, o container passou a ser utilizado de forma criativa em várias partes do mundo como matéria-prima para a construção de casas e escritórios.

Uma das maiores vantagens é a drástica redução do volume de entulho que as construções convencionais geram (aproximadamente 2.500 caminhões de entulho por dia, apenas na cidade de São Paulo).

Para que essa "caixa de metal" ofereça comodidade e conforto, é preciso fazer alguns pequenos ajustes. A instalação de telhas e revestimentos, que promovam a isolação térmica (poliuretano é um excelente material para impedir a entrada do calor pelas chapas de metal), e a abertura de janelas grandes tornam o ambiente mais agradável.

O custo de construção da "casa container" chega a ser 30% mais barato, considerando também as instalações elétricas e hidráulicas. É importante escolher o terreno mais adequado para receber a estrutura e contratar uma equipe experiente, que faça o serviço sem dor de cabeça.

Por último, cabe lembrar que a invenção do container determinou uma revolução na logística portuária, tornando os armazéns obsoletos. Um dos resultados desse processo foi a multiplicação de projetos de revitalização das zonas portuárias pelo mundo (veja página 207).

Um paliteiro de arranha-céus sustentáveis

A cidade de Nova York concentra, aproximadamente, 6 mil arranha-céus que chamam a atenção pela altura e imponência. O mais alto deles foi construído em Manhattan, exatamente onde houve os atentados que destruíram as Torres Gêmeas, em 2001: o One World Trade Center. O prédio tem 104 andares, 541 metros de altura (ou 1.776 pés, número que corresponde ao ano da independência dos Estados Unidos) e seus projetistas consideram esse arranha-céu – o quarto mais alto do mundo – um exemplo de construção sustentável.

O *Cidades e Soluções* visitou o escritório responsável pela construção do prédio no chamado *Ground Zero*. Os coordenadores do projeto priorizaram três setores estratégicos: ar, água e energia. Todo ar que circula pelo prédio entra pelo topo, onde é menor a presença de poeira e material particulado. É um ar muito mais fresco e limpo. Ainda assim, passa por filtros especiais capazes de retirar até micropartículas. Para quem chega a passar até 16 horas por dia dentro de um escritório, ar puro faz toda diferença!

O edifício também coleta a água da chuva a partir do telhado. Depois de passar por um sistema de tratamento, essa água é usada no resfriamento de máquinas e equipamentos, na rega dos jardins e nos vasos sanitários.

Várias ações tornam possível a redução no consumo de energia. Janelas "inteligentes" absorvem o máximo de luz solar e refletem, ao mesmo tempo, o máximo de calor. Ou seja, mais luz natural e menos necessidade de refrigerar o ambiente em dias ensolarados. Esse efeito é possível quando se instalam vidros especiais, sem óxido ferroso, que custam 10% mais que os vidros convencionais. Mesmo assim, a economia de energia compensa o investimento.

Ainda em relação à energia, o arranha-céu inteligente aproveita os famosos vapores liberados pelas tubulações de Nova York. Parte da energia da cidade vem da queima de óleo, que gera vapor de alta pressão. Esse vapor movimenta turbinas, que geram eletricidade, mas o desperdício é enorme porque o sistema não consegue aproveitar todo esse vapor. O projeto do One World Trade Center redireciona esse vapor excedente para aquecer a água do prédio, uma medida importante, considerando que 80% de toda a energia de Nova York é consumida pelas edificações.

A reforma do Empire State

Também visitamos um ícone da arquitetura moderna do século XX, imortalizada no filme *King Kong*, quando o gorila gigante resolveu se refugiar no topo do maior arranha-céu do mundo na época.

Da década de 1930 para cá, o Empire State Building acompanhou a evolução dos tempos para se tornar uma vitrine de soluções sustentáveis no século XXI. Pelo menos é assim que os novos donos apresentam a construção, visitada por 32 mil pessoas a cada dia.

Em 2010, o arranha-céu inspirado no estilo *art déco* passou por uma ampla reforma de US$ 550 milhões, dos quais US$ 106 milhões foram investidos em eficiência energética. O objetivo foi reduzir em 40% o consumo de energia, economizando aproximadamente US$ 4 milhões por ano. O investimento se pagou em apenas três anos.

Em entrevista ao *Cidades e Soluções*, Anthony Malkin, o dono do Empire State, resumiu assim o projeto: "Aqui no prédio, reciclamos todo o lixo, todo o entulho das obras, nossos carpetes têm materiais reciclados, usamos tintas pouco abrasivas nas paredes dos escritórios, desinfetantes biodegradáveis e produtos de papel reciclado. Somos um dos prédios de maior eficiência energética do mundo. O que nós reduzimos no consumo de energia seria suficiente para abastecer 6 mil casas por ano."

Anthony fez questão de lembrar que todo esse trabalho foi feito sem se interromper a visita de mais de quatro milhões de turistas todos os anos ou interferir na rotina das dezenas de milhares de pessoas que entram e saem dos escritórios toda semana. "Somos um exemplo vivo de como é possível pegar uma construção existente, e torná-la mais eficiente, mais sustentável. Isso é importante, porque, olhando aqui para Nova York, 99,5% das construções que vão estar por aqui em 2045 já estão construídas. Então, podemos até falar em novas construções verdes, mas se não mudarmos o que já está feito, nunca vamos alcançar esse objetivo", enfatizou.

Anthony deixou muito claro que a principal motivação para a custosa reforma do emblemático edifício – bancada quase que totalmente com recursos privados – é ganhar dinheiro. Puro *business*... com uma pitada de "verde".

NOS BASTIDORES

Na época da entrevista, Anthony Malkin tinha um filho estudando em São Paulo. Ele parecia conhecer bem o Brasil e foi muito simpático ao atender a todos os nossos pedidos de filmagem. O principal deles era permitir que nossa equipe chegasse até o topo da famosa construção, onde os turistas não têm acesso. Lá não há grades de proteção separando a beirada do prédio do abismo, o que causa uma angustiante sensação de vertigem. Mas a beleza da "Big Apple" lá de cima é tanta, que valeu a pena enfrentar o medo.

FIQUE POR DENTRO

Nos Estados Unidos, as construções comerciais e residenciais são responsáveis por cerca de 65% do consumo de eletricidade, 30% de emissões de gases do efeito estufa, 12% do uso de água potável e 136 milhões de toneladas de entulho.

Green building, of course!

A 1 hora do centro de Londres, BedZED (Beddington Zero Energy Development) é a maior comunidade neutra em carbono do Reino Unido. Ela é resultado do sonho de Bill Dunster, diretor da firma de arquitetura ZEDfactory, de reduzir as emissões de gases estufa da região, elevando, ao mesmo tempo, a qualidade de vida dos moradores.

Inaugurado em 2002, o condomínio se tornou uma referência mundial em sustentabilidade, tendo ganhado vários prêmios. O governo britânico subsidiou 25% dos cem apartamentos com desconto na compra para os *social workers* (professores, médicos, bombeiros etc.) e outros 25% de apartamentos a moradores de baixa renda.

Além das residências, foram construídos escritórios comerciais, um centro de artes e uma creche. BedZED foi projetada para facilitar a vida de quem quisesse trabalhar perto de casa, eliminando a necessidade de muitos deslocamentos pela cidade.

A repercussão na mídia britânica foi tão grande que os empreendedores tiveram que deixar um apartamento decorado aberto à visitação para que o público pudesse conferir de perto como é viver no BedZED.

Uma das grandes vantagens desse condomínio sustentável é o sistema utilizado para a climatização dos ambientes, conservando ao máximo o calor gerado dentro das casas pelos moradores. Duas camadas de vidro agem como um isolante, retendo o ar quente no inverno e reduzindo a necessidade de calefação. No verão, a ventilação cruzada entre os ambientes dissipa o calor e reduz a demanda de energia para a refrigeração das casas e escritórios.

Para o máximo aproveitamento da luz do sol, a edificação foi posicionada no terreno virada para o Sul, garantindo energia natural do nascente ao poente.

O projeto privilegiou o uso de madeira certificada ambientalmente e materiais recicláveis na construção do condomínio, que conta ainda com placas solares fotovoltaicas, aproveitamento de água da chuva e ventilação natural nas residências.

Resultados do BedZED[11]

- Redução das emissões de CO_2 em 56% (em comparação com a média local).
- Redução de 81% no consumo de energia para aquecimento.
- Redução de 58% no consumo de água (em comparação com a média nacional), equivalente a 72 litros/pessoa/dia.
- Redução de 64% nos quilômetros rodados de carro (em relação à média nacional).
- Reciclagem de 60% dos resíduos.
- Redução de 45% no uso de energia elétrica (em comparação com a média local). A média de BedZED é de 2.579 kWh/habitação/ano, enquanto que

11 Disponível em: <http://www.cidadessustentaveis.org.br/boas-praticas/bedzed-liderando-o-caminho-no-desenho-de-eco-bairros>. Acessado em: 26 jan. 2017.

em Sutton (região onde o condomínio está localizado) é de 4.652 kWh/habitação/ano. A média do Reino Unido é 4.457 kWh/habitação/ano.

- A média em BedZED foi de 3,4 kWh/pessoa/dia em 2007, o que significa um consumo 38% inferior ao consumo médio de Sutton (4.652 kWh/ano, que, com uma média de 2,3 pessoas por moradia, isso equivale a 5,5 kWh/pessoa/dia).
- Consumo de alimentos orgânicos por parte de 86% dos moradores.

As "casas passivas"

Na cidade alemã de Ulm fica Energon, o maior prédio de escritórios do planeta (8 mil m^2 de área construída) equipado com o modelo *passive house* – ou "casa passiva" –, que reduz o consumo de energia elétrica para a climatização dos ambientes (no caso de Energon, essa economia chega a 10%).

As casas passivas precisam ser construídas com um excelente sistema de isolamento térmico. O ar deve circular constantemente de forma mecânica (sem uso de equipamentos elétricos). No inverno, o ar frio que vem de fora é aquecido pelo calor gerado dentro da casa pelos moradores e seus aparelhos eletroeletrônicos. No verão, é possível calibrar a temperatura interna, evitando a exposição excessiva aos raios solares.

O conceito desse gênero de projeto é evitar ao máximo a necessidade de usar aquecedores ou aparelhos de ar-condicionado. Apesar da eficiência comprovada, os custos de instalação das chamadas "casas passivas" ainda são considerados altos.

O que vale para o rico vale para o pobre

O *Cidades e Soluções* acompanhou a visita do arquiteto Heliomar Venâncio – autor do livro *Minha casa sustentável: guia para uma construção residencial responsável* – à residência de uma família de baixa renda da Rocinha e outra num condomínio de classe média alta na Barra da Tijuca, ambas no Rio de Janeiro.

O objetivo do programa era registrar as soluções inteligentes encontradas pelos moradores para adaptar suas moradias aos princípios da construção sustentável, em diferentes gêneros de habitação e nível de renda. Também queríamos ouvir as dicas do arquiteto para que os benefícios dessas iniciativas fossem ampliados.

O que vimos na Rocinha

É comum encontrarmos na Rocinha casas de dois andares ou mais que se aproximam uma das outras, impedindo a passagem do sol ou a circulação do vento. É o lado problemático dos "puxadinhos", onde não há espaço sobrando nas laterais. Não por acaso a Rocinha registra uma das maiores incidências de tuberculose do país (372 casos por 100 mil habitantes, uma taxa 11 vezes mais alta que a média nacional).

Na casa do nosso anfitrião, encontramos:

- O telhado do imóvel visitado era de amianto, material não recomendado pelo Heliomar por ser proibido em vários países (asbesto é uma substância cancerígena) e acumular calor (até 90% da radiação solar). A sugestão dada foi pintar o telhado com a cor branca para refletir a luz do sol e evitar a elevação da temperatura.
- O dono da casa foi elogiado por posicionar a grelha para o churrasco num lugar bem arejado, onde a dispersão da fumaça acontece sem risco de incomodar os vizinhos.
- O arquiteto observou que o quintal com piso de cimento agrava a impermeabilização do solo na comunidade (potencializando as enchentes).
- Ao reparar que o proprietário tinha um pequeno amontoado de pedras estocadas para obras eventuais, o arquiteto sugeriu que se reaproveitasse o entulho triturado na mistura do cimento. Além da vantagem ambiental, seria possível economizar, já que os moradores costumam pagar a alguém para que retire os restos de obra.
- O dono do imóvel foi elogiado por deixar a vegetação crescer sobre uma pedra gigante que fica ao lado da casa. A cobertura vegetal dilui a onda de calor que vem da pedra. Recomendou apenas o plantio de hera, e sugeriu até a instalação de um ponto de luz para valorizar à noite o efeito da vegetação sobreposta à pedra.
- O morador foi aconselhado a abrir espaços na parede para facilitar a troca de ar e, se possível, usar alguns tijolos de vidro (ou telhas transparentes) para permitir a entrada de luz solar.
- O morador foi bastante elogiado por cobrir a laje (ele tem duas construções, a outra é coberta – como dissemos – por telhas de amianto) com caixas de leite Longa Vida, viradas do avesso. O alumínio reflete a radiação solar e impede a passagem do calor.

- Outra solução inteligente foi a construção de um muro baixo, com o parapeito sustentado por tubulações de PVC que permitem a circulação do ar e elevam a ventilação do quintal.
- Dentro de casa, as janelas estavam posicionadas na direção daquilo que o arquiteto chamou de "vento dominante da região", além de algumas aberturas na parte de cima da janela – como se fossem venezianas – facilitando a circulação do ar. A única dica foi mudar a posição do sofá da sala para facilitar o acesso dos moradores e visitantes à janela.

O que vimos na Barra da Tijuca

- Logo na entrada da casa da nossa anfitriã, chamou a atenção do arquiteto um imenso telhado de cerâmica que não é aproveitado para coletar água da chuva. Ele sugeriu que se aproveitasse a água da chuva em um reservatório para a rega dos jardins, lavagem de pisos e janelas, do carro etc.
- Apesar da elevada insolação na região do condomínio, não há nenhum coletor solar para aquecer a água do banho. A proprietária chegou a se informar dos custos de instalação do sistema e achou caro. Mas as contas do gás e do *boiler* – que são usados para o aquecimento da água – não são baratas. Segundo o arquiteto, a conta do coletor solar se pagaria em, no máximo, quatro anos, o que justificaria o investimento. Além disso, já existem equipamentos no mercado que permitem a ligação direta da água quente do coletor solar com o chuveiro (por fora da parede) sem a necessidade de substituir as tubulações originais. Ou seja, evita-se com isso o quebra-quebra e a geração de entulho, com um custo bem menor e sem prejuízos estéticos.
- O arquiteto elogiou o jardim (que refresca bastante o ambiente) e a opção pelo *deck* com piso de madeira (com as peças espaçadas permitindo o escoamento da água da chuva) em lugar do cimento.
- O arquiteto sugeriu que as telhas da casa fossem pintadas com tinta branca reflexiva (que reflete a radiação solar e impede a absorção de calor).
- Também foi sugerida a substituição das molduras de madeira das janelas por esquadrias de alumínio ou vidro temperado para permitir a passagem de mais luz natural. O espelho no fundo da sala reflete a luminosidade natural e reduz a demanda de energia para acender lâmpadas.
- As lâmpadas dicroicas aquecem com facilidade e demandam mais energia, encarecendo a conta de luz. Foi sugerida a substituição por lâmpadas LED, muito mais econômicas.

- Uma curiosidade: apesar de estarem a apenas 1 km da praia – ou seja, muito próximos da brisa marítima –, os moradores da casa são obrigados a ligar o ar-condicionado ao entardecer por causa da presença de mosquitos.
- O arquiteto elogiou o piso de cerâmica clara no terraço. Reflete a luz solar e não acumula calor.
- Os quartos do andar de cima têm portas com venezianas, outra solução inteligente que permite a circulação de ar sem vazar a luz do sol.
- Um toldo retrátil de lona também protege do sol nos dias de muito calor.
- O arquiteto observou que a corrente de ar que vem do litoral incide sobre uma parede da casa que poderia ser vazada para que todos pudessem se beneficiar da brisa marítima sem sair do aconchego do lar. A janelinha do banheiro no andar de cima se beneficia dessa brisa marítima e cumpre muito bem a sua função.

Conclusões

- A aglomeração de prédios em alguns condomínios na Barra da Tijuca não favorece a circulação de ar e a exposição aos raios solares. Ou seja, a falta de inteligência nos modelos construtivos (por ganância ou desinformação) alcança indistintamente ricos e pobres.
- Mesmo quem não pode comprar na planta um imóvel sustentável, pode realizar ajustes de maior ou menor intensidade onde mora. Boa parte das mudanças é simples, de baixo custo e acessível.
- Uma construção sustentável agrega valor de mercado ao imóvel pelos custos reduzidos de manutenção. São benfeitorias que impactam positivamente no preço final.
- O poder público pode estimular as construções sustentáveis com desoneração fiscal de produtos e serviços que estimulam o uso inteligente dos recursos, ou instituir o IPTU Verde (ver página 203).
- As escolas de Engenharia e Arquitetura devem instruir os futuros profissionais a respeito dos benefícios desse gênero de construção, investigando os melhores produtos e serviços, e as certificações. Devem medir e estudar cientificamente os resultados concretos desse modelo construtivo sobre a economia, o meio ambiente e a qualidade de vida das pessoas. Replicar o analfabetismo ambiental na formação desses profissionais pode custar caro lá na frente.

O "aço verde"

Se o biodiesel é o combustível que "se planta", não seria exagero dizer que o bambu é o "aço verde". Na Ásia, ele vem sendo usado há 9 mil anos em diferentes gêneros de construção (casas, templos, palácios).

Das 1.200 espécies conhecidas, pelo menos oito aqui no Brasil poderiam substituir o aço à altura, e com algumas vantagens importantes. O consumo de energia é cinquenta vezes menor. Além de resistente, o bambu não polui, e ainda absorve carbono da atmosfera enquanto cresce. Um bônus importante em tempos de aquecimento global.

O *Cidades e Soluções* acompanhou uma das aulas oferecidas pelo professor de Engenharia da PUC-Rio e pesquisador associado da Universidade de Princeton (EUA), Khosrow Ghavami, um dos maiores especialistas do mundo no uso inteligente e sustentável do bambu em construções. Muitos alunos vêm de outros estados do Brasil e até mesmo de outros países para aprender as técnicas ensinadas pelo professor Ghavami.

O pesquisador ajudou a redigir três normas técnicas internacionais que regulam o uso do bambu na construção civil. Em suas aulas, Ghavami mostra inúmeras imagens de obras que usaram bambu, começando pela famosa aeronave 14 Bis, de Santos Dumont, e a cúpula do Taj Mahal, na Índia, passando por uma ponte em Ubatuba, em São Paulo, a fundação de prédios no Vietnã, inúmeras casas e prédios em diferentes países da Ásia, até mostrar uma bicicleta de bambu que um ex-aluno vende a US$ 2 mil na Dinamarca.

Registramos uma experiência realizada no laboratório de materiais e estruturas da PUC-Rio, onde uma peça de bambu foi submetida a um teste de compressão. A máquina foi comprimindo o bambu progressivamente até que o vegetal trincou quando o peso chegou a inacreditáveis 27 toneladas.

Apesar de tudo isso, é grande o preconceito no Ocidente em relação ao uso do bambu. Mesmo tendo farta disponibilidade do vegetal em nosso território, optamos por outros materiais, altamente demandantes de matéria-prima e energia.

Enquanto isso, no Equador...

O uso do bambu na construção civil tem sido amplamente disseminado no Equador, especialmente em moradias de baixa renda. Para construir apenas uma casa são necessários entre mil e 1.200 bambus, de aproximadamente 6 metros de altura (o custo é de cerca de US$ 500,00).

A organização jesuíta Hogar de Cristo transformou as habitações feitas de bambu em um projeto social que vem beneficiando milhares de famílias pobres ou desabrigadas por enchentes naquele país.

Os telhados do século XXI

É assustador que ainda existam muitos cursos de Engenharia e Arquitetura no Brasil que desprezem o uso do telhado de forma criativa e inteligente. Tente imaginar a soma dos telhados de todas as edificações espalhadas pelo país. Na maioria absoluta dos casos, o telhado só serve para cobrir o que vai abaixo. Não seria exagero chamar a isso de crime de "lesa-cidade"!

No século XXI, essas áreas começam a ganhar progressivamente importância e prestígio na promoção da qualidade de vida de seus donos, com múltiplos usos inteligentes.

Em São Paulo, por exemplo, de acordo com a ANA, uma casa com 100 m^2 de área de telhado, no centro da capital paulista, pode captar água suficiente para abastecer uma família de quatro pessoas em suas necessidades de limpeza e descarga do vaso sanitário. No auge da crise hídrica, muitos moradores da maior cidade do país aprenderam, no desespero, a coletar água de chuva.

Dependendo da localização, o telhado também pode abrigar uma miniusina solar. Um kit completo, incluindo inversores e outros acessórios, custa cerca de R$ 15 mil e é capaz de reduzir em até 80% a conta de luz, com o retorno do capital investido em, no máximo, 12 anos. É caro, mas o valor vem caindo 5% ao ano.

O telhado verde, com o plantio de certas espécies mais indicadas para esse fim, promove o isolamento térmico e acústico e, se desejar, captação de água de chuva.

Quer experimentar algo mais simples e barato? Pinte todo o telhado com tinta branca reflexiva e reduza em até 70% a temperatura no interior da construção, além de refletir os raios solares que agravam o efeito estufa. Um projeto simples, de eficácia indiscutível e que assegura bem-estar pessoal e munição extra contra o aquecimento global.

E o que dizer das lajes onde é possível cultivar verduras, legumes e até frutas em uma mini-horta urbana, sem agrotóxicos, sob medida para a família? Além de economizar na feira, embeleza-se uma área normalmente cimentada que acumula calor e obriga quem está dentro de casa a ligar ventiladores ou aparelhos de ar-condicionado.

Não importa qual seja o telhado ou a laje onde você mora ou trabalha. Há sempre alguma ideia simples (eventualmente de baixo custo) que tornará a sua construção mais agradável e funcional.

Longa vida para as telhas inteligentes

Dezessete fábricas no país produzem telhas a partir de uma embalagem bem conhecida dos brasileiros: as das caixinhas de leite, extrato de tomate, creme de leite, sucos e outros produtos "Longa Vida". Feitas com películas de plástico, papelão e alumínio, essas embalagens são compactadas até se transformar em uma nova matéria-prima, excelente para a produção de telhas.

Essa telha resultante do aglomerado de embalagens promove o isolamento acústico (redução de ruídos que vêm do lado de fora), isolamento térmico (reduz a transmissão de calor no verão e de frio no inverno), além de ser resistente. É possível afixar a telha com parafusos sem danificar a peça, e se o proprietário quiser, pode até levar o telhado junto quando mudar de imóvel.

A equipe do *Cidades e Soluções* visitou uma loja de materiais siderúrgicos na zona norte do Rio de Janeiro, onde o dono decidiu substituir 300 m^2 de telhado de amianto por telhas de embalagens Longa Vida recicladas. Ele investiu R$ 7,5 mil na substituição e estima em 30% a redução do calor no ambiente de trabalho. Uma grande diferença!

Quem também aderiu à telha ecológica de caixas Longa Vida foi o Instituto Vital Brasil, em Niterói, na Região Metropolitana do Rio de Janeiro. Dessa vez, a mudança beneficiou animais peçonhentos, principalmente cobras, que ficam expostas na entrada do Instituto. Outros tipos de telhas não impediam a passagem do calor, provocando a mortandade dos animais no verão. A situação mudou com a substituição do telhado.

Mas talvez a grande vantagem do uso dessas telhas seja a redução do volume de resíduos em aterros sanitários ou lixões. Dá-se uma destinação inteligente a um material que, além da fabricação de telhas, serve de base para a fabricação de materiais escolares (canetas, blocos, cadernos, pranchetas), materiais de limpeza (base de vassouras e escovas) e brindes de festas ou eventos (pastas, sacolas, porta CD etc.).

Dois exemplos em Porto Alegre

Parque gráfico do jornal *Zero Hora*: são 1.500 m² de cobertura verde, onde cada m² custou R$ 120,00. A instalação durou quatro dias e utilizou uma mistura de plantas exóticas com espécies originais dos ecossistemas da região. Os projetistas estimam que, antes do telhado verde, a laje do prédio alcançava a temperatura de até 70°C nos dias mais quentes, irradiando parte desse calor para o lado de dentro. Agora, a vegetação blinda a maior parte desse calor, gerando economia na conta de luz pela redução do ar-condicionado.

Theatro São Pedro: presente no restaurante e nas áreas de recepção do multipalco, o telhado verde amenizou o impacto visual gerado pelo concreto e reduziu drasticamente o consumo de energia. Antes, mantinham-se três aparelhos de ar-condicionado ligados dentro do galpão. Depois do telhado verde, o isolamento térmico tornou o uso do ar-condicionado esporádico. O custo de sua manutenção é praticamente zero, com eventual necessidade de rega em períodos de seca no verão.

Campanha por telhados brancos

One degree less ("Um grau a menos") é o nome da campanha internacional que defende a pintura dos telhados com tinta branca reflexiva. O ator Brad Pitt, o cantor Jack Johnson e até o ex-presidente Barack Obama apoiam publicamente a iniciativa, que teria o poder de reduzir em até 1°C a temperatura do planeta se todos os telhados tivessem a mesma cor clara. Em tempos de aquecimento global, é uma notícia boa!

De acordo com um estudo realizado pelo centro de pesquisa de sistemas climáticos da Universidade de Columbia (EUA), um telhado pintado na cor branca registrou no dia mais quente do ano uma temperatura até 6°C menor que a verificada em um telhado convencional, sem a tinta.

Vários governos e empresas aderiram à campanha. A equipe do *Cidades e Soluções* ouviu, em São Paulo, a canadense Tassanee Wanick, que lançou o movimento em 2009 e foi convidada a apresentá-lo em uma cerimônia na

Casa Branca que reuniu cientistas e políticos. A ideia era escolher as melhores iniciativas que pudessem inspirar o mundo a enfrentar o aquecimento global. O telhado branco foi um dos trezentos projetos selecionados.

Mais eficiência energética nos edifícios

Quase metade de toda a energia elétrica consumida no Brasil tem origem em edifícios comerciais, residenciais ou públicos. O desperdício é enorme. Para promover o uso inteligente de energia e reduzir os gastos nas contas de luz, o Inmetro e a Eletrobras lançaram uma etiqueta para certificar as construções.

Entre os itens dessa certificação estão:

- A etiqueta valoriza as fachadas que mantêm a temperatura amena do lado de dentro do edifício. Contam preciosos pontos, por exemplo, o uso de persianas ou o sombreamento dos vidros.
- Outro quesito importante é a iluminação natural. Luz solar combinada com lâmpadas econômicas favorecem uma avaliação positiva.
- Também se valorizam os projetos que abrem caminho para a ventilação natural. Eventuais aparelhos de ar-condicionado devem ser eficientes, de preferência, com selo Procel letra "A".
- O sistema de aquecimento da água deve usar o mínimo de energia possível. A etiqueta estimula o uso de coletores solares.

De acordo com o Inmetro, quem segue as recomendações da etiqueta poderá reduzir em até 50% o consumo de energia. O principal objetivo da certificação é estimular os consumidores a reconhecerem as melhores opções no mercado imobiliário a partir do nível de eficiência energética das moradias ou escritórios.

Também é possível certificar projetos de construção, mas eles precisam ser validados depois que a obra estiver pronta. Até o momento, já foram certificados 2.531 projetos em todo o país (109 prédios comerciais, 29 prédios residenciais e 2.393 unidades habitacionais entre casas e apartamentos). Destes, 84 prédios comerciais, 15 prédios residenciais e 1.986 unidades habitacionais já saíram do papel e receberam a etiqueta.

Selo Procel para apartamentos

O Selo Procel, que mede a eficiência energética de edificações, também pode ser concedido de maneira "avulsa", por exemplo, a um apartamento.

O *Cidades e Soluções* foi conhecer o imóvel do bairro do Leme, na zona sul do Rio de Janeiro, que obteve a primeira certificação do gênero no Brasil.

A dona dele contou que, depois de fazer vários ajustes no seu apartamento, resolveu pedir uma avaliação dessas mudanças. E foi assim que seu imóvel ganhou o Selo Procel.

O apartamento prioriza a luz natural, mas quando o sol já não dá mais conta, a arquiteta recorre às lâmpadas de LED. Apesar de mais caras, elas duram 45 vezes mais e consomem apenas 20% do que uma lâmpada convencional.

Para aumentar a eficiência, a dona do imóvel usa células fotoelétricas. Ninguém precisa acender ou apagar as luzes da casa: sensores automáticos se encarregam disso e eliminam o risco de haver desperdício.

Outro fator importante para evitar o desperdício é a vazão de água. Nos vasos sanitários, válvulas com duplo acionamento regulam a quantidade necessária para garantir o asseio. Os chuveiros também têm a vazão regulada, sem prejuízo de um bom banho.

ECODICAS

Nossa equipe também visitou, em Brasília, um dos primeiros edifícios do país que receberam a etiqueta de eficiência energética do Procel e da Eletrobras.

É o Complexo de Tecnologia do Banco do Brasil, onde são processadas todas as movimentações dos mais de 50 milhões de clientes da instituição.

As principais mudanças foram:

- Instalação de brises (uma espécie de quebra-sol que protege a fachada do prédio da insolação).
- Uso de lâmpadas eficientes com baixíssimo consumo de energia.
- Ar-condicionado com regulação automática, calibrando o uso de energia de acordo com a temperatura externa e o número de pessoas em cada ambiente do prédio.
- Aproveitamento da água da chuva nos banheiros (vaso sanitário), reduzindo em 12% a demanda de água potável do prédio.

A primeira Câmara Municipal movida a energia do vento

No centro histórico de São José, cidade vizinha a Florianópolis, a arquitetura colonial de herança portuguesa em torno da praça central contrasta com uma edificação dos anos 1970 que, de forma pioneira, "entrou para o século XXI" graças a um cata-vento de metal.

A 12 metros do chão, a turbina de pequeno porte – com 3,7 metros de diâmetro e 2,6 kW de potência – foi projetada por uma empresa norte-americana para suprir o consumo energético de residências e pequenos negócios. No lançamento, chegou a ser eleita uma das melhores invenções do ano pela revista *Time*, devido à sua praticidade e inovação (um aerogerador urbano desse tipo foi instalado nos jardins da Casa Branca, em Washington).

Em São José, a ideia foi dar o exemplo, reduzindo a conta de luz da Câmara Municipal entre 20% e 25%. Os custos do equipamento e instalação somaram R$ 38 mil, sem necessidade de ajustes no sistema elétrico do prédio. A vida útil do aerogerador é de vinte anos, com garantia de cinco anos, que é o tempo estimado para recuperar o investimento.

O aerogerador é apenas um dos itens de uma ampla reforma feita na Câmara Municipal, que promoveu o aproveitamento da água de chuva, a iluminação natural (com claraboias) e um sistema próprio de tratamento de esgoto. O custo total foi de aproximadamente R$ 2 milhões e permitirá à instituição promover a redução do consumo de água e energia, e das despesas ligadas a esses dois insumos.

Vá de retro...fit!

Arquitetos, designers, projetistas, construtores e urbanistas têm usado com cada vez mais frequência a expressão em inglês *retrofit* para designar projetos de renovação (ou reinvenção) de ambientes, respeitando as estruturas originais da obra.

A equipe do *Cidades e Soluções* acompanhou de perto dois exemplos interessantes de *retrofit* nas duas maiores cidades do Brasil.

São Paulo

O edifício Nair foi construído na década de 1960 para uso residencial e comercial no centro de São Paulo. Com o passar dos anos, vieram a desvalorização e a decadência da região, que ficou conhecida pela venda de drogas a céu aberto. Dos 18 apartamentos, apenas dez permaneciam ocupados.

O "novo" edifício Nair nasceu de um projeto desenvolvido por três arquitetas, vencedoras de um prêmio oferecido pela Caixa Econômica Federal e pelo Instituto dos Arquitetos do Brasil.

A área interna do prédio foi remodelada, com a redução das metragens dos imóveis, que assim passaram de 18 para 24 unidades nos seis andares do edifício. O projeto permitiu a instalação de coleta de água de chuva e aquecimento solar da água do banho, entre outras iniciativas sustentáveis. Só permaneceram no prédio os equipamentos e materiais que puderam ser reaproveitados, como os elevadores e tacos de madeira do piso. Já as janelas precisaram ser substituídas pelo estado avançado de deterioração.

A grande vantagem do *retrofit* nesse caso é que a obra durou metade do tempo que levaria se fosse erguida uma nova construção no local, além de custar 40% a menos.

Rio de Janeiro

Primeiro arranha-céu da América Latina, com 22 andares, o edifício Serrador, no centro do Rio, é o símbolo de uma época. O prédio em estilo *art déco* foi construído na década de 1940 para ser um hotel e abrigar a famosa boate Night and Day, que atraía políticos e celebridades.

Com o tempo veio a decadência, e depois o abandono por longos 15 anos. Até que um grupo empresarial resolveu financiar o *retrofit*. A fachada foi restaurada e o hall, preservado nos mínimos detalhes. Mas, no resto do prédio, quase tudo mudou. Seis elevadores equipados com softwares inteligentes distribuem os passageiros por andares próximos, para economizar energia. Todas as luminárias são eficientes. Vidros termoacústicos eliminam o ruído da rua e absorvem o calor.

Tudo isso é monitorado on-line, para que não haja desperdício. No 22º andar, onde antes ficavam apenas as caixas de água e as máquinas dos elevadores, as paredes foram retiradas para permitir que se aprecie de lá de cima uma das mais espetaculares vistas do centro da cidade.

conversa com
John Elkington

Entrevista concedida a Ricardo Lessa,
em programa exibido em 29/03/2009

"Há avanços no meio empresarial em relação à sustentabilidade"

Sociólogo britânico, é considerado a maior autoridade mundial em responsabilidade social corporativa, área em que trabalha há três décadas. Autor do *Guia do Consumidor Verde*, best-seller na década de 1980, se tornou conhecido principalmente pela criação do conceito "*Triple Bottom Line*".

Ricardo Lessa – O sr. cunhou o termo "*Triple Bottom Line*" ("*People, Planet and Profit*" – pessoas, planeta e lucro). Mas, nós sempre pensamos no lucro como um inimigo do meio ambiente e, algumas vezes, das pessoas. É um tipo de equação difícil, vincular em um mesmo conceito "lucro" às outras duas ideias?

John Elkington – Às vezes, usamos a palavra prosperidade no lugar de lucro, mas a escolha por "lucro" foi ser provocativo. Quando criamos nossa organização, a SustainAbility, em 1987, nos Estados Unidos, nós a estabelecemos como sociedade limitada (Ltda.) de lucro real.

Mas esse conceito não se atém apenas a "finanças" e "meio ambiente". Há um enorme viés social nisso tudo também. O que descobrimos, nos primeiros anos de atividade, é que as empresas norte-americanas particularmente não gostam dessa parte "social" da agenda. Havia o medo de que uma dose de socialismo e até mesmo "comunismo" entrasse pela porta de trás com um cavalo de Troia...

Mas é engraçado ver que algumas dessas empresas agora se sintam mais confortáveis com esse conceito. A ideia por trás dele é dizer: "Pelo amor de Deus, não foquem apenas no dinheiro ou só no meio ambiente!". Existe um quadro muito mais complexo aí fora e as empresas têm que lidar com isso também.

Acho que a lucratividade é fundamental. Não quero que as pessoas parem de perseguir o lucro. Eu quero que elas façam isso respeitando valores sociais e ambientais, que são amplamente éticos.

R.L. – O sr. poderia nos dar alguns exemplos de casos em que a sustentabilidade fez a diferença?

J.E. – Uma das atividades a que dediquei bastante tempo desde 1999 é trabalhar com empreendedores sociais e ambientais. Mas a maior parte da minha carreira, de fato, foi em grandes empresas. E a verdade é que é muito difícil apontar para as grandes empresas e dizer: "Aqui está uma empresa sustentável."

Algumas empresas existem há muito tempo, como a General Electric, fundada por Thomas Edson. Mas é sustentável? Bem, ela produz usinas nucleares e peças para minas terrestres... Mas, por outro lado, também tem o projeto Ecomagination. E, quando eu penso em grandes empresas fazendo coisas interessantes na área da sustentabilidade, ela sempre me vem à mente.

Você tem empresas, por exemplo, como a GlaxoSmithKline, do ramo farmacêutico, que decidiu que vai disponibilizar seus medicamentos para países pobres, a preços drasticamente mais baixos. Para mim, isso é parte da história da sustentabilidade também.

R.L. – O sr. disse que vem trabalhando há muito tempo com empreendedores sociais. Como tem sido esse trabalho?

J.E. – Uma das principais coisas que as pessoas dizem nas grandes companhias é: "Por que você está tão empolgado com esses empreendedores socioambientais?"

Há dez anos era muito difícil explicar para eles, mas recentemente essas pessoas vêm ganhando alguns prêmios importantes, incluindo o Nobel da Paz. Em 2004, a queniana Wangari Maathai ganhou o prêmio com o trabalho do "Movimento Cinturão Verde" africano, com uma ação massiva de plantação de árvores e regeneração ambiental e o aumento do poder das comunidades locais, particularmente das mulheres. Muhammad Yunus ganhou o Nobel da Paz em 2006 com Banco Grameen. As pessoas achavam que eles eram loucos!

Outro exemplo: em 2007, Al Gore ganhou o Nobel da Paz... Alguns podem dizer: "Mas ele não é um empreendedor!" Só que ele é sim! Não apenas bancou o filme *Uma verdade inconveniente*, mas ao implementar com David Blum, da empresa Goldman Sachs, o Generation Investment Management (que investe em empresas que são parte dessa revolução da sustentabilidade), ele está trabalhando nessa direção a que me referi.

R.L. – O sr. acha, então, que há uma mudança na mentalidade dos homens de negócio a respeito do meio ambiente e da sustentabilidade?

J.E. – Sim. Acho que os jovens administradores, executivos, investidores e empreendedores são diferentes das pessoas com quem eu trabalhei há trinta, 35 anos.

Quando comecei a trabalhar no mundo dos negócios, basicamente, esse mundo empresarial queria manter pessoas como eu o mais longe possível do centro dos negócios. Se tivesse sorte, me encontraria com advogados ou o relações-públicas das empresas. Agora, é muito estranho quando não me encontro com diretores, membros do Conselho, logo no início do processo. Então, eu acho que, sim, houve uma mudança.

R.L. – O sr. tem visto progressos na área da sustentabilidade desde a criação do seu conceito, nos anos 1980?

J.E. – Eu acho que houve um enorme progresso em termos de entender o que é sustentabilidade. Embora, às vezes, eu fique quase enjoado quando vou a conferências de banqueiros e homens de negócio... Eu estava na Suíça um dia desses e me dei ao trabalho de contar com que frequência eles usaram a palavra "sustentabilidade". Um deles, em certa parte de seu discurso, a utilizou uma vez a cada cinco palavras! As pessoas estão usando o conceito, mas ainda não, necessariamente, estão se movendo na direção apropriada com seus modelos de negócios.

Nós também estamos muito mais conscientes do que éramos sobre o aumento da população. Outros 1,5 bilhão de pessoas vão se juntar à população global em vinte, 25 anos. É um grande desafio. E agora temos questões como as mudanças climáticas ou a crise hídrica.

Então, eu acho que as precondições para uma grande mudança, não apenas no entendimento, mas na *ação* sobre a sustentabilidade, já estão dadas. Mas ainda vai ser preciso um maior estado de choque do que temos hoje para fazer as mudanças acontecerem.

sociedade

Planeta Atitude 265

A força do voluntariado 265

Os caçadores de bons exemplos 268

Teto para quem precisa 269

Médicos sem Fronteiras 271

Estudantes contra combustíveis fósseis 273

Um jeito diferente de ensinar sustentabilidade 276

Quando a internet muda o mundo para melhor 278

Prefeitos e vereadores na mira dos eleitores 281

Cidadania, vigilância e transparência 282

Educafro: muito além das cotas 286

"Cine-pedrada": um jeito verde de fazer cinema 288

O Papa Francisco e sua encíclica ambiental 291

Conversa com Muhammad Yunus 293

PLANETA ATITUDE

A passagem do século XIX para o século XX foi marcada por um sentimento de enorme esperança, baseada nas conquistas tecnológicas sem precedentes da Revolução Industrial e nas maravilhosas invenções daquela época.

Historiadores registram que o senso comum era o de que, no novo século, seria possível resolver os principais problemas da Humanidade apenas e tão somente com ciência e tecnologia.

O "novo século" já terminou, e deixou como legado um espetacular avanço tecnológico sem que tenhamos resolvido alguns graves problemas civilizatórios, que antecedem a própria Revolução Industrial.

Fome, miséria, pobreza, consumismo, destruição ambiental, corrida armamentista, entre outros problemas, nos desafiam a buscar soluções que vão além da tecnologia. Mais do que nunca, é tempo de trabalharmos para um projeto coletivo de civilização, que seja inspirado na cultura de paz, tolerância, igualdade, respeito à diversidade e no espírito comunitário. Um projeto onde não haverá mais espaço para uma relação predatória do homem com a natureza, como a que nos acostumamos a ter no mundo moderno.

Essa mudança civilizatória já está acontecendo, ainda que em uma extensão e uma velocidade menor do que desejaríamos. Neste capítulo, em particular, reunimos algumas das experiências apresentadas no *Cidades e Soluções* que remetem a essa busca por um mundo melhor e mais justo.

A força do voluntariado

Os problemas do mundo seriam ainda maiores e difíceis de resolver se não fosse a atuação firme de um numeroso grupo de pessoas que consagra parte de seu tempo e de sua energia para atividades não remuneradas, voluntárias, em favor de alguma causa, de algum projeto de alcance social ou ambiental.

No Brasil, pesquisa do Ibope encomendada pela Rede Brasil Voluntário revelou que 25% da população já participaram ou participam de alguma ação voluntária. A maioria dos voluntários é do sexo feminino (53%), tem 39 anos de idade (22%), pertence à classe C (43%), está empregada (67%), tem filhos (62%) e realiza atividades associadas a instituições religiosas (67%).

Cinco por cento dos que se dizem voluntários (2,4 milhões de pessoas) doam cinco horas de trabalho por mês. Se fôssemos medir a importância dessa mão de obra voluntária na economia, estabelecendo o valor de apenas R$ 20,00 para cada hora de serviço doado, a soma dessas horas totalizaria aproximadamente R$ 2,8 bilhões. Essa seria a expressão monetária de um trabalho que faz a diferença em favor de diversos movimentos.

Banco estimula ações voluntárias

O voluntariado é estimulado no Brasil em vários setores da sociedade, pelos mais diferentes motivos. No *Cidades e Soluções* mostramos a iniciativa de um banco de varejo que mobiliza seus funcionários a apoiarem instituições filantrópicas em dificuldade.

O que o banco ganha com isso? Além de "marcar pontos" – como empresa que pratica a responsabilidade social corporativa –, os funcionários que se envolvem com as rotinas de uma instituição em crise, e aceitam o desafio de buscar soluções, melhorando os seus sistemas de gestão e de captação de recursos, acabam levando esse conhecimento para o banco.

A cultura do voluntariado também favorece o espírito de equipe e a construção de valores éticos. No entendimento da direção do banco, os efeitos dessas iniciativas são melhores do que se a instituição investisse em treinamento para buscar os mesmos resultados.

O engajamento das escolas

O voluntariado também vem sendo estimulado em algumas escolas brasileiras, como a que o *Cidades e Soluções* mostrou no Rio de Janeiro.

Um colégio centenário, com 1.800 alunos, conta desde 2006 com um Departamento de Ação Social encarregado de organizar frentes de ação voluntária. O objetivo é mobilizar os alunos que queiram ajudar instituições em dificuldade, escolhidas pela própria escola.

O tempo doado para o serviço voluntário não conflita com as aulas. É hora extra, sem aferição de nota, embora seja entendido pela escola como um projeto pedagógico, por estimular valores éticos e cidadãos.

Acompanhamos a ida de uma turma de alunos ao Instituto Nacional de Traumatologia e Ortopedia, onde é grande o número de pacientes internados que são abandonados pelas próprias famílias. As visitas são raras, especialmente para aqueles que vêm de longe se tratar na unidade de saúde. Os alunos recebem previamente orientações sobre como devem proceder, e rapidamente oferecem companhia para conversar, disputar algum jogo, alegrando o ambiente onde ficam os pacientes internados.

Entrevistamos Pedro, aluno do 1º ano do Ensino Médio, que fazia sua terceira visita ao Instituto: "Eu ganho o sentimento de dever cumprido. Tenho a sensação de que consegui levar alegria e descontração, tornando o cotidiano dos pacientes mais leve, num lugar tão pesado que é um hospital, onde vida e morte estão sempre lado a lado. Levamos alegria para as pessoas, deixando a estadia delas mais leve às sextas-feiras."

Os benefícios para a saúde

Em entrevista ao *Cidades e Soluções*, o psicólogo Luiz Ainbinder revelou que, nos atendimentos em seu consultório, costuma recomendar aos pacientes com depressão que experimentem alguma ação voluntária. E explicou por quê.

"Uma das necessidades do ser humano é se sentir útil. Quando a pessoa se sente útil, afasta esse fantasma da depressão. Felicidade é atividade. Há quem espere sentado que a felicidade chegue, mas não funciona desse jeito... Quem ajuda os outros se sente emocionalmente bem, e isso gera um efeito positivo no seu sistema imunológico. Quando você faz bem para os outros, você está fazendo bem para si mesmo. Não importa se é para salvar baleias, livrar a sua cidade da poluição, ou ajudar crianças operadas de câncer. O efeito benéfico é o mesmo", concluiu Ainbinder.

FIQUE POR DENTRO

Nos Estados Unidos, segundo a Corporation of National and Community Service, 26,4% dos adultos dedicam parte do tempo a trabalhos voluntários. Em um ano, quase 62 milhões de pessoas doaram 8 bilhões de horas para diferentes projetos. Se esse trabalho fosse remunerado, valeria US$ 162 bilhões – o equivalente a quase R$ 295 bilhões.

Os caçadores de bons exemplos

O que leva um casal a abandonar casa, trabalho, família para seguir viagem pelas estradas do Brasil? Iara e Eduardo eram administradores de empresas e tinham uma vida tranquila. Mas o projeto de felicidade do casal passava por uma experiência, digamos, mais radical. Eles queriam conhecer de perto pessoas que fizessem a diferença em favor de um mundo melhor e mais justo. Gente que merecesse ser chamada de "bom exemplo".

Esse foi o ponto de partida do projeto "Caçadores de bons exemplos", que já percorreu, em seis anos, mais de 354 mil km (isso equivale a quase nove vezes a circunferência do planeta), com mais de 1.599 bons exemplos catalogados em quase seiscentas cidades visitadas em todos os estados brasileiros.

São tantas viagens, por tantas estradas ruins, que o casal já está usando o terceiro carro desde o início do projeto. Todos os veículos precisam ser adaptados para as suas necessidades, incluindo barracas acopladas, mobiliário para guardar roupas e panelas, entre outras inovações.

Para chegar aos bons exemplos, Iara e Eduardo recorrem principalmente às informações passadas pelas pessoas nas ruas das cidades visitadas.

A equipe do *Cidades e Soluções* acompanhou um dia de trabalho voluntário desse casal no Rio de Janeiro, conhecendo o projeto Pedaleiros, que organiza passeios de bicicletas para deficientes visuais. Eles seguem na garupa dos guias e se maravilham com a experiência de poder andar de bicicleta com o guia descrevendo a paisagem e reportando tudo o que de interessante acontece no caminho. Quem consegue enxergar e quiser participar do passeio tem os olhos vendados e registra uma experiência igualmente enriquecedora, desenvolvendo os outros sentidos em uma relação de confiança absoluta no guia que conduz a bicicleta.

Esse e todos os outros projetos registrados pelos "caçadores de bons exemplos" são compartilhados em textos, fotos e vídeos nas redes sociais do projeto, por meio de palestras (foram 169 encontros, com a presença de mais de 100 mil pessoas, até dezembro de 2016) e também num livro, que teve 29 mil exemplares distribuídos gratuitamente (além dessa quantidade, 6.100 exemplares foram doados especificamente para bibliotecas públicas).

O dinheiro do casal acabou em 2013. Uma aparição no programa do Luciano Huck, na TV Globo, tornou o projeto conhecido nacionalmente e eles vão pagando as despesas com as viagens à base de doações. Nos momentos mais difíceis, há sempre quem apareça na hora certa, dando a ajuda que eles mais precisam para seguir em frente. E é desse jeito que eles vão compartilhando histórias lindas, inspiradoras, de um Brasil mais solidário e humano.

Teto para quem precisa

Eles estão presentes em 19 países da América Latina e Caribe com um único objetivo: construir moradias minimamente dignas para os mais pobres e miseráveis. A organização Teto nasceu em 1997, em Santiago do Chile, a partir da mobilização de um grupo de estudantes da Pontifícia Universidade Católica da cidade.

O primeiro desafio desse grupo foi reunir pessoas e materiais de construção para erguer, emergencialmente, mais de 2 mil moradias (construções simples, de baixíssimo custo, mas eficientes) para as famílias mais pobres do sul do Chile. Deu certo! Não demorou muito para que estudantes de El Salvador, na América Central, pedissem ajuda para replicar o projeto naquele país.

Era o início da internacionalização do Teto, que já construiu mais de 114 mil moradias, seguindo sempre um mesmo padrão: casas de madeira pré-moldada de aproximadamente 18m^2, com isolamento térmico e proteção contra chuva, montadas sobre cilindros de madeira, a pelo menos 50 cm do solo. As eventuais adaptações levam em conta a disponibilidade de espaço nas comunidades e o clima de cada região.

O Teto movimenta na América Latina aproximadamente US$ 17 milhões por ano de recursos obtidos de empresas, fundações e contribuintes individuais. Apenas no Brasil, segundo dados de 2017, a organização já trabalhou em mais de 150 comunidades, construindo 2.700 casas emergenciais. Todo esse trabalho só foi possível com a ajuda de 35 mil voluntários.

A equipe do *Cidades e Soluções* acompanhou um mutirão do Teto, que mobilizou oitenta voluntários em um fim de semana em Jardim Ipanema, uma comunidade pobre na zona leste de São Paulo. A maioria das seiscentas famílias vive em barracos improvisados, sem água encanada e instalações precárias de energia elétrica. O esgoto corre a céu aberto, espalhando mau cheiro e doenças. Costuma chover dentro das casas, que também são invadidas por ratos.

A missão do Teto era construir oito casas seguras em apenas 48 horas. Antes da construção, o contato com a comunidade já vinha acontecendo há três meses, com várias visitas ao local para identificar as famílias que viviam em situação mais precária (em termos de renda, indicadores de saúde e escolaridade etc.) e para mapear a área exata onde as novas casas seriam erguidas.

Nesses mutirões, voluntários e moradores fazem tudo junto, inclusive o almoço. A ONG traz os ingredientes e as mulheres da comunidade cuidam da comida. Essa intensa mobilização em torno de uma meta comum é um dos objetivos do Teto, que tenta estimular os moradores dessas áreas carentes a se organizar na luta por melhorias para sua comunidade. São 48 horas de um curso intensivo de solidariedade, cooperativismo e espírito comunitário.

Realizamos várias entrevistas com moradores e voluntários, todas elas emocionantes. Como o depoimento da catadora Helena Aparecida da Silva, que participou ativamente do mutirão: "Vai ficar uma casinha de boneca, maravilhosa! É o meu sonho... Eu ainda não chorei porque eu *tô* me segurando, mas eles sabem que já, já eu desabo...".

A secretária Cecília Dietl, voluntária do Teto, resumiu assim a experiência: "É uma realidade muito triste que tem que ser mudada. A gente não pode se omitir. Qualquer coisa, por mínima que seja, já muda, faz diferença e isso é muito importante. Fora o que a gente deixa para essa família. Mas eu acho que o que a gente ganha é muito maior."

Ao fim dos trabalhos, oito novas casas foram entregues. E o clima de amizade e confraternização se irradiou por toda aquela comunidade, que se julgava abandonada à própria sorte.

NOS BASTIDORES

Pedimos ao Teto para registrar o trabalho deles em alguma comunidade que não estivesse sob o controle de traficantes ou milicianos, para que nossa equipe de reportagem não fosse exposta a nenhum risco.

A informação que recebemos foi a de que os líderes do tráfico em Jardim Ipanema foram avisados e que não haveria nenhum problema. Porém, no dia da gravação, um homem armado apareceu e, aparentemente drogado, começou a questionar a presença da nossa equipe no local. Rapidamente o coordenador do trabalho do Teto se aproximou dele e explicou o que estava acontecendo. O rapaz deixou de gritar, mas permaneceu por perto acompanhando os trabalhos.

Além do susto, ficou a certeza de que os voluntários do Teto também construíram uma sólida experiência de negociação com os diferentes atores da comunidade. Infelizmente, apesar dos esclarecimentos feitos, não pudemos mostrar na reportagem todas as oito novas casas construídas. Ordens do tráfico.

Médicos sem Fronteiras

A equipe do *Cidades e Soluções* visitou em Paris a sede de uma das organizações voluntárias mais conhecidas e prestigiadas do mundo.

Criada em dezembro de 1971, a organização humanitária Médicos sem Fronteiras (MSF) é resultado do trabalho de um grupo liderado pelo então jovem médico francês Bernard Kouchner (que, em 2007, viria a se tornar ministro das Relações Exteriores da França).

Acompanhados de voluntários da Cruz Vermelha, Kouchner e colegas recém-formados em Medicina haviam feito, no fim dos anos 1960, uma viagem ao estado de Biafra, na Nigéria (cuja luta pela separação mergulhou o país em uma sangrenta guerra civil, com inédita cobertura dos meios de comunicação, que deixou quase 3 milhões de mortos, a maioria por fome).

Voltaram profundamente tocados pela experiência, e convencidos de que a intervenção médica nessas regiões era extremamente importante, mas não bastava. Resolveram, então, se unir a jornalistas com o objetivo de aliar a ajuda humanitária à sensibilização dos dirigentes políticos e da sociedade em geral para os horrores desses conflitos armados e das tragédias naturais que dizimam populações desassistidas em várias partes do mundo.

Nascia, assim, MSF, que hoje está presente em mais de setenta países e possui 23 associações nacionais, inclusive no Brasil.

Hoje, aproximadamente 30 mil pessoas trabalham para MSF em todo o mundo. Todas recebem salários, mas é difícil acreditar que alguém procure esse trabalho por dinheiro. Os que se alistam voluntariamente para as missões da organização sabem que permanecerão longe de casa por longos períodos, em lugares onde não há segurança, em que o risco de vida é invariavelmente elevado, submetidos a uma rotina de trabalho extenuante. Não raro, alguns profissionais sentem fortemente o impacto emocional e psicológico de lutarem pela vida, onde a morte se faz presente de maneira tão ostensiva e chocante.

Síria – onde, só em 2016, vários hospitais apoiados por MSF foram bombardeados, sem que nenhum dos grupos em guerra assumisse a autoria dos atentados –, Afeganistão, Somália e Paquistão são alguns dos perigosos lugares do mundo onde a organização humanitária MSF está presente.

Para assegurar as condições mínimas necessárias a esse trabalho, a organização conta com um orçamento de 900 milhões de euros por ano. Quase tudo (80%) vem de doadores particulares, o que assegura independência ao grupo.

Com recursos próprios, não precisa recorrer às Nações Unidas, à União Europeia ou a algum país rico para financiar suas ações no momento e do jeito que entendem ser o mais adequado.

É, sem dúvida alguma, um dos trabalhos mais importantes e urgentes em áreas dominadas pela violência e o desrespeito aos direitos humanos.

Ajuda fundamental para o Haiti

Uma das ações mais importantes de MSF aconteceu em 2010, quando um violento terremoto de 7.3 na escala Richter matou 220 mil pessoas no Haiti, deixando 1,5 milhão de pessoas desabrigadas e milhares de feridos.

Em meio ao caos, a organização rapidamente entrou em ação, a partir de sua base instalada no país há duas décadas. Logo após o tremor, profissionais já prestavam os primeiros socorros às vítimas com lesões mais graves. Como o número de pacientes precisando de cirurgia não parava de crescer, pediram ajuda, e a resposta foi uma gigantesca onda de solidariedade que resultou na doação de € 104 milhões.

Em menos de dez dias, MSF montou quatro hospitais de campanha e criou 1.200 leitos no Haiti, além de viabilizar o envio de equipamentos, remédios e mais médicos voluntários. Toda essa estrutura também foi mobilizada meses depois, no enfrentamento da epidemia de cólera que castigou esse país do Caribe.

FIQUE POR DENTRO

Qualquer pessoa pode colaborar com MSF. E não só com dinheiro: eles aceitam trabalho de voluntários que ajudem a divulgar a organização, arrecadar fundos e fazer campanhas para aumentar o número de doadores.

Quer colaborar? Visite o site: http://www.msf.org.br/.

Estudantes contra combustíveis fósseis

Algumas das mais conceituadas universidades dos Estados Unidos e da Europa possuem orçamentos milionários, oriundos basicamente de doações. Foi justamente nessas universidades que milhares de estudantes organizaram um movimento visando interferir na destinação desses recursos, evitando a todo custo que eles financiem – principalmente por meio da compra de ações – empresas de petróleo, carvão e gás.

Não investir em empresas que lucram com a exploração de combustíveis fósseis – em tempos de aquecimento global – tornou-se uma questão importante para essa garotada, que realiza ocupações nessas instituições de ensino e intensas campanhas virtuais.

Assim, surgiu o movimento Fossil Free, que luta para que essas universidades desistam de continuar investindo em empresas que agravam as emissões de gases estufa. A campanha consiste, basicamente, em ocupar setores estratégicos das universidades, fazendo muito barulho e expondo essas instituições nas redes sociais e nas mídias.

A inspiração veio da luta contra o apartheid na África do Sul. Nos anos 1990, o movimento anti-apartheid defendia o boicote a empresas que fizessem negócios com os sul-africanos, o que gerou graves problemas econômicos para o país e acelerou o fim do regime segregacionista.

O movimento dos estudantes passou a contar com o apoio da organização 350.org, que ajuda a levar a mensagem dos universitários para diversos países do mundo. Jammie Henn, cofundador da 350.org, admitiu que não é possível se livrar dos combustíveis fósseis a curto prazo: “Mas precisamos começar o processo de transição o mais rápido possível.”

O movimento em Yale

Na prestigiada Universidade de Yale – de onde saíram ex-presidentes como Bill Clinton e George Bush, além de vinte prêmios Nobel –, os estudantes que apoiam o Fossil Free conquistaram em 2013 uma vitória importante: obrigaram a reitoria a fazer o primeiro referendo na história da instituição.

O resultado mostrou que 83% dos alunos eram contra os investimentos em combustíveis fósseis. Mesmo assim, Yale decidiu manter os investimentos no setor, que chegam a quase US$ 24 bilhões.

Se não foi possível demover a direção da universidade de sua posição, a ampla repercussão do caso inspirou outros movimentos parecidos mundo afora.

Derrotados no referendo, os estudantes de Yale voltaram à carga, em abril de 2015, ocupando as escadarias do prédio principal da universidade. A reitoria não os recebeu, a polícia foi chamada e 19 alunos foram presos.

A equipe do *Cidades e Soluções* ouviu em Yale os líderes do movimento. Para Nathan Lobel, embora ainda não tenham atingido seu objetivo, houve avanços: “Conseguimos iniciar uma discussão na universidade sobre a importância de debater em que áreas desejamos que nosso dinheiro seja investido. E foi uma vitória que a direção de Yale tenha anunciado que começarão a levar em conta, na hora de fazer investimentos, os riscos das mudanças climáticas”, comemorou.

Na opinião de Chelsea Watson, também do movimento pró-desinvestimento em Yale, a pretensão não é atingir econômica ou financeiramente a indústria petrolífera: “Queremos é colocar em xeque sua legitimidade moral. Nesse sentido, há um enorme impacto quando uma universidade como Yale diz que é antiético continuar aportando recursos para essa indústria”, enfatizou.

Apoio do Fundo Rockefeller

O movimento global pelo desinvestimento dos combustíveis fósseis dobrou de tamanho desde setembro de 2015, de acordo com o terceiro relatório anual *Global Fossil Fuel Divestment and Clean Energy Investment Movement*, publicado pela Arabella Advisors. O relatório, divulgado em dezembro de 2016, informa que os compromissos globais com o desinvestimento já envolvem 688 instituições em 76 países e representam um total de US$ 5 trilhões ativos sob gestão.

Esse movimento que exige o fim dos investimentos em combustíveis fósseis celebrou intensamente a decisão do Fundo Rockefeller – gerido pela família que enriqueceu às custas do petróleo – de transferir, em setembro de 2014, a quantia (tímida para os padrões da corporação, mas ainda assim emblemática) de US$ 60 milhões investidos em combustíveis fósseis para fundos de estímulo às energias renováveis.

Em entrevista ao *Cidades e Soluções*, Stephen Heintz, presidente do Fundo Rockefeller, disse que via o aquecimento global como o maior desafio da nossa época: "É o problema que vai definir essa geração no planeta. Se não resolvermos essa questão, as próximas gerações terão que encarar, para sempre, um mundo muito diferente do belo planeta que desfrutamos hoje."

Heintz reconheceu que era muito simbólico que o Fundo Rockefeller estivesse agora assumindo essa posição: "Símbolos são importantes. Motivam as pessoas e estimulam mudanças de comportamento." Também defendeu que se criassem as condições para que as energias renováveis sejam competitivas, em relação aos combustíveis fósseis: "Para isso, é preciso desenvolver novas tecnologias e mudar as políticas públicas que subsidiam a indústria do petróleo."

A primeira universidade a não investir em petróleo

Quem fez história foi a Universidade New School, a primeira de Nova York a suspender totalmente os investimentos em combustíveis fósseis, em dezembro de 2014, depois que os estudantes fizeram protestos, no embalo da campanha Fossil Free.

Tokumbo Shobowale, chefe de investimentos da New School, explicou como se chegou a essa mudança: "Foi um processo que durou dois anos. E foi muito importante, para o conselho de acionistas, que essa decisão não se limitasse apenas a deixar de investir na indústria petrolífera. Deveria significar uma mudança no currículo, na forma como ensinamos, nas pesquisas que desenvolvemos, e até em relação ao que fazemos com a nossa própria pegada ecológica. É importante que nossos investimentos reflitam nossa missão, quem somos e com o que nós nos importamos."

Um jeito diferente de ensinar sustentabilidade

O *Cidades e Soluções* foi até a Inglaterra conhecer de perto o Schumacher College, um dos mais importantes centros de ensino em sustentabilidade do mundo. Fazem (ou já fizeram) parte do seu corpo docente ilustres pensadores da atualidade, como o "pai" da Teoria de Gaia, o inglês James Lovelock; o criador do conceito de Ecologia Profunda, o norueguês Arne Naess; o físico austríaco Fritjof Capra, autor de *O tao da física* e *Ponto de mutação*; o biólogo inglês Rupert Sheldrake, conhecido pela Teoria do Campo Mórfico (que mostra como espécies isoladas em diferentes ambientes podem se comunicar e compartilhar aprendizados), entre outros.

O College também conta com colaboradores visitantes, como Bill McKibben, cofundador da 350.org, e Scilla Elworthy, indicada três vezes ao Nobel da Paz pelo seu trabalho com não violência. Entre os nomes conhecidos internacionalmente também está a física e ativista socioambiental indiana Vandana Shiva (ver página 106). Desde 1991, ela visita o centro de estudos para lecionar em cursos rápidos.

A 350 km de Londres, na localidade de Totnes, o Schumacher College funciona em um prédio construído em 1380 e devidamente adaptado para as demandas atuais. Fundado em 1990 (as aulas começaram no ano seguinte), o College leva o nome do economista inglês Ernst Friedrich Schumacher, autor da influente obra *Small is beautiful*, que propõe uma economia centrada nas relações humanas.

Alunos de várias nacionalidades participam de diferentes tipos de curso (de curta duração ou mestrados em tempo integral), com preços que podem chegar a aproximadamente R$ 100 mil. É muito caro, mas ainda assim não sobram vagas (cada turma tem, em média, 15 alunos).

Coordenador do curso de ciência holística, Stephan Harding sintetizou a filosofia da Instituição: "A ciência tradicional é focada numa visão reducionista: divida algo em partes e analise cada uma delas separadamente. Essa ciência costuma ver o mundo e o corpo humano como máquinas. É uma visão útil, mas muito limitada." E acrescentou: "Quando a intuição e a razão andam juntas, descobrimos que o Universo em si está vivo e é repleto de significados."

Desde a sua criação, o Schumacher College já formou em seus diferentes cursos mais de 17 mil alunos, que complementam suas formações com um olhar mais sistêmico, ético e inter-relacional da realidade. "Economia para a transição", "Ciência holística", "Horticultura" foram alguns dos cursos oferecidos durante a visita do *Cidades e Soluções*.

Os alunos conciliam os mais diversos tipos de atividades, como meditação, jardinagem, horticultura e culinária. Elas são harmoniosamente combinadas com as aulas teóricas que reforçam o conteúdo pedagógico proposto. Por exemplo: o simples preparo da comida põe em prática os conceitos de uma nova economia, orgânica e local, que possa envolver toda a comunidade.

Aliás, a especialidade da casa são os pratos vegetarianos, que renderam um livro premiado. *Gaia's feasts* (*Banquetes de Gaia*) ganhou em 2001 o prêmio Gourmand World Cookbook, como melhor livro vegano de receitas. Oitenta por cento de tudo que se come na instituição é orgânico e prioriza a produção local.

No jardim do College, legumes e frutas crescem juntos e trocam nutrientes. Além de servir para as refeições de alunos, professores e voluntários, a policultura permite as aulas práticas dos alunos de mestrado em horticultura sustentável e produção de alimentos.

Ciência e espiritualidade

O modelo educacional do Schumacher College foi inspirado na biografia do fundador da instituição, o indiano Satish Kumar. Seguidor do movimento iniciado por Mahatma Gandhi, ele explicou à equipe do *Cidades e Soluções* como a busca pela paz inspirou esse trabalho: "No final dos anos 1980, depois de ter peregrinado por dezenas de países com uma mensagem de paz, eu vim à zona rural de Totnes para dar palestras numa instituição filantrópica dedicada a incentivar pequenos produtores rurais."

A instituição era a Dartington Hall, fundada pelo casal Leonard e Dorothy Elmhirst em 1931, sob inspiração de um outro indiano: o Prêmio Nobel de Literatura Rabindranath Tagore.

Satish sugeriu, então, que eles fundassem naquele lugar um centro de estudos inovador: "Há incontáveis universidades no mundo onde o ensino é essencialmente acadêmico. O aluno aprende apenas teoria, sem nenhuma experiência prática. É uma educação que usa apenas a cabeça, nada de mãos... Nós, ao contrário, acreditamos que teoria e prática podem andar juntas."

No Schumacher College, a ciência é entendida de forma mais abrangente que a tradicional: "Temos, sim, um programa científico, mas baseado em outros parâmetros. Aqui, ciência está combinada com espiritualidade e está integrada com a sustentabilidade. É uma ciência que está a serviço da Humanidade, da Mãe Terra, e não dos negócios e do lucro", enfatizou Satish Kumar.

Quando a internet muda o mundo para melhor

Avaaz

O maior movimento do mundo de mobilização e campanhas de transformação pela internet não para de crescer. Criado em 2007, já conta com mais de 43 milhões de apoiadores. É o Avaaz, que pede assinaturas virtuais em favor de causas consideradas justas e urgentes.

De todos os 15 idiomas usados pelo Avaaz para garimpar assinaturas virtuais mundo afora, o mais usado é o português. E o Brasil é o país que mais reúne apoiadores para as petições on-line, aproximadamente 4 milhões de pessoas.

As petições on-line (ou abaixo-assinados virtuais) podem surgir a partir da própria equipe do Avaaz – composta de setenta pessoas de vários países – ou das chamadas "petições da comunidade", quando qualquer pessoa pode criar a sua própria campanha (que é então compartilhada para todos os milhões de apoiadores do Avaaz). Mas antes, essa petição passa por um teste: a campanha é enviada para um grupo menor de 10 mil pessoas, onde se verifica se há empatia, ressonância, se a proposta de engajamento é bem aceita. Se passar no teste, ganha-se o mundo virtual e a adesão da própria equipe do Avaaz.

A aceitação da ONU para que a Palestina fosse incluída como membro da organização (embora ainda sem direito a voto), o banimento de um agrotóxico que ameaçava abelhas na comunidade europeia, a delimitação das terras dos índios guaranis-kaiowás, são exemplos de campanhas bem-sucedidas, onde as assinaturas de milhares de pessoas nas petições on-line do Avaaz se transformaram em importantes instrumentos de pressão no "mundo real". Até uma UTI infantil no interior do Ceará foi inaugurada a partir de uma intensa mobilização que teve origem em uma petição on-line.

"Click-Árvore" plantou milhões de árvores

No caso da Fundação SOS Mata Atlântica – uma das maiores e mais respeitadas organizações ambientalistas do Brasil –, a internet também serviu para plantar árvores. Até 2017, foram quase 32 milhões, graças ao Click-Árvore, em que o internauta era convidado a plantar uma muda de espécie nativa de Mata Atlântica em áreas degradadas ou submetidas a projetos de restauração florestal.

Bastava dar um clique por dia para que a Fundação assegurasse o plantio da árvore (com a ajuda de parceiros privados), informando ao internauta a localização exata onde isso aconteceu. Ao todo, uma área equivalente a 19 mil campos de futebol pôde ser reflorestada graças ao apoio dos internautas.

Marcia Hirota, diretora executiva do SOS Mata Atlântica, reconhece a força da internet para estimular ações no terceiro setor: "A SOS Mata Atlântica foi criada em 1986, num momento em que nós não tínhamos todo esse aparato tecnológico na área de informação. No início, as coisas eram mais difíceis, a mobilização acontecia por meio de contato com as pessoas por telefone ou por carta. Hoje em dia, a gente tem essas ferramentas tecnológicas para levar a nossa mensagem".

Atualmente, esse projeto está concluído e não é mais possível ao internauta apoiar dessa forma. O projeto começou em 2000 e até 2010 os internautas podiam clicar no site. A partir daí, o SOS Mata Atlântica passou para a modalidade de editais, onde o internauta escolhe as áreas para reflorestamento. Nesse modelo, há interação, mas não mais para clicar "a muda".

Tanto o SOS Mata Atlântica quanto o Greenpeace – entre outras organizações não governamentais – lançaram games na internet para estimular a participação das pessoas (especialmente os mais jovens) em ações concretas de defesa do meio ambiente.

Mas a febre das campanhas virtuais – especialmente aquelas em favor de causas humanitárias, ecológicas etc. – também justificou a preocupação do Fundo das Nações Unidas para a Infância (Unicef), que denunciou o risco das curtidas ("*likes*" no Facebook) substituírem as doações de alimentos, roupas, remédios, e eventualmente dinheiro para atenuar o sofrimento de quem precisa de ajuda.

No vídeo *Likes don't save lives: money does* ("Curtidas não salvam vidas, dinheiro salva"), produzido pelo Unicef da Suécia, um órfão de 10 anos que vive com o irmão caçula nas ruínas de uma casa, em um lugar miserável, diz o seguinte: "Às vezes, eu tenho medo de ficar doente como minha mãe. Mas eu acho que as coisas vão bem. Hoje, o Unicef da Suécia tem 177 mil *likes* no Facebook... Talvez chegue a 200 mil no verão."

Nova forma de participação

Todos os entrevistados do *Cidades e Soluções* concordaram que as campanhas de mobilização pela internet melhoraram a comunicação com a sociedade e o enfrentamento das questões urgentes em que essas ONGs militam. Mas houve consenso também no entendimento de que, para mudar de fato a realidade, é preciso agir diretamente no mundo real, concreto, sensorial.

Pedro Abramovay, que dirigia o Avaaz no Brasil na época da gravação do *Cidades e Soluções*, entende que há uma nova forma de pensar o mundo e a política, e de influenciar os governos a partir da internet. Segundo ele, "antes, uma manifestação de rua precisava ter por trás uma associação civil, um partido político. Agora não. As pessoas combinam pela internet e de repente estão na rua".

Para o advogado, "o mundo obriga a política a perceber a necessidade de mudanças. Não faz sentido que as pessoas participem da política apenas uma vez a cada quatro anos na hora de votar. As pessoas querem interferir no dia a dia da política. E a política vai ter que se abrir para isso. Os países que perceberem que é possível construir canais institucionais com os cidadãos que querem participar das decisões vão se transformar nas primeiras democracias verdadeiras do século XXI", destacou.

A Primavera Árabe, o Occupy Wall Street, o Movimento Passe Livre, entre outros, são exemplos de mobilização política a partir do uso das redes sociais. É a internet que consegue mobilizar e levar os movimentos para a rua. É a tecnologia turbinando novas formas de pensar e fazer política.

A campanha pela Lei da "Ficha Limpa"

Um dos exemplos mais conhecidos de petições on-line em nosso país foi aquela que reuniu 1,6 milhão de assinaturas pela aprovação do projeto batizado de Ficha Limpa.

Aprovada em 2010, a lei torna inelegível por oito anos um candidato que tiver o mandato cassado, renunciar para evitar a cassação ou for condenado por decisão de órgão colegiado (com mais de um juiz), mesmo que ainda exista a possibilidade de recursos.

A equipe do *Cidades e Soluções* entrevistou o juiz Marlon Reis, um dos fundadores do movimento de combate à corrupção eleitoral, que organizou a campanha: "Confesso que quando nós lançamos a campanha Ficha Limpa, nossa ideia era fazer uma mobilização completamente convencional, de rua. Entretanto, ao longo da campanha, sentimos a necessidade de utilizar as redes sociais. E essa aproximação do movimento com as redes sociais foi absolutamente decisiva para a conquista dessa lei. Nós consideramos que não é possível fazer uma efetiva mobilização de toda a sociedade brasileira sem ter a internet por ponto de partida e de chegada", afirmou o juiz.

Prefeitos e vereadores na mira dos eleitores

O que fazer quando os vereadores da sua cidade reajustam os próprios salários em sessões secretas ou são flagrados gastando o dinheiro público em viagens desnecessárias e mordomias? O que fazer quando o próprio prefeito é acusado de realizar compras superfaturadas ou de aceitar suborno de fornecedores?

Tudo isso acontece em boa parte das cidades brasileiras. O que é possível fazer para que haja mais transparência e menos corrupção?

Muito antes do início da Operação Lava-Jato e das primeiras prisões de políticos influentes e empresários ricos (que levaram o Brasil a ter esperanças de deixar de ser chamado de "país da impunidade"), Ribeirão Bonito, no interior de São Paulo, deu o exemplo.

Em 9 de novembro de 2001, a Amarribo (Amigos Associados de Ribeirão Bonito) pediu junto à Promotoria de Justiça da cidade a abertura de inquérito civil público para investigar desvios de verba da merenda escolar, aquisição de combustível e notas "frias" de fornecimento de serviços.

Era a primeira ação dentre várias outras contra o prefeito de Ribeirão Bonito, que renunciou ao mandato em 24 de abril de 2002, teve a prisão preventiva decretada e fugiu. Ele acabou sendo preso mais tarde no município de Chupinguaia, no estado de Rondônia, após uma reportagem sobre o assunto ter sido veiculada no *Jornal Nacional*.

A mobilização dos moradores ganhou repercussão nacional. A possibilidade de se promover a cassação de prefeitos e vereadores desonestos, a partir da mobilização de cidadãos comuns, estimulou a criação de uma rede de cidades contra a corrupção que mobilizou outros 138 municípios em 19 estados. Até 2010, a Amarribo fazia um controle dos casos de cassação de prefeitos e vereadores, com informações obtidas no ambiente de ação das ONGs da Rede Amarribo. Até aquele ano, foram contabilizados aproximadamente duzentos casos.

A Amarribo ensinava – pela internet – o passo a passo da papelada, distribuindo cópias de petições, pedidos de abertura de processos e de investigação. Todo o rito processual era didaticamente ensinado a quem procurasse a ajuda da organização.

No site da Amarribo (www.amarribo.org.br) aparecem os links de instituições comprometidas com a transparência em todo o país. É possível baixar gratuitamente o livro *O combate à corrupção nas prefeituras do Brasil*, que já está na quarta edição, com 125 mil cópias vendidas. O livro revela em detalhes o que deve ser feito para neutralizar a ação dos corruptos.

Durante muitos anos, o site foi o mais importante canal de comunicação de quem deseja se mobilizar em favor da transparência.

Cidadania, vigilância e transparência

Você pode até não gostar de política. Mas, para viver numa cidade melhor, precisamos escolher com muito cuidado e consciência os nossos candidatos a cada eleição.

Somos a quarta maior democracia do mundo, com 144 milhões de eleitores. A cada eleição municipal, são mais de 16.500 candidatos a prefeito e 463 mil candidatos a vereador em todo o país.

Mas tamanho não é documento. Democracia não se mede apenas pelo número de eleitores, mas principalmente pela capacidade que a população tem de cobrar as promessas feitas em campanha.

O *Cidades e Soluções* mostrou o trabalho realizado por algumas organizações que vigiam de perto os passos dos gestores públicos, cobrando transparência, honestidade e competência.

Rede Nossa São Paulo

A Rede Nossa São Paulo (www.nossasaopaulo.org.br) representa há quase dez anos os interesses de mais de setecentas organizações da sociedade civil da maior cidade do país. O escritório de 100 m^2 abriga 18 funcionários contratados de fundações, institutos e algumas poucas empresas (nenhuma delas é pública).

Graças ao trabalho de "formiguinha" da Rede, São Paulo se tornou a primeira cidade do país em que o prefeito eleito é obrigado a detalhar as promessas de campanha e a prestar contas delas.

A Lei das Metas foi aprovada em fevereiro de 2008 e obriga o prefeito eleito a detalhar seu programa de governo (em até noventa dias depois de empossado) para os quatro anos de governo, especificando o que pretende fazer em cada região da cidade. Ele também é obrigado a prestar contas de sua gestão a cada seis meses.

A experiência de São Paulo inspirou a aprovação de leis semelhantes em outras cinquenta cidades (Porto Alegre, Uberlândia e Ribeirão Preto são alguns exemplos). Aguarda-se no Senado Federal a votação de um projeto que universaliza a Lei das Metas em todo o território nacional.

A Rede Nossa São Paulo também criou o Observatório das Cidades (disponível on-line para consultas) que revela os principais indicadores públicos da saúde, educação, transportes, cultura, entre outros setores estratégicos da cidade. O software livre já inspirou iniciativas semelhantes em outras cem cidades brasileiras, que criaram seus próprios observatórios.

Outra inovação de Rede Nossa São Paulo foi a contratação do Ibope para uma pesquisa anual que mede o bem-estar da população. As questões formuladas na pesquisa foram definidas a partir de uma consulta pública que contou com a participação de aproximadamente 40 mil pessoas. A implementação dos corredores de ônibus e os projetos de redução do tempo de espera na fila dos postos de saúde para consultas e exames, por exemplo, foram definidos a partir do resultado dessa pesquisa.

A Rede Nossa São Paulo também lançou o Mapa da Desigualdade, que aponta como se dá a distribuição dos equipamentos urbanos e dos serviços públicos por toda a cidade. O Mapa revelou, por exemplo, que não há cinemas ou teatros em quase todos os distritos mais distantes do centro da cidade (Vila Brasilândia, Parelheiros, São Miguel, Perus etc.). O movimento pressionou, então, a Prefeitura a levar equipamentos culturais para esses bairros mais distantes.

O mesmo Mapa identificou também a ausência de hospitais na periferia, obrigando muita gente a se deslocar para a região central à procura de atendimento. A partir desses dados, as reivindicações da população ganharam força e a Prefeitura chegou a inaugurar pelo menos três novas unidades de saúde baseadas nos dados do Mapa.

Portal Meu Município

Trata-se de um portal 100% público e gratuito, que organiza e disponibiliza de forma simples os dados dos municípios brasileiros (www.meumunicipio.org.br). São informações sociodemográficas e sobre as finanças públicas de aproximadamente 5 mil municípios brasileiros, a partir de dados oficiais do Tesouro Nacional e do IBGE.

Qualquer pessoa interessada poderá levantar as receitas dos municípios (soma dos impostos arrecadados e transferências), como estão sendo feitos os gastos de cada Prefeitura, que setores da administração pública estão recebendo mais ou menos recursos etc.

Para surpresa dos responsáveis, muitos municípios adotaram o portal como fonte de informação para as próprias contas. Ou seja, embora esses municípios tenham seus próprios sistemas de informação, o portal passou a ter preferência nas consultas.

A equipe do portal realiza incursões pelos municípios de todo o país para ver de perto como as informações são processadas. Certa vez, em uma cidade do interior de Santa Catarina, descobriu-se que a Secretaria de Fazenda da cidade era composta por apenas um funcionário: o próprio secretário. Por motivo de doença, ele chegou a ficar afastado do cargo durante quatro meses sem que nenhum substituto ocupasse seu posto. Esse exemplo revela o nível de precariedade na área de recursos humanos de muitos pequenos municípios do país.

Aproximadamente 90% dos municípios brasileiros têm menos de 50 mil habitantes, donde se conclui que, em boa parte dos casos, há alguma dificuldade em montar equipes técnicas qualificadas para a gestão pública. O Portal Meu Município também existe para dar suporte a essas cidades e seus gestores.

Em anos eleitorais, o portal disponibiliza *podcasts* e vídeos explicativos compartilhando bons exemplos de gestão pública e o perfil dos principais candidatos das 15 cidades com o maior número de eleitores no país.

Transparência Brasil

A equipe do *Cidades e Soluções* foi até São Paulo conhecer de perto o escritório da Transparência Brasil (www.transparencia.org.br), onde apenas três pessoas trabalham no dia a dia da mais antiga e atuante organização civil ligada à causa da transparência das instituições públicas (é uma entidade sem fins lucrativos que sobrevive à base de doações).

São 16 anos de trabalho e muitas conquistas. O projeto Excelências (excelencias.org.br), por exemplo, faz um mapeamento de todos os processos judiciais relativos à vida política dos deputados e senadores brasileiros. Foi a Transparência Brasil quem descobriu que mais de 50% dos deputados e senadores têm processos na justiça, o que abriu caminho para a aprovação da Lei da Ficha Limpa.

O projeto Às claras traz informações sobre as contribuições financeiras nas campanhas eleitorais de todos os candidatos. Já o projeto *Cadê minha escola?* é um aplicativo que permite a qualquer cidadão monitorar e fiscalizar a construção de creches e escolas em todo o país. O projeto – em fase de desenvolvimento – ganhou um concurso promovido pelo Google como melhor aplicativo por voto popular com mais de 200 mil votos.

É bom lembrar que a transparência é lei no Brasil. Todos os órgãos públicos são obrigados a dar publicidade às informações sobre suas ações. Ainda assim, apesar dos avanços, a Transparência Brasil continua enfrentando muita resistência dos órgãos públicos.

Educafro: muito além das cotas

A sala de aula é apertada e as cadeiras e carteiras são pequenas para os alunos adultos. O prédio, que abriga uma creche durante o dia, se transforma à noite num cursinho pré-vestibular onde um grupo muito especial de estudantes vence o cansaço – e, às vezes, a fome – na tentativa de realizar o sonho de cursar uma universidade.

Eles fazem parte da Educação e Cidadania de Afrodescendentes e Carentes (Educafro), uma ONG que há quase vinte anos promove o acesso de negros ao ensino superior. Os locais ocupados pela organização são cedidos por prefeituras ou pela Igreja católica, o que explica o improviso.

A Educafro sobrevive de doações, com a ajuda de professores voluntários e a obstinação de Frei Davi, diretor-executivo e fundador do projeto: "A ideia de criar a ONG surgiu durante uma reunião que fiz com um grupo de jovens em uma paróquia na Baixada Fluminense, no Rio de Janeiro. Eram quase cem jovens e, num dado momento, eu perguntei quantos queriam fazer faculdade. Só dois disseram que sim. A partir dali eu percebi, como franciscano, que nós deveríamos realizar um trabalho específico para resgatar a comunidade negra e fazê-la avançar em direção às universidades públicas e particulares", afirmou.

A luta começou com uma reivindicação simples: isenção da taxa de inscrição no vestibular para estudantes pobres. Depois, a Educafro pressionou governo e universidades a adotarem o sistema de cotas para negros, uma das principais conquistas da ONG.

Quando gravamos o *Cidades e Soluções*, a Educafro se orgulhava de ter sido responsável pelo ingresso de 15 mil pessoas nas universidades graças aos cursos preparatórios do programa, e das parcerias formadas com instituições de ensino particulares que dão bolsas de estudo aos jovens do projeto.

O economista Leandro Rodrigues Dias agradeceu à Educafro pela condição de poder frequentar dois cursos ao mesmo tempo: Pedagogia e Economia. Trabalhando em um grande banco e cursando um MBA, ele já teve uma viagem internacional bancada pela empresa: "A Educafro bancou meu cursinho, meu vale-transporte e minha alimentação. Sem essa ajuda, eu não conseguiria chegar aonde cheguei!", declarou, emocionado.

Outro grande obstáculo é o reconhecimento do negro na profissão que ele escolheu. "Nós, negros, não temos *cara* de médico... Não temos *cara* de padre, nem de juiz, nem de dentista... É inaceitável que a Faculdade de Medicina da USP não tenha 1% de negros, em um país em que somos 52% da nação", criticou Frei Davi.

Além de todos esses problemas para se colocar no mercado de trabalho, muitas mulheres negras enfrentam uma dificuldade extra, dentro da própria casa: a falta de apoio dos maridos. De acordo com a ONG, metade delas termina o casamento por causa dos estudos.

A determinação de quem saiu em desvantagem e conseguiu um diploma gera transformação e independência. Auxiliada pela Educafro no passado, Rita é hoje assistente social com carreira em ascensão. "Estou sendo disputada por duas empresas bacanas. Hoje, tenho condição de escolher. E vou ocupar cargos legais também. Cargos que até podem melhorar no futuro, mas que, por agora, já estão ótimos! *Pra* quem nasceu numa favela (no bairro de Santa Teresa, no Rio de Janeiro) é o tipo de coisa que a gente sonha em alcançar... Mas se não tivermos força, não chegamos lá... É aquela coisa da águia mesmo: você pula e voa!".

Frei Davi enfatizou que "a grande meta, nosso grande sonho, é um dia celebrar o fim da Educafro. Nosso grande sonho é um dia dizer que podemos suspender as cotas no Brasil inteiro. E vamos trabalhar para isso", garantiu o idealizador da ONG.

O que diz a lei

A Lei das Cotas (Lei nº 12.711 de 29 de agosto de 2012) reserva 50% das vagas em todos os cursos nas instituições federais de ensino superior, levando em conta critérios sociorraciais.

Segundo o Ministério da Educação, em 1997 o percentual de jovens negros, entre 18 e 24 anos, que cursavam ou haviam concluído o ensino superior era de 1,8%, e de pardos, 2,2%. Esse percentual subiu em 2013 para 8,8% de negros, e 11% de pardos. Em números absolutos, o sistema de cotas permitiu o acesso ao ensino superior de 50.937 negros em 2013, e 60.731 em 2014.

FIQUE POR DENTRO

Em 2016, segundo o IBGE, os negros ganhavam 42% menos do que os brancos, e eram maioria entre os desempregados: 63%. A população negra também era maioria entre os mais pobres: 75%. Esse é um dos retratos mais duros da desigualdade do país. Essa é a principal razão da Educafro existir.

"Cine-pedrada": um jeito verde de fazer cinema

Luz, câmera, e... ação em favor da natureza! Tem gente que faz cinema pensando em como denunciar a destruição do meio ambiente, ou sensibilizar o público a se engajar nas lutas ambientais. André D'Elia pertence a essa categoria de cineastas que, com muito esforço e sacrifício, emprestam seus talentos à causa da sustentabilidade, e também a um novo modelo de negócios que viabiliza a exibição de filmes com esse perfil.

O primeiro movimento é a captação de recursos com parceiros e amigos. Para o documentário *A lei da água: novo Código Florestal* – em que pretendia mostrar os impactos do novo código sobre o conjunto dos recursos hídricos do país –, André conseguiu arrecadar aproximadamente R$ 320 mil, o que significa um orçamento de baixíssimo custo. A empresa O2 Filmes apoiou o projeto colaborando com a finalização.

Depois de pronto, o documentário foi exibido com a ajuda dos internautas. Um site de *crowdfunding* (uma espécie de "vaquinha" digital) apresentou o calendário de exibições do filme em diferentes salas comerciais espalhadas pelo Brasil. Mas as sessões só eram confirmadas se fossem vendidos no mínimo 70 ingressos por sala, a um preço de R$ 20,00 cada.

Além da exibição do filme, foram distribuídas cartilhas que complementavam as informações do documentário, e especialistas convidados pela produção realizavam palestras logo após a sessão. O objetivo era mobilizar a comunidade em torno do assunto, no melhor estilo "cinema engajado".

Em setembro de 2014, a pré-estreia de *A lei da água* reuniu seiscentos espectadores no auditório do parque Ibirapuera, em São Paulo. Em 2015, graças à mobilização pela internet, foram realizadas outras 14 sessões em salas de São Paulo, Rio de Janeiro, Belo Horizonte, Belém, Porto Alegre, Brasília, Manaus, Curitiba, Santos e Bahia.

Em maio de 2015, o filme passou também pelo circuito comercial e entrou em cartaz em outras oito salas. Além disso, foram organizadas outras seiscentas exibições em "cine-debates" com entrada gratuita em escolas, universidades, ONGs, cineclubes, e até no Congresso Nacional.

Os agendamentos desses cine-debates eram feitos a partir do site do projeto. Os interessados preencheriam um cadastro onde o responsável deveria informar quantas pessoas pretendia reunir, onde isso aconteceria, como seria o debate depois da sessão, e se comprometer a enviar depois algum registro visual (foto ou vídeo) do dia da exibição. Requisitos preenchidos, enviava-se uma cópia digital do filme.

Na contabilidade final do projeto, o documentário foi visto e debatido por mais de 22 mil pessoas em trezentas cidades. Uma das sessões mais marcantes aconteceu no município de Nazaré Paulista, que fica às margens do reservatório de Atibainha. A partir do cine-debate, organizou-se um encontro que reuniu depois os prefeitos da região. Eles assinaram uma carta-compromisso em favor da restauração florestal e da proteção das nascentes e mananciais.

Fernando Meirelles e o cinema que inspira

Um dos mais prestigiados cineastas brasileiros, Fernando Meirelles, foi um dos principais apoiadores do projeto *A lei da água*. Segundo ele, o filme nasceu de um pedido das organizações não governamentais que acionaram o Supremo Tribunal Federal (STF) contra o Código Florestal (ver página 80).

Em entrevista ao *Cidades e Soluções*, o cineasta explicou que, inicialmente, esse projeto seria uma peça jurídica para reforçar a Ação Direta de Inconstitucionalidade (Adin) encaminhada ao contra o Código Florestal. "Me pediram para fazer um filme de 20 minutos, aproximadamente. A ideia era facilitar o trabalho dos ministros do STF, que não conseguiriam ler todos os relatórios técnicos e científicos a respeito dos impactos causados pelo Código. Eu chamei o André D'Elia para realizar esse trabalho porque ele já está mais envolvido com o tema, conhece muito mais essa realidade do que eu. Só que quando a gente começou a desenvolver o projeto, ele foi crescendo, até virar um longa-metragem. A gente viu que tinha uma peça de interesse público e aí esse filme tomou um outro destino", revelou.

Criterioso na seleção de novos projetos para filmar, Fernando Meirelles se sente comprometido com a temática ambiental. Mas reconhece a dificuldade de o tema inspirar projetos na indústria do cinema: "É um tema árduo. E a maneira da gente falar sobre esses assuntos é sempre com reclamação. A gente está sempre reclamando. E é chato. Precisamos achar o jeito de mudar o tom, descobrir qual a narrativa que vai envolver as pessoas, porque ninguém aguenta mais essa atitude de ficar alardeando o caos", assinalou.

O cineasta contou que havia lido uma entrevista com o Al Gore, ex-vice-presidente dos Estados Unidos. "Ele disse ter percebido que errou no seu primeiro filme – *Uma verdade inconveniente* – que é a trombeta do Apocalipse... O filme até teve boa repercussão, mas, segundo o próprio Al Gore (ver entrevista na página 150), deixou as pessoas imobilizadas. O segundo filme dele enfatiza muitos mais as soluções que os problemas. É mais propositivo, positivo. Você assiste e acha que as coisas podem dar certo", disse Meirelles.

"Belo Monte: anúncio de uma guerra"

André D'Elia fala com orgulho de outro projeto: o filme sobre a polêmica construção da usina hidrelétrica de Belo Monte, no Pará, inspirou o mais bem-sucedido projeto de financiamento coletivo já feito no país pela internet. *Belo Monte: anúncio de uma guerra*, seu primeiro longa-metragem, reuniu 3.500 apoiadores, que juntaram em apenas dez dias R$ 140 mil.

A realização do projeto exigiu, ao todo, dez viagens para a Amazônia, com 200 horas de filmagens no Xingu, Altamira, Brasília e outros lugares. O principal objetivo do projeto era ouvir as histórias que não eram contadas pelo governo, nem por boa parte da imprensa.

Foi um filme caro, que obrigou o cineasta a vender todo o seu patrimônio e se endividar: "Ninguém está querendo ficar rico fazendo cinema socioambiental. *Pra* ganhar dinheiro a gente faz outras coisas...", afirmou o cineasta.

Belo Monte: anúncio de uma guerra fez um circuito importante em cinemas do exterior, principalmente da Inglaterra, Espanha, Portugal, Estados Unidos, e foi exibido em algumas universidades. Na internet, o filme teve mais ou menos um milhão de visualizações e quatro milhões de *loads*, "o que não significa que a pessoa viu o filme até o final, mas ela clicou ali", explicou André.

O maior festival de cinema ambiental

Desde 1999, a pequena e pacata cidade de Goiás, ex-capital do estado, situada a 135 km de Goiânia, transforma-se todos os anos na capital mundial do cinema ambiental. Patrimônio Histórico e Cultural da Humanidade, a terra da poetisa do Cerrado Cora Coralina é invadida por pessoas do mundo inteiro apaixonadas por cinema e por meio ambiente.

O Festival Internacional de Cinema e Vídeo Ambiental de Goiás (FICA) é o quarto maior festival do mundo sobre o tema e o mais importante da América Latina. Graças ao festival, o único teatro da cidade – que sempre abrigou de forma improvisada a mostra de filmes – foi alvo de uma ampla reforma (orçada em R$ 10,09 milhões do PAC Cidades Históricas) e reinaugurado em junho de 2017 como Cine Teatro São Joaquim.

O *Cidades e Soluções* registrou três edições do FICA. É realmente uma experiência fascinante ver gente do mundo inteiro participando das atividades do festival. Além da mostra competitiva, são oferecidos cursos de roteiro, fotografia, edição, animação, entre outras oficinas ligadas ao universo audiovisual, além de palestras com especialistas, convidados para falar sobre os mais variados assuntos ambientais.

O festival é marcado pelo clima de confraternização e intensa troca de experiências. Pelo que se vê por lá, a tribo dos cineastas verdes é unida e continua crescendo em tamanho e prestígio.

O Papa Francisco e sua encíclica ambiental

Na tradição católica, as Encíclicas são documentos assinados pelos Papas, que expressam a visão do líder máximo da Igreja sobre um assunto considerado importante e urgente. É um documento referencial para 1 bilhão de católicos e, quando se leva em conta que o Papa também é um líder político (chefe do Estado do Vaticano), o alcance é ainda maior.

Quis o destino que o primeiro Papa Francisco da história (em homenagem a São Francisco, considerado o "padroeiro" da Ecologia) lançasse a primeira Encíclica inspirada fortemente no cuidado com o planeta, suas criaturas e seus recursos naturais.

Laudato Sí ("Louvado Sejas" em italiano, expressão que abre o *Cântico das criaturas*, que Francisco de Assis escreveu oito séculos atrás) resume em 192 páginas os mais importantes desafios da humanidade, num mundo onde a espécie-líder – topo da cadeia evolutiva – vem a ser a principal responsável pela avassaladora onda de destruição dos recursos que sustentam a vida e a própria humanidade.

O Papa reconhece a maior crise ambiental da história da humanidade, e aponta o atual modelo de desenvolvimento como responsável, a um só tempo, pela exclusão social e pela destruição do meio ambiente. Clima, água, biodiversidade, florestas, agrotóxicos, nada parece escapar ao olhar do Papa Francisco, que assina a Encíclica mais subsidiada de informações científicas até hoje, segundo muitos estudiosos dos documentos oficiais da Igreja.

No documento, o Papa ataca duramente a cultura consumista por agravar os danos ambientais – especialmente nos países mais pobres – e aumentar o desperdício de materiais.

Papa Francisco defende "uma corajosa revolução cultural", que permita a construção de novos valores e ideais. "Que tipo de mundo queremos deixar a quem vai suceder-nos, às crianças que estão por crescer?", indaga o Papa, que aponta caminhos para alcançarmos o bem comum, onde a ética, a justiça e a paz se sobreponham à desigualdade, ao preconceito e à intolerância.

Apesar dos problemas, o Papa reconhece avanços importantes na área ambiental, sacramentados em vários acordos e tratados. Percebe-se que o mundo avança. Mas tão lentamente que as poucas conquistas não são suficientes para anular os riscos de um colapso global.

Ao honrar os princípios do Franciscanismo, o Papa promove no século XXI o mesmo convite à ruptura do modelo vigente que o *poverello* de Assis realizou no século XIII, quando constrangeu uma Igreja opulenta e corrupta, denunciando o afastamento dos princípios do Evangelho. O novo *Cântico das criaturas* é tão inspirador quanto o original. E alcança cristãos e não cristãos, religiosos e agnósticos, crentes e ateus.

conversa com

Muhammad Yunus

Entrevista concedida a André Trigueiro,
em programa exibido em 20/07/2008.

"Os empréstimos dados às mulheres beneficiam muito mais a família"

Economista de Bangladesh, criou o Grameen Bank, que inspirou inúmeros projetos de microcrédito espalhados pelo mundo. Por seu trabalho em prol da erradicação da pobreza, foi laureado com o Nobel da Paz em 2006.

André Trigueiro – Como o sr. teve a ideia de emprestar dinheiro para os cidadãos menos privilegiados?

Muhammad Yunus – Ela surgiu das condições extremas que enfrentávamos em Bangladesh, no início dos anos 1970. Nós tínhamos fome no país, e eu estava me sentindo inútil, por não poder fazer nada pelas pessoas que estavam sofrendo. Comecei, então, a tentar ajudar as pessoas na vila próxima ao campus da universidade onde eu lecionava. Vi agiotas usando essas pessoas pobres para enriquecer. Pensei, então, que se eu mesmo desse o dinheiro, em vez dos agiotas, e não impusesse condições tão difíceis, resolveria o problema. Emprestei US$ 27,00 a 42 pessoas, e todos ficaram animados.

Tentei, então, promover o contato dessas pessoas com o banco que ficava no campus, mas na universidade disseram que isso não era possível. Depois de muita insistência, a única solução que encontrei foi me oferecer para ser o fiador. Fui lá e disse: "Eu assino os seus papéis, vocês dão o dinheiro e eu assumo a responsabilidade. Assumo o risco". E assim tudo começou!

Nós ficamos muito felizes pela nossa iniciativa ter funcionado e continuamos a expandi-la. E isso cresceu até se tornar o que se chama agora de microcrédito. Criamos um banco, o Banco Grameen, que significa "banco da vila", e o expandimos para toda Bangladesh.

A.T. – O Banco Grameen tem uma metodologia. Não se trata apenas de dar dinheiro às pessoas pobres, com juros baixos. Quais são os métodos?

M.Y. – Um aspecto básico, que foi adotado imediatamente, é que as pessoas não deveriam ir ao banco. O banco deveria ir até as pessoas. Por isso, todo nosso trabalho é feito na porta da casa de quem pega o empréstimo. Nós lidamos com as pessoas mais pobres, mulheres particularmente. E pedimos que elas formem um grupo de cinco pessoas, o que terminou sendo parte da metodologia do Grameen.

Também pedimos que paguem o empréstimo regularmente, em prestações semanais. Isso também é parte da estratégia do Grameen.

Além disso, damos empréstimos para atividades de geração de renda. A ideia é a pessoa investir a quantia que pegou emprestado e ganhar dinheiro. E, com essa receita, pagar o empréstimo. É assim, basicamente, que todo o sistema funciona.

A.T. – O sr. disse que escolhe mulheres para emprestar dinheiro porque elas são mais dispostas a investir o dinheiro na família. Como chegaram a essa conclusão?

M.Y. – Nós dizíamos aos bancos convencionais que eles eram injustos por rejeitarem as pessoas pobres. Eles também eram injustos por rejeitarem mulheres (mesmo que seja uma mulher rica, eles não querem fazer negócio com mulheres). Nem 1% de quem pega dinheiro emprestado dos bancos convencionais são mulheres... Então, tem algo errado com o sistema!

Assim, quando nós começamos, eu quis me certificar de que metade dos nossos clientes fossem mulheres. Queria romper com aquela política e fui até as mulheres. Mas elas disseram: "Eu não sei o que fazer com o dinheiro. Dê para o meu marido...". Então, voltamos para o mesmo problema.

Por várias razões, levamos muito tempo, cerca de seis anos, para chegar ao mesmo número de homens e mulheres. E vimos que o dinheiro que entrava para a família por meio das mulheres provocava um impacto muito maior, com muito mais benefícios para a família, do que a mesma quantidade de dinheiro emprestada aos homens.

Mulheres cuidam bem do dinheiro. Quando elas ganham mais, priorizam as crianças. Mulheres têm visão de longo prazo, elas querem se desenvolver. E homens não prestam tanta atenção nessas coisas. Eles preferem aproveitar o presente em vez de se preocupar com o futuro.

A.T. – Esses empréstimos permitem que os países cresçam ou eles apenas ajudam os pobres a lutarem contra a miséria individualmente?

M.Y. – Em Bangladesh, por exemplo, metade da população do país vive abaixo da linha da pobreza. Essas pessoas não estão contribuindo para a economia, porque elas não conseguem ganhar dinheiro. Com o microcrédito, conseguimos transformá-los em cidadãos produtivos. A contribuição de cada um deles pode ser pequena, mas eles são muitos.

A.T. – Uma das lições que o sr. deu aos grandes bancos é a de que emprestar dinheiro aos pobres não é arriscado. O sr. acha que esse tipo de negócio vale a pena para os grandes bancos?

M.Y. – Nós estamos fazendo um sistema bancário para os pobres. Sem garantias, sem caução, sem advogados, baseado na confiança. E o pagamento chega perto de 100%. Então, eu diria que o microcrédito tem tido um desempenho melhor do que os bancos convencionais.

A.T. – Agora que a sua metodologia é bem conhecida em todo o mundo, as pessoas imaginam a possibilidade de criar uma "indústria" do microcrédito. O que o sr. pensa disso?

M.Y. – O sistema financeiro que o mundo tem hoje nega à maioria da população o acesso a esses serviços. Quase 2/3 da população mundial não têm acesso aos serviços financeiros oferecidos pelos bancos convencionais. Nós estamos tentando mudar isso. Estamos tentando trazer os serviços financeiros até mesmo para os mais pobres. De forma que quem conseguir o dinheiro possa usá-lo para trabalhar, começar a ganhar dinheiro e mudar a própria vida. Então, eu diria que isso deveria ser expandido para todos os lugares, todos os países. O sistema bancário deve ser inclusivo. Ninguém pode ser impedido de ter acesso aos serviços financeiros.

ROKULA

ROKULA
CIKLA

consumo consciente

Muito além de shopping... 301

Qual é a sua "pegada ecológica"? 301

O Dia da Sobrecarga da Terra 302

Os 12 princípios do consumo consciente 303

As armadilhas da "maquiagem verde" 305

O escândalo da Volks 310

Economia colaborativa 310

"Ecocomparador": compare, escolha e boa viagem! 313

Conversa com Noam Chomsky 315

MUITO ALÉM DO SHOPPING...

Como falar de um mundo melhor e mais justo, com menos desperdício e mais inteligência no uso dos recursos, sem falar de consumo consciente? E como falar de consumo consciente sem ser chato, repressor ou moralista?

O *Cidades e Soluções* denunciou em vários programas as mazelas do consumismo – que acelera a destruição, a depredação e a devastação dos recursos naturais não renováveis do planeta –, mostrando estratégias eficientes de promoção da qualidade de vida sem que isso dependa da acumulação desvairada de bens e posses.

Fazer tudo isso sem ser chato ou radical foi o nosso desafio. Entendemos que a solução para esse problema vai muito além da mera inovação tecnológica, e alcança visceralmente a nossa cultura.

Em outros tempos, denunciar o hiperconsumo num veículo de comunicação sustentado por publicidade seria uma missão impossível. Pode-se dizer que a recorrência e a contundência com que o *Cidades e Soluções* aborda o problema do consumismo eram incomuns há dez anos, e ainda hoje não parecem algo fácil de se ver na televisão.

Nesse sentido, sentimos muito orgulho de abrir caminho para uma reflexão urgente e inadiável sobre nossos hábitos, comportamentos, estilos de vida e padrões de consumo. Ser feliz com menos não é apenas possível. É absolutamente necessário.

Qual é a sua "pegada ecológica"?

Não é possível existir sem gerar algum impacto ao meio ambiente. O que se come, o que se veste, o meio de transporte que se usa, a quantidade de bens que se possui, a energia elétrica ou a água encanada que consumimos, tudo isso determina – em maior ou menor grau – impactos na natureza.

Agora imagine um jeito de calcular esses impactos para tentar reduzi-los ou remediá-los. Essa é a proposta da Pegada Ecológica, uma ferramenta criada há mais de vinte anos que permite medir os impactos causados por pessoas, empresas, cidades, países ou até por toda a humanidade.

Para medir a pegada ecológica de uma pessoa, por exemplo, aplica-se um questionário para descobrir detalhes do padrão de consumo dela. As respostas vão revelando o "estoque" de recursos naturais que se consome e o volume de resíduos que se gera. Ao fim do cálculo, o software indica que área do planeta em hectares precisa existir apenas para suprir as demandas dessa única pessoa.

O cálculo da pegada vai além, e informa quantos planetas Terra deveriam estar disponíveis para atender a uma civilização onde cada indivíduo tivesse o mesmo padrão de consumo da pessoa que realizou a consulta. Por fim, o software informa o interessado sobre o que é possível fazer para reduzir a própria pegada.

Existem várias "calculadoras" na internet se propondo a fazer esses cálculos. Aos interessados, recomendamos que procurem o site da Global Footprint Network, que foi concebido e desenvolvido pelos criadores do conceito de "pegada ecológica". A grande vantagem dessa ferramenta é emprestar objetividade ao debate sobre consumo consciente. Ele ganha densidade, números, tangibilidade. É excelente para aguçar os nossos sentidos em relação aos limites do planeta.

O Dia da Sobrecarga da Terra

Todos os anos, o instituto independente britânico de pesquisas New Economics Foundation, uma organização parceira da Global Footprint Network, divulga o Dia da Sobrecarga da Terra (*Overshoot Day*).

Em 2016, o Dia da Sobrecarga da Terra foi em 8 de agosto, ou seja, a partir dessa data (até o fim daquele ano), toda a demanda de recursos naturais da Humanidade superou a capacidade de regeneração do planeta. Significa dizer que os "estoques" de recursos naturais que deveriam durar o ano inteiro terminaram em agosto. Daí para frente, entramos no "cheque especial".

A cada ano, o Dia da Sobrecarga da Terra vem acontecendo mais cedo (em 2000, alcançamos essa "fronteira" no dia 5 de outubro), o que deveria justificar um freio de arrumação em escala global para evitarmos o risco de um colapso na capacidade dos ecossistemas proverem a humanidade de água, matéria-prima e energia.

Atualmente, a demanda de recursos naturais da humanidade supera em mais de 50% o que a Terra é capaz de oferecer a cada ano. Alguns estudos indicam que nesse ritmo, antes da metade deste século, a demanda chegará a 100%, ou seja, precisaríamos de dois planetas para suprir tudo o que a humanidade vem sistematicamente retirando da natureza.

Como não existem dois planetas disponíveis para saciar o nível de consumo da humanidade – nem ainda um plano B, caso experimentemos um colapso de desabastecimento em escala global –, a solução é fazer algo diferente desde já. O exercício da pegada ecológica inspira, com dados concretos, hábitos mais sustentáveis de consumo.

Os 12 princípios do consumo consciente

Uma das boas fontes de informação no Brasil sobre consumo consciente é o Instituto Akatu, com sede em São Paulo. Como ressalta a instituição, "consumir com consciência é consumir diferente, tendo no consumo um instrumento de bem-estar e não um fim em si mesmo".

Segue um resumo das principais orientações do Akatu para que a gente possa consumir menos (gerando menos impactos ao meio ambiente) sem comprometer a nossa qualidade de vida.

1. Planeje suas compras. Não seja impulsivo nas compras. A impulsividade é inimiga do consumo consciente. Planeje antecipadamente e, com isso, compre menos e melhor.

2. Avalie os impactos de seu consumo. Leve em consideração o meio ambiente e a sociedade em suas escolhas de consumo.

3. Consuma apenas o necessário. Reflita sobre suas reais necessidades e procure viver com menos.

4. Reutilize produtos e embalagens. Não compre o que você pode consertar, transformar e reutilizar.

5. Separe o seu lixo. Recicle e contribua para a economia de recursos naturais, a redução da degradação ambiental e a geração de empregos.

6. Use crédito conscientemente. Pense bem se o que você vai comprar a crédito não pode esperar e esteja certo de que poderá pagar as prestações.

7. Conheça e valorize as práticas de responsabilidade social das empresas. Em suas escolhas de consumo, não olhe apenas preço e qualidade do produto. Valorize as empresas em função de sua responsabilidade para com os funcionários, a sociedade e o meio ambiente.

8. Não compre produtos piratas ou contrabandeados. Compre sempre do comércio legalizado e, dessa forma, contribua para gerar empregos estáveis e para combater o crime organizado e a violência.

9. Contribua para a melhoria de produtos e serviços. Adote uma postura ativa. Envie às empresas sugestões e críticas construtivas sobre seus produtos e serviços.

10. Divulgue o consumo consciente. Seja um militante da causa: sensibilize outros consumidores e dissemine informações, valores e práticas do consumo consciente. Monte grupos para mobilizar seus familiares, amigos e pessoas mais próximas.

11. Cobre dos políticos. Exija de partidos, candidatos e governantes propostas e ações que viabilizem e aprofundem a prática de consumo consciente.

12. Reflita sobre seus valores. Avalie constantemente os princípios que guiam suas escolhas e seus hábitos de consumo. Planeje suas compras.

Consumismo infantil

Desarmar a bomba-relógio da cultura consumista requer atenção redobrada com o público infantil. Dentro de casa (com pais ou responsáveis) ou na escola (com conteúdos pedagógicos específicos) é possível educar as crianças para o consumo consciente, desarmando desde cedo apetites insaciáveis na direção do descartável e do perecível.

No Brasil, uma das organizações mais atuantes contra o consumismo infantil é o Instituto Alana, que organiza seminários, lança cartilhas e livros, produz vídeos, e oferece subsídios para que governantes e legisladores entendam a importância de se restringir a publicidade voltada para crianças, como já acontece em 28 países do mundo, incluindo os dez com melhor qualidade de vida.

"Menos é mais"

Esse foi o nome de um evento organizado no Museu da Língua Portuguesa, em São Paulo, com transmissão ao vivo pela internet e ampla cobertura dos telejornais da TV Globo e da Globo News.

O principal objetivo do seminário (que contou com a participação do público presente e de internautas) foi debater os impactos do consumismo na sociedade moderna e os caminhos para evitar os efeitos mais perversos do hiperconsumo.

O evento inspirou uma edição especial do *Cidades e Soluções*. Convidamos o sociólogo e professor de Economia, Administração e Contabilidade da USP Ricardo Abramovay, a diretora de Programas do Greenpeace Brasil, Lisa Gunn, e o cofundador do Instituto Cidade Democrática, Rodrigo Bandeira, e eu fiz a mediação do debate.

O evento abriu espaço para as mais diversas abordagens do tema sem qualquer restrição ou censura. Foi possível, por exemplo, refletir sobre o papel dos veículos de comunicação sustentados pela publicidade em um mundo onde o consumo consciente passa a ser entendido como um valor. Foi um debate rico, elucidativo e inédito na TV brasileira.

As armadilhas da "maquiagem verde"

O *Cidades e Soluções* encomendou a Proteste – a maior associação de consumidores da América Latina – uma pesquisa sobre "maquiagem verde" (ou *greenwashing*). O objetivo foi flagrar as marcas que se afirmam como ecológicas, sustentáveis, "amigas" do meio ambiente, sem que a informação mereça credibilidade.

Dois grandes supermercados do Rio de Janeiro serviram de base para a pesquisa. Foram três semanas de investigação analisando apenas as informações que aparecem nas embalagens dos produtos.

Foram verificadas irregularidades em, pelo menos, 12 produtos e todos foram mostrados no ar. Incluímos na edição as respostas dadas pelos fabricantes em relação às denúncias feitas pela Proteste. Seguem algumas das irregularidades constatadas:

1) Guardanapo: uma determinada marca destacou na embalagem a informação de que possuía "100% de fibras naturais". Segundo a organização Proteste, todos os produtos feitos de papel são de fibras naturais. Cometeu-se o "pecado da irrelevância". Além disso, toda vez que se destaca um percentual ou número alusivo ao processo de fabricação, é preciso comprovar como se chegou ao resultado. Se isso não acontece, comete-se outro "pecado": a falta de prova.

2) Limpador de carpetes e tapetes: a marca trazia a palavra "eco" no nome. A razão disso seria a fórmula que contém "tensoativos biodegradáveis". Ocorre que os concorrentes também são obrigados por lei a usar "tensoativos biodegradáveis". Portanto, não há vantagem ambiental alguma desse produto em relação aos outros, nem justificativa para usar o nome "eco".

3) Palha de aço: a marca estampava um nome com a palavra "eco" numa folhinha verde. Essa distinção "ecológica" se devia ao fato de que o produto não deixaria resíduos após a lavagem. Mas, segundo a Proteste, o resíduo liberado pela palha de aço vai direto para o ralo e gera, sim, impactos ambientais. Nesse sentido, não haveria nenhuma diferença em relação aos concorrentes, que possuiriam a mesma composição. Esse produto já havia sido denunciado pela Proteste ao Conar (Conselho Nacional de Autorregulamentação Publicitária) por usar de forma imprópria a palavra "eco". Segundo a Proteste, apesar de condenada a sair de circulação – o que teria ocorrido só por alguns meses –, voltou a ser disponibilizada do mesmo jeito no varejo.

4) Fósforos: duas marcas diferentes foram flagradas praticando maquiagem verde. Uma delas informava que 100% da madeira dos palitos eram de reflorestamento. Segundo a Proteste, o correto seria a marca contratar uma

certificadora credenciada para atestar essa informação. Selos próprios não são confiáveis, nem suficientes para aferir credibilidade.

5) Borracha: a marca estampava na embalagem a informação "*PVC free*", o que significa que não havia PVC (Policloreto de Vinila) na fórmula da borracha. Ocorre que, segundo a Proteste, as fabricantes de borrachas já são orientadas a não usar PVC. Portanto, não há mérito em destacar dessa maneira a ausência da substância.

6) Detergente: a mesma situação do limpador de carpetes e tapetes, ou seja, a marca destacou na embalagem que a fórmula contém "tensoativos biodegradáveis". Isso não era necessário, já que todos os produtos dessa linha de limpeza devem usar esse ingrediente.

7) Saco de lixo: a marca informa que o saco de lixo é "ecorreciclado", mas não identifica a origem do material nem o processo utilizado – apenas que veio de reciclagem. Segundo a Proteste, nem precisava informar todos esses detalhes na embalagem. Bastaria disponibilizar as informações do produto no site da empresa. Mas nem isso...

8) Corretor: a marca usa a expressão "eco" por ser à base de água. Para a Proteste, o fato de um corretor ser à base de água não justifica o uso da expressão "eco". Até porque, segundo a entidade, todos os corretores disponíveis no mercado são à base de água.

9) Papel higiênico: uma das marcas estampava um "selo verde" próprio, sem indicar qual o real benefício ambiental daquele produto (não trazia nenhuma informação para o consumidor). A outra marca trazia a inscrição "nosso papel é cuidar do planeta, por isso, usamos celulose de reflorestamento", mas a informação era da própria empresa. A Proteste defende que esse tipo de informação seja dado por uma certificadora credenciada, para que não haja qualquer dúvida ou suspeição.

As consequências do flagrante

Os resultados da pesquisa da Proteste encomendada pelo *Cidades e Soluções* deram origem a um relatório técnico detalhando as denúncias. O documento foi encaminhado ao Conar e também a todas as empresas citadas na reportagem.

Dos 12 produtos denunciados pela associação dos consumidores, apenas seis seriam investigados pelo Conar, segundo o próprio conselho informou à produção do programa.

Entramos em contato com o Conar para saber por que apenas metade dos 12 produtos denunciados seria investigada. Também perguntamos quem toma essa decisão dentro do conselho e quais os critérios que embasam essa investigação. As perguntas foram feitas por e-mail e por telefone. Não recebemos nenhuma resposta.

Como o Brasil não tem nenhuma lei que regule a rotulagem ambiental, a autorregulamentação, a cargo do Conar, é o procedimento usual. Será o suficiente?

Os sete pecados do "greenwashing"

A pesquisa feita pela Proteste teve como base normas técnicas internacionais, da série ISO, que regulam a rotulagem ambiental. Para ficar fácil de entender, a entidade dividiu as normas em sete "pecados":

1) Custo camuflado. É quando o produto chama a atenção para um benefício ambiental, mas não explica direito como isso foi possível. Exemplo: um papel reciclado que não informa o método utilizado. Às vezes, a reciclagem pode consumir mais água e energia, e causar mais poluição que o papel não reciclado.

2) Falta de prova. O produto afirma que é bom para o meio ambiente sem explicar exatamente o porquê.

3) Incerteza. O fabricante exibe no rótulo, por exemplo, a informação de que é reciclável, mas o consumidor fica na dúvida se isso vale para a embalagem ou para o produto (ou ambos).

4) Irrelevância. É quando o fabricante destaca na embalagem uma característica do produto em favor do meio ambiente, que na verdade é algo obrigatório por lei e presente em todos os produtos do gênero.

5) Menos pior. É quando, por exemplo, o fabricante de cigarro abre generosos espaços para informar que o produto é "orgânico", em vez de alertar com o devido destaque os riscos para a saúde.

6) Mentira. São declarações falsas, como exibir um selo de certificação ambiental sem autorização da própria certificadora.

7) Culto aos falsos rótulos. O fabricante cria o próprio selo ou um símbolo, que induz o consumidor a achar que aquele produto é, de fato, ambientalmente responsável.

Quanto custa um "selo verde"?

Uma certificação ambiental oferecida pela Associação Brasileira de Normas Técnica (ABNT) gira em torno de R$ 25 mil por três anos de contrato.

Depois desse período, se o cliente quiser renovar o direito de usar o selo verde da ABNT, é preciso refazer a certificação. Ou seja, checar novamente toda a cadeia de custódia para saber se o selo pode continuar sendo usado.

Segundo a ABNT, mais da metade dos produtos que no Brasil se dizem "ecológicos" não merecem credibilidade.

"Gato por lebre"

O *Cidades e Soluções* divulgou a mais importante série de pesquisas feita até então no país sobre maquiagem verde, realizada em 2014 pelo Market Analysis, instituto de referência nacional em pesquisas sobre sustentabilidade corporativa e consumo consciente.

O estudo mapeou produtos disponibilizados em sete lojas de diferentes redes de varejo. Veja os principais resultados:

- Em apenas quatro anos, a quantidade de produtos flagrados com alguma informação irregular no rótulo subiu de 408 (2010) para 2.358 (2014), um aumento de quase 500%.
- Nesses produtos com maquiagem verde foram identificados 3.089 "apelos" ambientais.

- Apenas 15% dos produtos analisados possuem selos ou certificações de terceiros, ou seja, de outras empresas credenciadas. Na maioria absoluta dos casos, são os fabricantes que inventam os próprios selos.

O escândalo da Volks

Um dos maiores escândalos automobilísticos da história foi também um dos mais rumorosos casos de maquiagem verde. Quando a Agência de Proteção Ambiental (EPA), dos Estados Unidos, acusou a Volkswagen de trapacear em testes que avaliam a poluição dos carros, dava-se início a um abalo sísmico que atingia o prestígio e a reputação de uma das mais conceituadas montadoras do mundo.

Na prática, o dispositivo instalado no carro baixava a emissão de poluentes em situação de teste – atendendo aos limites estabelecidos –, mas quando o veículo rodava normalmente esse sistema era desabilitado e o motor poluía mais que o permitido.

A Volkswagen admitiu que pelo menos 11 milhões de carros a diesel possuíam o dispositivo. O *greenwashing* ("maquiagem verde") da montadora foi avassalador com sucessivos impactos em cascata, que ainda não cessaram totalmente: o presidente da Volks foi obrigado a se demitir, as ações da companhia despencaram nas bolsas, e o tamanho do prejuízo entre multas, ações coletivas na justiça, *recalls* etc. chega a vários bilhões de euros.

Economia colaborativa

Que tal viver num mundo onde, em vez de apenas comprar, vender ou alugar, as pessoas se predisponham a emprestar ou trocar? Onde, em vez de usar apenas dinheiro, seja possível negociar produtos e serviços em outra "moeda" com duas faces: a confiança e o espírito coletivo?

Tudo isso vem inspirando inovações importantes nas rotinas da sociedade de consumo em várias partes do mundo. O *Cidades e Soluções* registrou algumas dessas experiências.

Tem Açúcar

O conceito básico da plataforma é estimular empréstimos entre vizinhos. Dois anos depois de criar o site – e de um investimento de quase R$ 100 mil, que a criadora do projeto tirou do próprio bolso –, o endereço na internet virou aplicativo para facilitar ainda mais as trocas entre as pessoas. Quando gravamos a reportagem, 60% dos pedidos haviam tido uma resposta positiva. Hoje, são 127 mil usuários, em 3.700 cidades de todos os estados do Brasil, espalhados por 12.500 bairros.

"A inspiração veio desse movimento de repensar a posse. Um exemplo que me choca muito é o da furadeira. Há um estudo que diz que ela é usada de 2 a 3 minutos em toda a sua vida útil. Então, o equipamento que foi produzido na China, que usou minério da África, que gastou energia, que demandou transporte, vai ser usado só por pouquíssimos minutos. Tem um impacto ambiental enorme nesse objeto que a gente não vê", destacou Camila Carvalho, criadora do Tem Açúcar.

Bliive

É uma rede colaborativa de troca de tempo. O objetivo é fazer com que as pessoas compartilhem o que elas têm de melhor, suas habilidades e experiências. Há uma plataforma on-line e uma rede social onde os interessados podem informar que tipo de ajuda estão precisando e que tipo de ajuda estão dispostos a oferecer.

A "moeda" para comprar ou vender alguma coisa é o tempo. Assim que o usuário se cadastra na Bliive, ele ganha 5 "*time-moneys*", como é chamado esse "dinheiro virtual". E cada moeda vale "uma hora de uma experiência". O site virou também um aplicativo e conta com mais de 125 mil usuários, espalhados em mais de cem países. A rede já tem mais de 35 mil experiências compartilhadas.

"É uma forma de mostrar *pro* mundo que a gente precisa mais um do outro. O tempo é o principal recurso que a gente tem e ele precisa ser melhor aproveitado. A minha visão é promover igualdade de oportunidades por meio da colaboração", disse Lorrana Scarpioni, criadora do Bliive.

Free your stuff

A comunidade criada na internet (em português: "liberte as suas coisas") se multiplicou rapidamente na Alemanha. É o espaço perfeito para quem quer se livrar do que está sobrando em casa, e conseguir o que está faltando. Há grupos organizados por cidades, bairros, ruas e até para ajudar os refugiados. Alguns permitem a compra e venda. Outros, não, como o de Berlim, onde mais de 70 mil adeptos vêm experimentando um jeito novo de consumir sem gastar dinheiro.

Leila

O estabelecimento em Berlim (Leila é uma abreviação de *leihen laden*, ou "loja de empréstimos", em alemão) tem novecentos sócios e um pouco de tudo – roupas, brinquedos, jogos, louça, panelas, eletrodomésticos e artigos para camping e mergulho etc.

Para fazer parte dessa comunidade é preciso entregar alguma coisa que funcione para se habilitar a pegar algo emprestado. Funciona assim: o sócio deixa alguma coisa, pega outra, usa e devolve.

"Para nós, está totalmente ligado à sustentabilidade. Claro que todo mundo pode comprar e vender coisas. Mas quando a gente compartilha as coisas, quando dez pessoas usam a mesma coisa, então a gente só usa um décimo dos recursos e para nós, essa é a razão principal por trás do Leila", afirmou Meike Schulzik, uma das fundadoras da loja.

Repair Café

Surgiu na Holanda, em 2009, e se espalhou pelo mundo. São mais de mil cafés em países como Canadá, Alemanha, Índia, Austrália e Brasil. São espaços que privilegiam o conserto de algo quebrado, em vez do descarte imediato no lixo.

Os reparos são feitos por voluntários, que consertam aparelhos elétricos e eletrônicos, brinquedos, roupas e até computadores. O reparo é de graça, mas doações são bem-vindas.

"Ecocomparador": compare, escolha e boa viagem!

Na França, uma empresa que vende bilhetes de viagens em trens de alta velocidade (até 320 km/h) para diversas partes do continente e além virou notícia no mundo inteiro ao lançar na internet o ecocomparador.

É uma calculadora virtual que ajuda os clientes a descobrir o volume de gases de efeito estufa que serão lançados na atmosfera se a viagem for feita de trem, de avião ou de carro. Além disso, o software informa o tempo de viagem dos diferentes meios de transporte e o preço da passagem por pessoa. Na média, o trem rápido (100% elétrico) costuma ser mais vantajoso.

Fizemos um teste. De acordo com o ecocomparador, uma viagem de Paris para Estrasburgo (a 400 km da capital francesa), por exemplo, custa € 45,00 de trem, € 69,00 de avião e € 83,00 de carro. Ponto para o trem. O meio de transporte mais rápido, naturalmente, é o avião (depois o trem e, por fim, o carro). Mas, no quesito emissões de gases de efeito estufa, a vantagem do trem é absoluta ("peso de carbono" de 3 kg), seguido do avião (58 kg) e por último, o carro (99 kg).

O diretor de marketing disse que o site da empresa tem 9 milhões de visitantes por mês, e que a novidade foi muito bem recebida pelos clientes. "Nós colocamos o ecocomparador em destaque, assim como um sistema de compensação de carbono e pacotes de turismo responsável. O objetivo é mostrar aos franceses que eles podem viajar de um jeito diferente. Faz parte da nossa estratégia de comunicação ressaltar cada vez mais essa mensagem de consumo responsável. Isso é marketing, claro, mas acredito que as empresas francesas têm o dever de mostrar que são cidadãs".

Todos os dias cerca de 30 mil pessoas entram no site para "ecocomparar" os meios de transporte.

Etiquetagem de veículos

Muito antes de o Brasil começar a definir regras de etiquetagem de veículos, informando quanto cada automóvel emite de gases de efeito estufa por quilômetro rodado (e qual o nível de eficiência dele em relação aos demais concorrentes), o *Cidades e Soluções* mostrou como isso já funcionava na França.

O automóvel 0 km ou seminovo traz afixado no para-brisa uma etiqueta informando o consumo médio de combustível e a quantidade de dióxido de carbono (CO_2) por quilômetro rodado.

São sete níveis de avaliação, que recebem "letras" que vão de A a G. Começa no verde escuro, que é o melhor nível, e termina no vermelho, que engloba os veículos mais poluentes em termos de CO_2.

FIQUE POR DENTRO

A etiqueta energética – que começou nos eletrodomésticos e foi para os automóveis – se tornou referência também para as residências na França. A ideia é permitir que o consumidor consciente saiba antecipadamente qual o consumo médio de energia do lugar onde pretende morar ou trabalhar. A avaliação leva em conta a eficiência energética do imóvel, e principalmente o isolamento térmico – quanto melhor o isolamento, menor será o consumo de energia nos dias de muito calor ou de muito frio (veja mais informações no capítulo "Construções Sustentáveis").

conversa com

Noam Chomsky

Entrevista concedida a Sandra Coutinho,
em programa exibido em 29/06/2015.

"Mudar o rumo da humanidade é, antes de tudo, um imperativo moral"

Linguista, filósofo, cientista cognitivo e ativista político americano, é reverenciado na área acadêmica como "o pai da linguística moderna" e uma das mais renomadas figuras no campo da filosofia analítica.

Sandra Coutinho – Como o sr. vê o modelo de desenvolvimento hegemônico no mundo moderno?
Noam Chomsky – O uso contínuo de combustíveis fósseis está trazendo para a espécie humana a perspectiva de um desastre de proporções enormes, em um futuro não distante. Já é um consenso esmagador entre os cientistas de que esse modelo tem de ser abandonado se quisermos manter a vida humana e as condições do planeta como conhecemos hoje. As pessoas devem entender que devemos fazer grandes esforços para mudar essa situação.

S.C. – Na sua opinião, esses esforços estão sendo feitos?
N.C. – Em alguns lugares, em particular, vemos avanços significativos. A Alemanha, por exemplo, que é em muitos sentidos o país mais próspero do mundo, está caminhando para uma economia baseada 70% em energias renováveis. A Dinamarca, uma economia menor, mas bem-sucedida, também está indo nessa direção. A China, atualmente o país que mais polui, não só é o principal produtor mundial de painéis solares, mas dos modelos mais sofisticados e com maior qualidade.

Há medidas sendo tomadas em vários outros países, mas não na escala condizente com a natureza do problema que enfrentamos.

S.C. – Que setores da sociedade devem desempenhar um papel preponderante nesse processo de mudança?
N.C. – Acho que deve começar pelas universidades. Elas estão comprometidas com a reflexão, análise e construção de um pensamento científico direcionado à solução dos problemas humanos. Essa é a missão das universidades, não das empresas.

S.C. – O sr. pensa que políticas de desinvestimento podem contribuir para mudar a matriz energética a nível global, ainda tão baseada em combustíveis fósseis?
N.C. – Sim. Há muitos exemplos de ações desse tipo no passado que podem ser altamente eficazes para provocar mudanças. Por exemplo, o boicote e o desinvestimento na África do Sul tiveram um papel significativo no desmantelamento do terrível sistema de apartheid. E nesse ponto volto a enfatizar a importância das universidades nesse processo. Não por causa da escala dos seus investimentos, mas pelo papel que desempenham na sociedade.

Se Harvard ou o Massachusetts Institute of Technology (MIT) decidem participar de ações de desinvestimento em combustíveis fósseis, os negócios com o petróleo obviamente continuarão. Mas uma posição assim é uma poderosa e simbólica demonstração do reconhecimento, por parte das principais instituições científicas e de ensino do mundo, da necessidade de tomarmos medidas drásticas para enfrentar um desafio nunca antes colocado na História humana.

S.C. – Como o sr. vê a posição dos Estados Unidos sobre mudanças climáticas e aquecimento global?

N.C. – Em uma perspectiva mais ampla, vemos que, por várias razões, a compreensão da importância e escala dos problemas ambientais ainda não se disseminou na população. Em parte, o que está faltando é conhecimento. Aonde eu vivo, em Cambridge, o nível de entendimento é alto. Mas, em outras áreas do país, as pessoas simplesmente não acreditam em mudanças climáticas e aquecimento global...

Além disso, temos que lembrar o enorme poder da indústria de combustíveis fósseis no nosso sistema político e na mídia.

Também temos o fato de os Estados Unidos serem um país extremamente religioso e com significativas parcelas da população com visão fundamentalista. Do ponto de vista deles, o que está acontecendo é o desejo de Deus. O senador James Inhofe, quando estava à frente do Comitê de Meio Ambiente, disse com todas as letras que é muito arrogante tentar interferir nos desejos de Deus em relação às mudanças climáticas. Ou seja, se é um desejo divino não há o que fazer a respeito...

Há também o fato de termos estados governados por setores extremamente conservadores do Partido Republicano. Neles, estão tentando banir qualquer debate sobre mudanças climáticas. Um grupo de cientistas preocupados com essa questão produziu um relatório mostrando que os responsáveis nesses governos por essa área estão sendo suspensos, boicotados e impedidos de falar nesse tema.

E aí temos outro fator que se entrelaça com o anterior. O Partido Republicano está tentando aumentar sua base eleitoral e isso inclui, entre outras ações, obter o apoio dos setores evangélicos fundamentalistas que mencionei. Esses sempre tiveram alguma força no partido, mas nunca antes um papel tão importante como agora. Hoje, constituem a maior base de apoio dos republicanos.

S.C. – O que o sr. tem a dizer sobre o Brasil?

N.C. – A política em relação à Amazônia tem sido muito destrutiva. Basta comparar imagens de aviões e satélites para constatar isso. E a Amazônia tem uma importância global na atenuação dos efeitos das mudanças climáticas ao ajudar a absorver as emissões de gás carbônico na atmosfera.

S.C. – Que perspectivas de mudança o sr. vê no futuro?

N.C. – Hoje, há esperança de mudança. Mas elas são prováveis, não *certas* de acontecer. Caberá à população fazer a escolha sobre o rumo a tomar. Eu, sinceramente, não tenho muitas expectativas...

Do ponto de vista tecnológico é possível fazer as mudanças em um período de tempo relativamente curto. Mas a questão é: estamos prontos para tomar as medidas necessárias? É melhor que sim... Ou estaremos condenando os nossos netos. Mudar o rumo da humanidade é, antes de tudo, um imperativo moral.

Nunca antes na história tivemos que tomar decisões que tivessem tanto impacto para as gerações futuras. E elas devem ser tomadas em breve, porque senão atingiremos um ponto em que os efeitos da devastação ambiental que estamos provocando serão irreversíveis.

ANEXOS

Prêmios do programa *Cidades e Soluções*

- 23º Prêmio CNT de Jornalismo (2016) – Meio Ambiente e Transporte | Matéria "O diesel que é bio".

- 22º Prêmio CNT de Jornalismo (2015) – Grande Prêmio | Matéria "Bicicletas 1 e 2".

- 20º Prêmio Abrelpe de Reportagem (2015) – Grand Prix + Categoria Televisão – 1º lugar | Matéria "SP na era da reciclagem".

- Prêmio Petrobrás de Jornalismo 2014 – Categoria Nacional – Melhor Reportagem de Petróleo, Gás e Energia / Emissora de Televisão | Matéria "Microgeração de energia".

- Prêmio ANA 2014 – Categoria Imprensa | Matérias "Especial Semana Mundial da Água – 1 e 2".

- 19º Prêmio Abrelpe de Reportagem (2014) – Categoria Televisão – 1º lugar | Matéria "Como fica a situação dos prefeitos que não eliminaram os lixões?" e 2º lugar | Matéria "Ecodesign na prática".

- 11º Prêmio Abecip de Jornalismo (2014) – Matéria "Construção civil mais sustentável".

- 4º Prêmio Fecomércio de Sustentabilidade (2014) – Categoria Reportagem Jornalística – Rádio e TV | Matéria "Empreendedores sociais".

- Prêmio de Reportagem sobre a Mata Atlântica 2014 – Categoria Televisão – 2º lugar | Matéria "Viveiro de mudas".

- 7º Prêmio Allianz Seguros de Jornalismo (2013) – Categoria Sustentabilidade – Mudanças Ambientais | Matéria "Gás de xisto: problema ou solução?".

- 20º Prêmio CNT de Jornalismo (2013) – Categoria Meio Ambiente | Matéria "Aeromóvel".

- Prêmio Petrobras de Jornalismo 2013 – Categoria Nacional / Prêmio Reportagem Petróleo, Gás e Energia – Televisão | Matéria "Gás de xisto: problema ou solução?".

- Prêmio Jornalistas & Cia / HSBC de Imprensa e Sustentabilidade (2012) – Categoria Televisão / Mídia Nacional | Matéria "Índios protegem a floresta com *smartphones*".

- Prêmio Greenvana Greenbest 2012 – Categoria Veículo de Comunicação pela Academia Greenbest.

- Prêmio Greenbest 2011 – Categoria Veículo de Comunicação pela Academia Greenbest.

- 2º Prêmio TOP Etanol (2010) – Categoria Telejornalismo | Matéria "O etanol do século XXI".

- Prêmio Jornalistas & Cia / HSBC de Imprensa e Sustentabilidade (2010) – Categoria Mídia Regional 4 (SP e RJ) | Matéria "A recuperação ambiental de Cubatão".

- Urbanidade IAB-RJ 2008 – O IAB-RJ considerou que o programa incentivou a sustentabilidade nos municípios.

- Prêmio Abraciclo de Jornalismo 2008 – Categoria Televisão / Troféu Destaque | Matéria "Bicicletas como meio de transporte".

- 1º Prêmio Microcamp de Jornalismo (2008) – Categoria Telejornalismo | Matéria "Lixo eletrônico".

- 7º Prêmio Ethos de Jornalismo (2007) – Categoria Mídia Eletrônica TV | Matéria "Compras públicas governamentais".

- Prêmio Abrelpe de Reportagem (2007).

- Prêmio Especial do Júri – Categoria Mídia na 3ª Edição do Prêmio CEBDS (2007).

- 3º Prêmio ABCR de Jornalismo na categoria Telejornalismo (2007).

Datas de exibição dos programas e créditos

Energia

O sol brilha para todos – programa exibido em 21/09/2015.

O avanço dos coletores solares – programa exibido em 15/10/2006.

O primeiro estádio solar da América Latina – programa exibido em 31/10/2012, com a colaboração de Mauro Anchieta.

O maior estacionamento solar do país – programa exibido em 21/09/2015.

Alemanha: o dia em que a energia solar bateu seu recorde – programa exibido em 25/07/2016.

As baterias solares da Tesla – programa exibido em 25/05/2015.

A força do vento – parte das informações do *Cidades e Soluções* exibido no dia 30/05/2012 teve como fonte a reportagem exibida no quadro "Sustentável", apresentado por André Trigueiro no *Jornal da Globo*.

O avanço do *smart grid* – programas exibidos em 26/12/2012 (Búzios) e em 30/10/2012, com colaboração de Rui Gonçalves (Aparecida do Norte).

A tal da biomassa... – alguns dados publicados nesse texto foram retirados da reportagem exibida no quadro "Sustentável", apresentado por André Trigueiro no *Jornal da Globo*.

Casca de arroz vira energia – programa exibido em 13/04/2008, com a colaboração de Giana Cunha e Leandro Rossito.

Pizza a lenha com sabor de desmatamento – programa exibido em 20/06/2016, com a colaboração de Klara Duccini.

Biodiesel: mais saúde, menos gastos – programa exibido em14/09/2015, com a colaboração de Fernanda Dedavid.

Gás de xisto: ame-o ou deixe-o – programas exibidos em 01/05/2013, com a colaboração de Jorge Pontual, nos Estados Unidos, e em 07/12/2015, com a colaboração de Klara Duccini, na Argentina.

Água

O exemplo da Califórnia – programa exibido em 01/10/2014, com a colaboração de Jorge Pontual.

Bebendo água tratada de esgoto – programa exibido em 20/03/2013, com a colaboração de Sandra Coutinho.

Israel: referência em gestão hídrica – programa exibido em 14/05/2014, com a colaboração de Tamara Schipper.

Sucesso na captação de água subterrânea – programas exibidos em 1º e 08/06/2008, com a colaboração de Alberto Gaspar.

Agricultura gota a gota – programa exibido em 08/06/2008, com a colaboração de Augusto Medeiros.

Já ouviu falar no *solvatten*? – programa exibido em 14/12/2011, com a colaboração de Rafael Coimbra.

Banheiro seco dispensa água – programa exibido em 18/10/2009.

Reaproveitando a água de um rio morto – programa exibido em 08/06/2008.

As "águas cinza" de Niterói – programa exibido em 14/09/2011.

"Santos" exemplos – programa exibido em 27/03/2013, com a colaboração de Tatyana Jorge.

Reúso de água – programas exibidos em 27/03/2013 e 01/10/2014. As reportagens sobre reúso de água em São Paulo também foram exibidas no quadro "Sustentável", apresentado por André Trigueiro no *Jornal da Globo*.

Quando a chuva vira solução em São Paulo – programa exibido em 10/03/2010, com a colaboração de Rui Gonçalves e Ricardo Lessa.

A vantagem do hidrômetro individual – programa exibido em 19/04/2009, com a colaboração de Renata Ribeiro.

Bacia do rio Doce: a maior tragédia ambiental do Brasil – exibimos no *Cidades e Soluções*, em 31/10/2016, uma versão estendida de uma reportagem de André Trigueiro, que foi ao ar no *Jornal Nacional*.

Plantas que tratam esgotos – programa exibido em 20/08/2014.

Os jardins filtrantes de Paris – programa exibido em 21/09/2011, com a colaboração de Joana Calmon, em Paris.

Biodiversidade

Plantas que curam – programa exibido em 02/04/2014.

RPPN: preservação com benefícios econômicos – programa exibido em 10/09/2014.

O jeito certo de explorar a floresta – programa exibido em 04/04/2009, com a colaboração de Yeda Magossi (Itapoã do Oeste/RO) e Jefson Dourado (Porto Dias/AC).

Os "espiões do bem" – programa exibido em 10/09/2014.

Índios protegem a floresta com *smartphones* – programa exibido em 27/06/12, uma versão estendida da reportagem que foi ao ar no quadro "Sustentável", apresentado por André Trigueiro no *Jornal da Globo*.

Recorde mundial em assassinatos de ambientalistas – programa exibido em 30/04/2014.

Protegendo as araras-azuis – programa exibido em 19/03/2014, com a colaboração de Klara Duccini.

Animais silvestres invadem as cidades – programa exibido em 03/07/2007.

O massacre dos botos-cinza – programa exibido em 21/03/2016.

Abate humanitário – programa exibido em 29/06/2011, com a colaboração de José Carlos Borda.

Colmeias nos telhados de Paris – programa exibido em 07/05/2014, com a colaboração de Lúcia Müzell, em Paris.

Brasil: campeão no uso de agrotóxicos – programa exibido em 03/08/11, com a colaboração de Rodrigo Carvalho.

A questão dos transgênicos – programa exibido em 09/06/2010, com a colaboração de Joana Calmon, em Paris.

Brasil: CTNbio é quem decide – programa exibido em 16/06/2010, com a colaboração de Rafael Coimbra.

Mudanças climáticas

Megaeventos pioneiros em eficiência energética – programa exibido em 26/11/2006.

Especial Alemanha – os programas *Cidades e Soluções* exibidos em 6 e 13/11/2013 são uma versão estendida da série de reportagens especiais do *Jornal da Globo*, produzida em parceria com o *Globo Natureza*, que foi ao ar no quadro "Sustentável", apresentado por André Trigueiro.

Especial China – os programas *Cidades e Soluções* exibidos em 17 e 24/09/2014 são uma versão estendida da série de reportagens especiais do *Jornal da Globo*, produzida em parceria com o *Globo Natureza*, que foi ao ar no quadro "Sustentável", apresentado por André Trigueiro.

Tecnologia para evitar tragédias – programa exibido em 31/08/2015.

Eventos extremos em Santa Catarina – programa exibido em 07/07/2015, com a colaboração de Gabriela Machado.

A elevação do nível do mar – programa exibido em 17/10/2010.

O novo mapa da agricultura – programa exibido em 17/10/2010.

O que muda no setor energético? – programa exibido em 17/10/2010.

São Paulo: a ex-terra da garoa – programa exibido em 24/10/2010.

Rio: o desafio de continuar maravilhosa – programa exibido em 06/04/2011.

Reduzindo emissões ao volante – programa exibido em 18/04/2012.

Brasil: campeão mundial de raios – programa exibido em 23/10/2013.

Enquanto isso, no Polo Norte... – programa exibido em 22/10/2014, com a colaboração de Sandra Coutinho, nos Estados Unidos.

Resíduos

Lixo Mínimo – programa exibido em 17/04/2007.

Minhocasa – programa exibido em 27/07/2008, com a colaboração de Heloísa Torres, em Brasília.

Minhoca inspira política pública – programa exibido em 19/11/2014.

A garotada da compostagem – programa exibido em 28/03/16, com a colaboração de Fernanda Dedavid.

Um desperdício do tamanho do Brasil – programa exibido no dia 26/09/2012, que teve como fonte a reportagem que foi ao ar no quadro "Sustentável", apresentado por André Trigueiro no *Jornal da Globo*.

Alimento que ia para o lixo vira refeição para moradores de rua – programa exibido em 19/12/2016.

O charme das frutas "feias" – programa exibido em 26/08/2014, com a colaboração de André Luiz Azevedo, em Lisboa, e Lúcia Müzel, em Paris.

Tolerância zero com o lixo no chão – programa exibido em 25/09/2013.

São Paulo: novas tecnologias para reciclar – programa exibido em 19/11/2014.

Os consórcios intermunicipais – programa exibido em 09/12/2007.

Reciclagem de bituca – programa exibido em 13/06/2016.

O pesadelo das cápsulas de café – programa exibido em 28/11/2016.

E se a lama de Mariana tivesse outro destino? – programa exibido em 21/12/2015, com a colaboração de Viviane Possato.

E o entulho: serve para alguma coisa? – programas exibidos em 20/05/2007 e 28/11/2012 (este último, em parceria com o *Jornal da Globo*).

A experiência de São José do Rio Preto – programa exibido em 20/05/2007, com a colaboração de Daniela Golfieri.

Lixo eletrônico – programa exibido em 14/06/2009.

Europa declara guerra às sacolas plásticas – programa exibido em 22/06/2015, com a colaboração de Cristiane Ramalho, em Berlim.

A encrenca do isopor – programa exibido em 09/11/2015, com a colaboração de Vanessa Navarro, em Londrina.

Cuidado com os aerossóis! – programa exibido em 12/12/2016, com a colaboração de Thaís Itaqui e Henrique Picarelli.

Cemitério sustentável – programa exibido em 18/11/2007, com a colaboração de Tiago Eltz, em Curitiba.

O lixo que dá música – programa exibido em 03/08/2015.

Planejamento urbano

ICMS Ecológico – programa exibido em 15/02/2009, com a colaboração de Daniela Godoy e Eduardo Nakamura.

IPTU Verde – programa exibido em 15/02/2009.

Cidades em ebulição: ideias que transformam – programas exibidos em 13/04/2011, com a colaboração de Cristiane Ramalho, em Berlim; de Pedro Bassan, em Medellín, em 28/12/2015; de Sandra Coutinho, em Nova York, em 07/04/2015.

Áreas portuárias ganham nova vida – o programa sobre projetos de revitalização internacionais foi exibido em 17/02/2008, com a colaboração de Ariel Palácios, em Buenos Aires, e de Jalília Messias, em Belém; o programa sobre o Rio de Janeiro foi exibido em 30/03/2015.

Os desafios de Brasília – programa exibido em 21/04/2010.

Centro de Operações: quando a cidade cabe numa sala – programa exibido em 23/03/2011, com a colaboração de Joana Calmon em Paris e Madri, e de Sandra Coutinho, em Nova York.

Sobre duas rodas se vai longe – programas exibidos em 9 e 16/09/2007, com a colaboração de Fabiana Faria e Joana Calmon, e em 13 e 20/04/2015.

Carona solidária – programa exibido em 31/05/2009, com a colaboração de Joana Calmon, em Paris.

Carros elétricos – programa exibido em 10/04/2013, com a colaboração de Roberto Kovalic, no Japão.

Acessibilidade: uma questão ainda pendente – programas exibidos em 5 e 12/09/2016.

"Homem-bomba" em São Paulo – programa exibido em 04/05/2011.

Construções sustentáveis

Os selos verdes na construção civil – programa exibido em 13/03/2013.

Um paliteiro de arranha-céus sustentáveis – programa exibido em 28/09/2011. Reportagem de André Trigueiro, que esteve em Nova York para cobrir a cerimônia que marcou os dez anos dos atentados às Torres Gêmeas.

Green building, of course! – programa exibido em 22/06/2008, com a colaboração de Aline Pestana, em Londres.

O que vale para o rico vale para o pobre – programa exibido em 04/04/2012.

O "aço verde" – programa exibido em 29/04/2007.

Os telhados do século XXI – programa exibido em 12/07/2009, com a colaboração de Rodrigo Lopes, em Porto Alegre, e de Renata Ribeiro, em São Paulo.

Etiquetas medem eficiência energética dos edifícios – programa exibido em 08/11/12, com a colaboração de Viviane Basile.

A primeira Câmara Municipal movida a energia do vento – programa exibido em 02/03/2011, com a colaboração de Larissa Schmidt.

Vá de retro...fit! – programa exibido em 04/10/2009, com a colaboração de Renata Ribeiro.

Sociedade

A força do voluntariado – programa exibido em 02/05/2012.

Os caçadores de bons exemplos – programa exibido em 19/09/2016.

Teto para quem precisa – programa exibido em 16/10/2013, com a colaboração de Rosana Cerqueira.

Médicos sem Fronteiras – programa exibido em 09/05/2012, com a colaboração de Joana Calmon, em Paris, e Sandra Coutinho, em Nova York.

Estudantes contra combustíveis fósseis – programa exibido em 29/06/2015, com a colaboração de Sandra Coutinho, em Nova York.

Um jeito diferente de ensinar sustentabilidade – programa exibido em

17/12/2014, com a colaboração de Ana Carolina Amaral, em Totnes (Inglaterra).

Quando a internet muda o mundo para melhor – programa exibido em 11/09/2013, com a colaboração de Henrique Picarelli.

A campanha pela Lei da "Ficha Limpa" – programa exibido em 11/09/2013, com a colaboração de Janete Carvalho.

Prefeitos e vereadores na mira dos eleitores – programa exibido em 24/02/2008, com a colaboração de Núbia Prado e Rosana Cerqueira.

Cidadania, vigilância e transparência – programa exibido em 26/09/2016.

Educafro: muito além das cotas – programa exibido em 20/04/2011, com a colaboração de Rui Gonçalves.

"Cine-pedrada": um jeito *verde* de fazer cinema – programa exibido em 27/04/2015.

O Papa Francisco e sua encíclica ambiental – programa exibido em 29/06/2015.

Consumo consciente

Qual é a sua "pegada ecológica"? – programa exibido em 24/05/2009.

"Menos é mais" – programa exibido em 17/08/2015.

As armadilhas da "maquiagem verde" – programa exibido em 07/03/2016.

O escândalo da Volks – programa exibido em 14/03/2016, com a colaboração de Pedro Vedova, em Berlim.

Economia colaborativa – as experiências do Free Stuffy e do Leila foram mostradas no programa exibido em 27/06/2016, com a colaboração de Cristiane Ramalho, em Berlim. O Tem Açúcar e o Bliive apareceram no programa exibido em 24/10/2016, com a colaboração de Klara Duccini.

"Ecocomparador": compare, escolha e boa viagem! – programa exibido em 17/06/2007, com a colaboração de Joana Calmon.

Créditos das imagens

Energia – Taraki/Shutterstock
Água – Leandro Dittz
Biodiversidade – Rich Carey/Shutterstock
Mudanças climáticas – swa182/Shutterstock
Resíduos – Huguette Roe/Shutterstock
Planejamento urbano – mrmohock/Shutterstock
Construções sustentáveis – Elizaveta Galitckaia/Shutterstock
Sociedade – dotshock/Shutterstock
Consumo consciente – Baloncici/Shutterstock

IMPRESSO EM PAPEL
Pólen®
mais prazer em ler

1ª edição	*Maio de 2017*
papel de miolo	*Pólen Soft 70g/m²*
papel de capa	*Cartão Supremo 250g/m²*
tipografia	*Adobe Garamond Pro e Sanuk*
gráfica	*Brasilform Editora e Ind. Gráfica*